Tai-chi chuan

Catherine Despeux

Tai-chi chuan

Arte marcial, técnica da longa vida

Tradução
OCTAVIO MENDES CAJADO

Editora
Pensamento
SÃO PAULO

Título do original: *Taiji Quan – Art Martial, Technique de Longue Vie.*

Copyright ©1981 Guy Trédaniel.

Todos os direitos reservados. Nenhuma parte deste livro pode ser reproduzida ou usada de qualquer forma ou por qualquer meio, eletrônico ou mecânico, inclusive fotocópias, gravações ou sistema de armazenamento em banco de dados, sem permissão por escrito, exceto nos casos de trechos curtos citados em resenhas críticas ou artigos de revistas.

O primeiro número à esquerda indica a edição, ou reedição, desta obra. A primeira dezena à direita indica o ano em que esta edição, ou reedição foi publicada.

Edição	Ano
8-9-10-11-12-13-14-15-16	08-09-10-11-12-13-14

Direitos de tradução para a língua portuguesa
adquiridos com exclusividade pela
EDITORA PENSAMENTO-CULTRIX LTDA.
Rua Dr. Mário Vicente, 368 – 04270-000 – São Paulo, SP
Fone: 2066-9000 – Fax: 2066-9008
E-mail: pensamento@cultrix.com.br
http://www.pensamento-cultrix.com.br
que se reserva a propriedade literária desta tradução.

Impressão e Acabamento
Cometa Grafica Editora
Tel- 11-2062 8999
www.cometagrafica.com.br

Nota dos editores

Não nos move o propósito de apresentar aqui um manual prático de Taiji quan — que já existe —, mesmo porque entendemos ser o mestre ou o modelo indispensáveis, no mínimo pela função de imitação que desenvolvem. Assim, no que se refere à parte prática, apresentamos uma descrição sucinta dos movimentos.

Nossa intenção é, antes de tudo, mostrar a utilização prática dos movimentos no combate, não só para os que desejam desenvolver o aspecto marcial do Taiji quan, mas também para os que acham difícil memorizar os movimentos, a fim de poderem se socorrer da imagem mental dessa utilização.

Acrescentamos, finalmente, no tocante à escola Chen, as correspondências estabelecidas entre movimentos e hexagramas, o que permitirá ao praticante compreender melhor o sentido de cada movimento, e, sobretudo, a busca do apuramento, incessantemente renovada, que cada qual pode empreender a partir do movimento.

Adotamos na presente edição a romanização dos termos chineses através do sistema conhecido como pinyin. Esse sistema é a transcrição oficial da República Popular da China, e foi largamente adotado na imprensa ocidental há aproximadamente seis anos.

INTRODUÇÃO

Para o Ocidente, quando não a encaramos sob o aspecto atual, a China, muitas vezes, é apenas o Império do Meio, dos letrados, dos calígrafos, que buscavam o refinamento em todas as circunstâncias. A China foi constantemente ameaçada por guerras, tanto de fronteiras quanto internas, e como conseqüência desenvolveu vigorosa tradição de autodefesa. Deixar isso de lado seria esquecer a realidade de um povo numeroso e essencialmente rural. Daí que as artes militares desempenhassem sempre um papel importante na civilização chinesa, cujo ideal, aliás, era o equilíbrio entre as virtudes civis e as militares.

O Taiji quan é uma dessas técnicas de autodefesa. O termo significa "técnica de combate à mão descoberta da Suprema Cumeeira"; opõe-se ao Taiji jian, "técnica da espada do Taiji", ou Taiji dao, "técnica do sabre de Taiji". E foi incluído pelos chineses entre as artes marciais *(wushu)*.

Na tradição chinesa, a força guerreira destina-se menos a atacar do que a defender-se e a instaurar a "grande paz" *(taiping)*, tema que voltamos a encontrar ao longo de toda a história do império. Grupos ou sociedades secretas, tanto quanto certos indivíduos que se apresentam como defensores da justiça, têm-se esforçado por concretizar esse ideal da grande paz. Ao lado do exército imperial, surgiram heróis cujo objetivo era preconizar a justiça, e que, nesse afã, chegavam a sacrificar a própria vida e não hesitavam em opor-se a uma ordem imperial quando esta fosse motivo de injustiça. Diz um adágio chinês a propósito deles: "Assim que topavam com a desordem no caminho, sacavam da espada para prestar sua ajuda".

Tais ações cavalheirescas eram muito respeitadas e admiradas por um povo que, às vezes, em conseqüência, era vítima não só da rapacidade de funcionários mas também dos ataques de bandidos. A literatura popular é pródiga em histórias desses heróis, apresentados como modelos ao leitor. Entre as mais célebres, podemos citar o romance *À beira d'água*, publicado durante a dinastia Ming, que narra os feitos de cavaleiros andantes e reflete muito bem o estado da sociedade camponesa da época. Igualmente célebre é o *Romance dos Três Reinos*, em que se contam as proezas de Zhang Fei, Liu Pei e Guanyu; este último, aliás, divinizado, transformou-se no protetor das aldeias. A dinastia Qing (Manchu) (1644-1912) conheceu uma floração desses romances de capa e espada, cujos heróis são dotados de inúmeros poderes sobrenaturais.

A existência dos heróis cavalheirescos e populares foi considerada por Sima Qian, primeiro historiador oficial da China, fenômeno tão importante que, em suas *Lembranças históricas*, ele lhes dedica duas biografias, a "Biografia dos assassinos" e a "Biografia dos cavaleiros andantes", a última das quais vem precedida desta citação do *Hanfeizi*, obra jurídica do século III a.C.: "Os confucionistas embaraçam a lei com seus escritos e os cavaleiros andantes violam os interditos empregando a força; ambos são condenáveis". Historiador da corte, Sima Qian não podia expressar sua opinião pessoal, mas tudo indica que, colocando essa citação na primeira página das biografias, pretendesse mostrar isenção em relação ao texto subseqüente, que deixa transparecer certa simpatia pelos cavaleiros de cuja existência nos dá notícia.

Os cavaleiros andantes eram vistos com temor pelo poder central, ao qual não hesitavam opor-se; e esse temor era bem justificado, visto que eles participaram da derrubada de diversas dinastias, entre as quais a Yuan.

Em suas biografias, Sima Qian distingue várias espécies de cavaleiros: os cavaleiros plebeus, os das aldeias e os das cidades. Entretanto, diferentes estudos consagrados a esses homens não se harmonizam no sentido de fazer deles um grupo social particular. Em geral, os cavaleiros andantes e os heróis agiam à testa de milícias que eles mesmos formavam ou que encontravam, já formadas, nas aldeias. Parece que, no decorrer da história chinesa, a maioria das aldeias se armou de uma estrutura de autodefesa mais ou menos aprimorada segundo a sua importância. Podia ser, assim, uma família inteira em cujo seio se desenvolvia o ensino das artes marciais. Quanto à origem social dos membros das milícias, a literatura popular raramente a precisa, embora pareça certo que elas acolhiam grande número de filhos de famílias pobres.

Foi numa dessas milícias camponesas que no século XVII surgiu o Taiji quan. A maioria dos mestres era de baixa extração social, e muitos não sabiam ler nem escrever; documentos autênticos, escritos por eles, são, portanto, muito raros e relativamente recentes. Por conseguinte, esta obra foi realizada após uma pesquisa levada a cabo na área, combinada com uma experiência pessoal do Taiji quan, que nos permitiu recolher oralmente informações que não se encontram nos escritos. Ademais, a existência de documentos de valor não foi, de maneira alguma, favorecida pelo desprezo que os letrados votavam aos camponeses, não raro incultos, praticantes das artes marciais, nem pelas rivalidades entre as milícias, que conservavam, zelosas, o segredo de seu ensino.

Com efeito, foi só entre o fim do século XIX e o princípio do XX que certos lutadores forcejaram por anotar o que sabiam ou transcrever as palavras do mestre. Na maior parte das vezes, porém, a arte se transmitia oralmente de pai para filho, no seio da mesma família ou da mesma milícia. Constituiu exceção a essa regra Yang Luchan, professor de boxe, acolhido pela família Chen, onde recebeu o ensino do Taiji quan, que, em seguida, difundiu em Pequim.

Foi a partir desse mesmo Yang Luchan que o Taiji quan evoluiu da técnica de combate para a disciplina psicossomática e o esporte popularizado. A partir de 1925, tentaram introduzi-lo na educação escolar e ele foi ensinado aos professores de educação física. Suprimiram-se movimentos de execução difícil para colocar sua prática ao alcance dos velhos e dos amadores e até dos não-especialistas em artes marciais, o que fez que ele passasse a ser, principalmente, uma ginástica, mas também uma técnica terapêutica. Este último aspecto é o que tende a desenvolver-se atualmente na China Popular.

Além disso, por utilizar e desenvolver a energia interior, através de um trabalho respiratório, essa arte marcial se aparenta com as técnicas taoístas de longevidade e é também considerada uma arte da longa vida.

Entrada do Templo Shaolin, na província de Henan.

I. HISTÓRICO

Quando, ao alvorecer, vemos os chineses praticarem o Taiji quan nos parques, a primeira impressão que temos é de que se trata de uma dança, tais são a graça e a lentidão, num encadeamento ininterrupto, com que se executam os movimentos. Sem embargo disso, não só de um ponto de vista histórico, mas também pela análise do termo, é nas artes marciais que convém situar o Taiji quan, pelo menos em sua origem. A expressão Taiji quan significa, de fato, literalmente, "boxe da Suprema Cumeeira".

As técnicas de combate à mão descoberta classificaram-se em duas escolas: a exotérica *(waijia)* e a esotérica *(neijia)*. É nesta última que se costuma incluir o Taiji quan, com duas outras técnicas intituladas "boxe do corpo e do pensamento" *(xingyi quan)* e "boxe dos oito trigramas" *(bagua quan)*. As duas escolas estão ligadas a dois famosos centros religiosos da China: o Templo Shaolin [1], grande centro do budismo *chan* (zen), e o monte Wudang [2], centro taoísta muito florescente a partir da dinastia Song. Os mestres falam, portanto, indiferentemente, em escola exotérica e escola esotérica, ou em corrente Shaolin e corrente Wudang.

---

[1] *O Templo Shaolin situa-se no monte Shaoshi, a noroeste do distrito de Dengfeng e não longe de Luoyang, na província de Henan. Foi construído no fim da dinastia Wei por Bato, a crermos na* História oficial dos Wei (Weishu, *j. 114, pág. 7 b), ou por Foto, segundo outras fontes. Sua construção também foi relatada no* Xu gaoseng zhuan *(T 2 060, pág. 551 a). Uma das paredes do fundo do templo ostenta afrescos que representam os monges do Templo Shaolin executando exercícios de boxe. Édouard Chavannes reproduziu essas pinturas murais no* Mission archéologique dans la Chine septentrionale *(pranchas, segunda parte, n.° 981-982). Até recentemente, o templo era um centro vivo de budismo e artes marciais. Vítimas das sevícias da Revolução Cultural, não restam, no momento, mais de nove monges, o mais moço dos quais já completou cinqüenta e seis anos. Parece, todavia, que eles continuam a fazer seus exercícios de boxe pela manhã.*
[2] *O monte Wudang situa-se no noroeste da província de Hubei. O maciço, que comporta doze picos, encerrava inúmeros templos, cujo acesso era difícil. Foi por essa razão que o imperador Yongle (século XV) mandou talhar uma rampa na rocha.*

1. A ESCOLA EXOTÉRICA

Esta categoria compreende a maioria das técnicas de combate, bastante violentas, do gênero das que chamamos, na França, *gongfu (kung-fu)*. Mas a mais prestigiosa dentre elas continua sendo o boxe do Shaolin *(Shaolin quan)*.

Situado no noroeste da província de Henan, não muito distante da cidade de Luoyang, o Templo Shaolin fica perto do distrito de Dengfeng. Teria sido edificado por Foto (Buddhajiva), monge originário da Índia, no décimo ano da era Taihe, ou seja, em 495. Esse templo, ponto de partida do budismo *chan* na China, deve também sua celebridade a uma sólida reputação como centro de artes marciais.

Os diferentes escritos históricos do budismo apresentam Bodhidharma [1] como o introdutor do budismo *chan* na China e como o primeiro patriarca dessa escola no Império do Meio. Conta-se que ele se teria hospedado no Templo Shaolin, onde ficou por nove anos sentado, meditando, diante de um muro. Essa personagem suscita problemas, pois as diferentes fontes que a ele se referem divergem: algumas o consideram monge persa, outras, indiano, e as datas de sua chegada à China variam de 479, veja acima, a 526. Isso fez que alguns pesquisadores duvidassem de sua existência, ao mesmo tempo em que outros sugeriam tratar-se de um grupo de monges indianos. O fato é que o nome de Bodhidharma se viu, depois disso, definitivamente ligado ao do Templo Shaolin; além disso, atribuiu-se-lhe a criação de uma técnica de combate. É costume na China imputar-se a uma personagem célebre a criação de uma técnica a fim de dar-lhe prestígio.

No meio contemporâneo das artes marciais, dois tratados de técnicas corporais referem-se igualmente a Bodhidharma: o *Tratado da flexibilização dos músculos (Yi jin jing)* e o *Tratado da lavagem da medula espinhal (Xi sui jing)*. Desse último tratado já não existe nenhum vestígio escrito. Em compensação, inseriu-se um *Yi jin jing* no *Neigong tushuo*, obra publicada durante a dinastia Ming [2]. Outro tratado com o mesmo título foi atribuído a Li Jing [3], célebre

---

[1] *A respeito de Bodhidharma, veja principalmente* Daruma daishi no kenkyu *e* "Bodhidharma und die Anfänge des Zen Buddhismus", *de H. Dumoulin, em* Monumenta Nipponica, *vol. 7, págs. 67-83 (1951).*
[2] *Consultamos, na Biblioteca Nacional de Taiwan, um* Yi jin jing *diferente do do* Neigong tushuo *e atribuído ao indiano Banlami. Em* Kung-fu or medical gymnastics, Dudgeon *cita, à pág. 504, um* Weisheng yi jin jing.
[3] *Li Jing era um general muito célebre, que viveu como funcionário no tempo da dinastia Sui, quando o primeiro imperador da dinastia Tang se instalou no trono*

general da dinastia Tang (618-906). Segundo Xu Zhedong, chinês contemporâneo, autor de pesquisas sobre a história das artes marciais, esta última obra seria um apócrifo da dinastia Qing (1644-1912).

Se não se pode considerar Bodhidharma o iniciador do Shaolin quan, e, na verdade, nenhuma de suas biografias o menciona como introdutor de uma técnica de combate ou de técnicas corporais, pelo menos não se pode afastar a hipótese de uma influência das técnicas corporais indianas e de sua introdução no Templo Shaolin, seja na época de Bodhidharma, seja mais tardiamente. Sabemos, com efeito, que se introduziram técnicas corporais indianas na China; na bibliografia da *História dos Sui* figuram títulos de várias dessas obras, que parecem perdidas.

O papel do Templo Shaolin como centro de artes marciais já se afirma no fim da dinastia Sui (589-618) e, desde então, os monges guerreiros do Templo Shaolin aparecem constantemente na cena histórica. Assim, por volta de 619, cinco mil monges se sublevaram em Huairong (Mongólia), sob a liderança do monge Gao Tancheng. Durante o reinado de Li Shimin, fundador da dinastia Tang, Tancheng e treze monges do Templo Shaolin participaram da repressão da rebelião de Wang Shichong[1]. Os monges do Templo Shaolin ilustraram-se também nos reinados dos Song, dos Ming e dos Qing, e mostraram-se muito ativos por ocasião da revolta dos boxers no século passado.

Hoje, o Shaolin quan se compõe essencialmente de cinco exercícios: a técnica de combate do dragão *(long quan)*, a técnica do tigre *(hu quan)*, a técnica da pantera *(bao quan)*, a técnica da serpente *(she quan)* e a técnica do grou *(he quan)*[2].

---

por iniciativa própria. Condenado à morte, foi poupado. Em seguida, divinizado, converteu-se no guardião do norte. É um dos doze assessores que cercam o deus na guerra Guanyu.

[1] Em "O budismo e a guerra", artigo escrito por P. Demiéville e publicado nos Mélanges de l'Institut des Hautes Études Chinoises, *o autor cita diversos méritos militares dos monges guerreiros do Templo Shaolin. Segundo uma inscrição Tang, conservada nesse templo, Li Shimin, o futuro imperador Taigong (627-641), teria dirigido uma mensagem aos monges do Shaolin, concitando-os a dominarem o general rebelde Wang Shichong.*

[2] Alguns chineses aproximam essas técnicas do "jogo dos cinco animais" (wu qin xi), *técnica corporal atribuída ao célebre médico Hua To da época dos Três Reinos (222-264), destinada a afastar as doenças e a prolongar a vida. Os cinco animais, todavia, são diferentes.*

2. A ESCOLA ESOTÉRICA, ORIGEM LENDÁRIA DO TAIJI QUAN

O monte Wudang situa-se na província de Hubei (noroeste). Adquiriu celebridade sobretudo a partir da dinastia Song, quando se desenvolveu um culto à divindade taoísta Zhenwu, ou Xuandi, divindade da guerra ligada ao norte [1]. Desde a dinastia Han, essa divindade, o "Imperador Negro" (Xuandi) ou o "guerreiro verdadeiro" (Zhenwu), tem sido associada ao sete-estrelo e à estrela Polar, localização cosmográfica do Taiji. A escola taoísta do monte Wudang desenvolveu toda uma série de rituais militares destinados a combater os demônios e as influências maléficas por ocasião das cerimônias de combate à mão desarmada ou armada. Aliás, esses rituais de exorcismo são amiúde ligados ao Taiji.

Ao monte Wudang está estreitamente associada a personalidade taoísta Zhang Sanfeng [2], que teria vivido no tempo dos Song do Sul (1127-1279), ou mais tarde, e que é geralmente apresentado como o criador do Taiji quan. De fato, quando interrogados sobre a origem dessa arte, quase todos os mestres contam a seguinte história: num dia em que o eremita Zhang Sanfeng estava à janela de sua choça, no monte Wudang, o grito estranho de um pássaro atraiu-lhe a atenção. Debruçando-se, viu uma pega [3] assustadíssima descer de uma árvore ao pé da qual se achava uma cobra. Seguiu-se um duelo, e a pega foi vencida pela cobra, que combatia com extrema agilidade e com deslocamentos curvilíneos. Zhang Sanfeng compreendeu, então, a supremacia da agilidade sobre a rigidez, a importância da alternação do Yin e do Yang, e outras concepções que constituem a base do Taiji quan; em conseqüência desse incidente, ele elaborou o Taiji quan, aplicação dos princípios do Taiji [4]. A história lembra estranhamente a da invenção do passo de Yu, relatada num sem-número de textos taoístas [5]: esse célebre demiurgo, que domou as águas, organi-

---

[1] Zhenwu, o "guerreiro verdadeiro", é o protetor armado do mundo, que habita na estrela Polar. Vários textos do Cânon taoísta se ocupam dele, entre os quais os de número 27 (27), 556 (775), 530-531 (754), 567 (816), 608 (960), 879 (1213), etc.
[2] A respeito de Zhang Sanfeng, veja "Um imortal taoísta da dinastia Ming, Chang San-fung", de Anna Seidel, em Self and society in Ming thought. Existem inúmeras biografias dessa personagem.
[3] Consoante outras versões, tratava-se de um pardal.
[4] Essa lenda é referida sobretudo no Taiji Quan shiyi, de Dong Yingjie, pág. 7.
[5] Acerca do passo de Yu, veja "As danças sagradas na China", de M. Kaltenmark, em Danças sagradas, pág. 444. Uma das melhores e mais detalhadas descrições desse passo encontra-se no Baopuzi neipian, juan 11 (século IV). É o passo básico de todos os rituais taoístas, ainda hoje. Mas exercia também função exorcista e terapêutica. Assim, entre os documentos médicos tirados do túmulo número 3 de Mawangdui, e que datariam do século IV a.C., um deles, ao qual se deu o título de 52 receitas

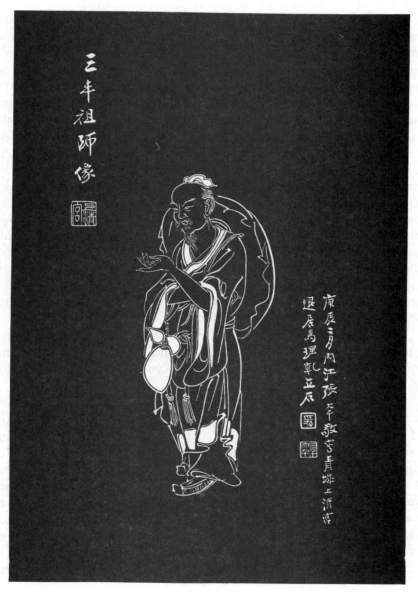

Estela representando Zhang Sanfeng, executada em 1940 por Zhang Daqian, e que se encontra no Palácio da Pureza Superior (shangqing gong), *no monte Qingcheng, na província de Sichuan.*

zou o mundo e o dividiu em nove seções graças à sua dança, ao seu passo saltitante, teria inventado esse passo após avistar um pássaro voltear ao redor das árvores e das pedras para apanhar serpentes: o tema é aqui o inverso do da lenda de Zhang Sanfeng.

Segundo outra lenda, Zhang Sanfeng teria recebido a técnica através de sonhos. Efetivamente, no *Ningbo fuzhi* [1] há esta passagem: "Songxi ajudava as pessoas e era exímio no combate à mão descoberta; tinha por mestre Sun, o terceiro venerável, que dizia ter herdado seu método de Zhang Sanfeng da dinastia Song... Certa noite, Zhang Sanfeng recebeu em sonhos, do Imperador Negro (Xuandi), um método de combate à mão descoberta; no dia seguinte, ao despertar, matou, sozinho, mais de uma centena de bandidos".

É interessante notar as concepções dos chineses sobre a criação de uma coisa ou de uma técnica. Não se trata de inventar algo novo, mas, o mais das vezes, de reencontrar um modelo mítico antigo, que pode estar situado em tempos recuados, uma espécie de idade áurea, como, por exemplo, no tempo dos imperadores Huangdi e Shennong, ou, como aqui, no tempo de Yu, o Grande. Esse modelo pode estar situado num domínio numênico e ser revelado às pessoas dignas dele por uma divindade ou por taoístas imortais, que se encontram um dia e desaparecem logo depois. Trata-se, portanto, mais freqüentemente, de uma redescoberta, até de uma revelação, que se faz em pleno dia ou por intermédio do sonho.

Disso resulta que a aquisição do conhecimento comporta anos de prática, mas a passagem para o domínio total da arte tem um caráter súbito, e é amiúde suscitado por um acontecimento exterior, que se diria insignificante.

Segundo a "Biografia de Zhang Sanfeng", incluída na *História oficial dos Ming (Mingshi)*, essa personagem teria vivido do século XII ao século XIV-XV, ou seja, mais de duzentos anos. "Ele era grande, de aparência imponente, ostentava os sinais clássicos da longevidade, isto é, os sinais da tartaruga e do grou. Possuía orelhas grandes e olhos redondos. A barba eriçava-se-lhe furiosamente como a lâmina de uma alabarda. Tanto no verão quanto no inverno, envergava uma simples vestimenta." Muito versado na alquimia interior, várias obras apócrifas sobre essa última disciplina, que datam do fim do século XIX, lhe são atribuídas [2].

Diversos fatores explicam a escolha de Zhang Sanfeng como

---

terapêuticas, *alude, em várias ocasiões, ao emprego do passo de Yu para curar o doente, passo esse dado em direções diferentes, de acordo com a natureza da moléstia.*

[1] *Tirado da "Biografia de Zhang Songxi", em* Ningbo fuzhi, *vol. 4, pág. 2289.*
[2] Zhang Sanfeng dadao zhiyao *e* Zhang Sanfeng taiji liandan mijue.

criador do Taiji quan. O primeiro é o que acima expusemos, a saber, o costume chinês de atribuir uma invenção a uma personagem eminente, cuja biografia foi escrita segundo o modelo típico dos sábios taoístas, bem como dos sábios da Antiguidade. O segundo fator é o elo íntimo existente entre Zhang Sanfeng e o monte Wudang, sítio de peregrinação consagrado a Zhenwu, o "guerreiro verdadeiro", e centro de desenvolvimento dos rituais militares. Enfim, é provável que se tenha querido opor um santo taoísta ao eminente monge budista Bodhidharma, a quem se atribui a criação das técnicas de combate Shaolin. Alguns mestres de Taiji quan que conhecemos negam a Zhang Sanfeng até a paternidade do Taiji quan, considerando que ele não fez senão modificar o Shaolin quan [1]. De acordo com essa hipótese, quando Zhang Sanfeng se dirigia a Sichuan, ter-se-ia detido, no meio do caminho, no Templo Shaolin da província de Henan, para ali aprender as técnicas de combate, e só teria estudado o taoísmo posteriormente, através das artes marciais. Dando-se conta de que os monges de Shaolin empregavam de modo excessivo a força muscular, o que acarretava um desperdício de energia original, ele teria procurado um meio de atenuar esse inconveniente, criando, assim, o Taiji quan (cujos princípios, como veremos, são orientados para a conservação da energia). Os defensores dessa teoria baseiam-se na similaridade de alguns movimentos do Taiji quan e do Shaolin quan. Mas podemos imaginar também que as duas técnicas tomaram emprestado muita coisa do fundo comum das técnicas de combate milenares da China.

3. A DISTINÇÃO ENTRE ESCOLA EXOTÉRICA E ESCOLA ESOTÉRICA

Essa distinção já é estabelecida no "Epitáfio para Wang Zhengnan", escrito no século XVII por Huang Lizhou [2]: "Shaolin é célebre em todo o império pela bravura da sua gente, graças à técnica de combate que possui e que consiste principalmente em lutar com o adversário; razão pela qual este último pode, às vezes, levar a melhor. Mas existe também uma escola chamada esotérica, que tem por princípio neutralizar a força dinâmica pelo poder da tran-

---
[1] *Tese referida em* Zhang Sanfeng he tade Taiji quan, *de Li Ying-ang.*
[2] *Em* Huang Lizhou wenji, *de Huang Zongxi (1610-1695), edição de Pequim, 1959, pág. 145.*

qüilidade. Na luta, atiram imediatamente ao solo o adversário. Em oposição a essa escola, que começa provavelmente a partir de Zhang Sanfeng da dinastia Song, a escola Shaolin denominou-se exotérica".

Conforme a maioria dos mestres de Taiji quan, a distinção entre as duas escolas corresponderia à que existe entre "trabalho interior" *(neigong)* e "trabalho exterior" *(waigong)*, distinção surgida em várias obras sobre os exercícios de longevidade a partir da dinastia Ming (1368-1644). Assim, as técnicas da escola esotérica insistiriam mais no trabalho interior, que consiste em exercitar a respiração, ao passo que as técnicas da escola exotérica se apoiariam antes no esforço muscular. A explicação, todavia, é insuficiente, se não inexata, na medida em que o trabalho interior não é de todo negligenciado nas técnicas da escola exotérica.

Outra hipótese aventada é que "escola esotérica" *(neijia)* designaria os que permanecem na família, isto é, os taoístas que, em sua maioria, podendo fundar uma família, não são obrigados a levar uma vida eremítica, em oposição à "escola exotérica" *(waijia)*, os que deixam a família, expressão que designa os monges que vão viver nos mosteiros budistas. Em outras palavras, a escola esotérica corresponderia à corrente taoísta e a exotérica, à budista.

Enfim, Li Ying-ang, autor contemporâneo de diversas obras sobre o Taiji quan [1], dá outra interpretação a essa distinção, não mais entre escola esotérica e escola exotérica, mas sim entre corrente Wudang e corrente Shaolin. Para ele, a expressão "corrente Wudang" teria sido forjada ao tempo da dinastia Qing e divulgada através do palácio imperial, onde o Taiji quan foi ensinado. Nele se iniciou a própria imperatriz Ci Xi, que reanimou e sustentou as milícias locais por três editos (de 5 de novembro de 1898, 31 de dezembro de 1898 e 17 de março de 1899). Após estabelecer a distinção, os meios imperiais teriam buscado lançar a corrente Wudang contra a corrente Shaolin, que participava de inúmeras atividades subversivas contra o poder dos Qing e representava um perigo real, ao passo que, como o veremos, os adeptos do Taiji quan participaram efetivamente da repressão de rebeliões locais.

---

[1] *Em* Zhang Sanfeng he tade Taiji quan, *de Li Ying-ang.*

4. OUTRA ORIGEM DO TAIJI QUAN

Segundo fonte recente, a criação do Taiji quan remontaria à época das Seis Dinastias (265-589), tese essa sustentada no princípio do século por um subalterno de Yuan Shikai, chamado Song Shuming, que se apresentava como descendente da décima sétima geração de Song Yuanqiao, célebre taoísta do fim da dinastia Tang. Este último seria o autor de uma obra que se encontrava em poder de Song Shuming, as *Diferentes correntes e a origem do método do Taiji transmitidas pela família Song*. De acordo com o livro, a família Song teria conservado e transmitido, a partir de Xu Xuanping, da dinastia Tang [1], um método do Taiji composto de trinta e sete movimentos executados separadamente. Deve-se notar que, pelo que é do nosso conhecimento, nenhum outro escrito indica que Xu Xuanping se entregava à luta à mão desarmada ou a uma técnica corporal. O próprio Xu teria aprendido a técnica do Taiji com Han Gongyue, que vivia no tempo do imperador Liang Wudi das Seis Dinastias, e que teria sido discípulo de Cheng Lingxi [2]. Este último teria igualmente transmitido essa técnica corporal a Cheng Bi, que teria trocado o nome do Taiji pelo de Xiao jiu tian [3].

A mesma obra nos revela outra tradição, segundo a qual o Taiji quan remonta a Li Daozi [4], da dinastia Tang. O método por ele praticado não se chamaria Taiji quan, mas sim Xiantian quan (técnica do céu anterior) [5], e, no tempo da dinastia Song, teria sido transmitido à família Yu, depois a Song Yuanqiao, Yu Lianzhou e Zhang Songxi. Finalmente, outra técnica, intitulada "Treze posturas do Taiji", teria sido transmitida a partir de Zhang Sanfeng.

---

[1] *Xu Xuanping, originário da prefeitura de Huizhou, na província de Anhui, levava vida de eremita nos montes Chengyang. Com quase um metro e oitenta de altura, possuía abundante cabeleira e uma barba que lhe chegava ao umbigo; jejuava, com freqüência, dias a fio. O* Tangshi jishi *compilado por Ji Youngong, da dinastia Song, conservou-nos dele o seguinte poema (vol. 4, j. 75, pág. 12 a): "Desde a aurora carrego feixes de lenha para vender, / Ao crepúsculo, volto bêbedo para casa, / Se me perguntam onde moro, / Atravesso as nuvens e escondo-me na verdura".*

Tendo ouvido esse poema, Li Bai quis fazer-lhe uma visita, mas não conseguiu encontrá-lo.

[2] *Seu sobrenome era Cheng Lingxi; seu prenome, Yuandi. Viveu no tempo da dinastia Liang (506-556), em Xiuning, na prefeitura de Huizhou, da província de Anhui. Exerceu as funções de prefeito, sob as ordens do imperador Yuandi (552-555). Segundo o* Dicionário biográfico, *tornou-se conhecido pela bravura.*

[3] *O céu se compõe de nove camadas e fala-se dos "nove céus" (jiu tian).*

[4] *Li Daozi viveu no tempo da dinastia Tang (618-905) em Anqing, no Jiangnan. Residiu no monte Wudang.*

[5] *A expressão "céu anterior" designa o que precede a criação, o que é nato, em oposição a "céu posterior", o que vem depois da criação, o que é adquirido.*

Song Shuming teve por discípulos mestres eminentes de Taiji quan. Depois de havê-lo enfrentado, diversos deles lhe reconheceram a superioridade e se tornaram seus discípulos. Devemos citar aqui, entre os mais célebres, Xu Yusheng (1878-1945), Wu Jianquan e Ji De.

Alguns mestres contemporâneos estão convencidos da autenticidade do livro de Song Yuanqiao. Outros observam que trinta dos trinta e sete movimentos nele descritos apresentam grande semelhança com os da escola Yang de Taiji quan que exibem o mesmo nome. Essa obra, portanto, teria sido inteiramente forjada por Song Shuming, em vista da sua rivalidade com as outras escolas de Taiji quan, a fim de granjear prestígio.

5. A PRIMEIRA ESCOLA DE TAIJI QUAN: A ESCOLA CHEN

a) O suposto fundador: Chen Wangting

No estado atual dos nossos conhecimentos, a expressão Taiji quan só é registrada por escrito no fim do século XIX. Encontra-se utilizada numa obra escrita por um membro da família Chen, que seria o berço dessa técnica. O livro, intitulado *Desenhos e explicações sobre o Taiji quan (Taiji quan tushuo)*, comporta dois prefácios datados respectivamente de 1921 e 1929, e um prefácio do autor, datado de 1919. O autor da obra, Chen Pinsan, escreveu ainda um apêndice em que registra uma genealogia dos membros da sua família versados nas artes marciais.

Segundo Chen Pinsan, o criador do Taiji quan foi o antepassado de sua família, Chen Wangting. Este último nasceu no fim da dinastia Ming e serviu na corte imperial. Em 1618 assumiu encargos militares nas províncias de Shandong, Zheli e Liaodong. Após a queda da dinastia Ming, em 1644, já idoso, recolheu-se a Chenjiagou, no distrito Wen da província de Henan, ao norte do rio Amarelo, e aí criou o Taiji quan. Na mocidade, formara-se numa escola militar.

É curioso notar que essa criação coincida com a queda dos Ming e a ascensão dos Qing. Pode-se pensar que nessa ocasião criou-se uma sociedade secreta que visava à restauração dos Ming, sociedade da qual Chen Wangting teria sido o chefe ou um dos membros principais [1]. Com efeito, sabe-se que, na época em que se iniciou o movimento dos boxers, que se revoltaram contra o poder imperial no último século, certo número de sociedades secretas praticava as artes marciais. Contudo, parece que os membros da família Chen eram simpatizantes do poder imperial e contribuíram, não raro, para a repressão das revoltas camponesas ou do banditismo; mas talvez nãc fosse esse o caso logo no princípio.

O Taiji quan criado por Chen Wangting seria uma síntese do "encadeamento dos punhos" *(pao quan)* e de vinte e nove posturas dentre as descritas por um general que viveu durante a dinastia Ming, Qi Jiguang, em seu *Tratado de boxe (quanjing)* [2].

Chen Wangting teria sufocado várias rebeliões. Assim, de acordo com a genealogia da família Chen, ele reprimiu uma rebelião do distrito de Dengfeng, na província de Henan, onde o povo, oprimido pelos funcionários, escolhera como chefe da revolta um especialista em artes marciais, Li Jiyu.

Chen Wangting seria o autor do poema seguinte [3]:

"Ai de mim, eu podia outrora carregar as armas e fardos pesados, para esmagar rebeliões. Conheci o perigo e, apesar dos malogros, o imperador não me puniu, antes me concedia a miúdo sua graça. Agora estou velho e ofegante. Só me resta o *Livro do Paço Amarelo* [4], companheiro de meus velhos dias. Nos momentos de tristeza, aperfeiçôo a minha arte marcial. Na época dos trabalhos, vou para os campos. Nos instantes de lazer, ensino a alguns discípulos a arte de se tornarem tigres e dragões e de agirem a seu talante".

b) Os descendentes de Chen Wangting

Um descendente de Chen Wangting, Chen Changxing (1771-1853), desempenha papel importante na tradição do Taiji quan,

---

[1] Em Religião e sociedades secretas contemporâneas no norte da China (Zianzai huabei mimi zongjiao) *o autor, Li Jiyu, menciona uma "seita do Taiji"* (taiji jiao) *ligada à "seita do lótus branco'* (bailian jiao), *mas não ficou provado que ela já existia no tempo de Chen Wangting, nem que esse último tenha feito parte dela.*
[2] *O Quan jing é um curto tratado do* Jixiao xin shu, *escrito por um célebre general da dinastia Ming: Qi Jiguang (1528-1587). O tratado compreende trinta e dois desenhos de posturas e cita alguns nomes das técnicas de combate em uso naquela época. Não se menciona ali o nome de Taiji quan, mas cita-se um "boxer em setenta e duas posturas da família de Wen", e bem poderia tratar-se da família Chen, de Wenzhou, berço do Taiji quan.*
[3] *Em* Taiji quan tushuo, *de Chen Pinsan, pág. 477.*
[4] *Trata-se, com certeza, do* Huangting neiwai jing yujing *(TT 167-168), livro fundamental da escola maoísta do Maoshan, livro básico da meditação a partir da visualização de certos lugares do corpo e das divindades que os habitam.*

primeiro porque teve muitos discípulos, depois porque foi a partir dele que o Taiji quan saiu da família. Com efeito, um de seus discípulos, Yang Luchan, que não era da aldeia, provinha da província de Hebei, e fundou, depois de algum tempo, uma escola de Taiji quan, a escola Yang.

Outro membro da família Chen, Chen Zhongxing (1809-1871) é célebre por sua participação na luta contra os Taiping e os Nian, duas organizações de sublevações populares e antimanchus. No terceiro ano da era Xianfeng (1853), dois chefes dos Taiping e dos Nian, Lin Fengxiang e Li Kaifang, chefiaram uma expedição de centenas de milhares de pessoas rumo ao norte. No dia 18 de maio, atravessaram o rio Amarelo e ameaçaram a aldeia de Chenjiagou. Chen Zhongxing e seus companheiros recrutaram cerca de dez mil homens numa centena de aldeias dos arredores; três dias depois, passaram ao ataque e colheram a vitória. As proezas de Chen Zhongxing são, aliás, narradas nos *Documentos sobre os exércitos Nian (Nianjun)* [1]: "Chen Zhongxing, que habitava em Chenjiagou, célebre por sua bravura e técnica de combate, dirigiu em diversas ocasiões os camponeses da sua aldeia, que lutaram contra os bandidos a oeste do distrito de Wen". As lutas da família Chen são aí igualmente mencionadas várias vezes.

Consoante a genealogia da família Chen, em 1861, Chen Zhongxing e seus homens lutaram por livrar três prefeituras de Shandong, Zhang, Wei e Huai, então ocupadas por bandidos da Sociedade dos Piques Longos.

O governo imperial dos manchus teve muito trabalho no século passado com todas as revoltas camponesas e populares, cujo efeito, embora representassem a origem dos movimentos justiceiros do gênero dos descritos no célebre romance *À beira d'água*, era talar os campos a ferro e fogo. Os mais célebres desses movimentos foram os dos Taiping e dos boxers. Alguns se achavam ligados a sociedades secretas, cujo núcleo, sem dúvida alguma, era constituído pelas milícias camponesas organizadas em ligas que abrangiam diversas aldeias. Mas certas milícias forcejaram por defender suas aldeias igualmente das sublevações populares, o que não significava que fossem pró-manchus. Foi o caso da família Chen, que formava o núcleo da milícia. Dessa maneira, portanto, seus membros se consagraram, de pai para filho, por tradição, às técnicas de combate e desenvolveram o Taiji quan, o que explica que Chen Zhongxing, conquanto tivesse queda para os estudos desde a mais tenra idade,

---

[1] Nanjun, *vol. 2, págs. 160 e 205.*

os abandonasse a fim de conformar-se com a tradição familial das artes marciais.

Se determinados membros, entre os quais Chen Changxing e Chen Zhongxing, se consagravam exclusivamente à prática das artes marciais, a maioria exercia atividades paralelas: uns cultivavam os campos, outros eram farmacêuticos, médicos, moleiros, pintores de divindades nos templos, etc.

c) Outro suposto fundador: Wang Zongyue

Segundo um texto muito breve intitulado *Tratado da lança Yinfu* [1], a criação do Taiji quan, anterior a Chen Wangting, dever-se-ia a alguém chamado Wang Zongyue, da província de Shanxi, que teria ensinado o Taiji quan a Jiang Fa, o qual, ao passar por Chenjiagou, o transmitira à família Chen. A tradição se espalhou após Wu Yuxiang descobrir o *Tratado da lança Yinfu* e um *Tratado sobre o Taiji quan (Taiji quan jing)* do mesmo autor: Wang Zongyue. Todavia, as pessoas que estiveram em Chenjiagou no princípio do século, notadamente Tang Hao, que ali permaneceu de 1928 a 1935 realizando pesquisas históricas sobre o Taiji quan, não ouviram falar em Wang Zongyue. É verdade que à família Chen interessava dissimular a vinda de uma técnica do exterior, se é que isso realmente aconteceu. Mas não é menos verdade que a Wu Yuxiang interessava "descobrir" uma tradição mais antiga, dando assim prestígio à sua escola.

Segundo Zeng Zhaoran, que escreveu uma história do Taiji quan, essa tradição seria verossímil, mas sua origem residiria numa confusão entre Wang Zongyue e Wang Zong, célebre boxer [2].

---

[1] *De acordo com o prefácio desse* Tratado da lança Yinfu *encontrado por Wu Chengqing, irmão de Wu Yuxiang, Wang Zongyue teria vivido em Luoyang no qüinquagésimo sexto ano do reinado do imperador Qianlong (1791) e ter-se-ia mudado para Kaifeng em 1795. Passando por Chenjiagou, teria feito observações aos aldeões sobre o método de boxe deles, e estes teriam concordado em modificar certos pontos.*

[2] *Wang Zong é mencionado no* Dicionário biográfico *como célebre adepto da arte marcial.*

6. A ESCOLA YANG

Se a família Chen foi o berço do Taiji quan, a família Yang foi a fonte principal de sua propagação, graças a Yang Luchan, discípulo de Chen Changxing.

Yang Luchan (1789-1872), cujo primeiro nome era Fukui, nasceu no distrito de Yongnian, na província de Hebei. Aprendeu o "boxe longo em trinta e duas posturas de Song Taizu [1]" *(Song Taizu san shi er lu chang quan)* com um mestre chamado Liu.

Embora tivesse nascido numa família camponesa próspera, precisou alistar-se, após a morte do pai, na milícia da aldeia. Era então muito jovem. As milícias, aliás, se formavam essencialmente de jovens cujas famílias já não podiam encarregar-se deles.

A conselho do mestre, Yang Luchan foi estudar o Taiji quan na família de Chen Changxing, em Chenjiagou. Como Chen Changxing só transmitia sua arte aos membros de sua família, Yang Luchan permaneceu junto dele por vários anos como criado, exercitando-se às ocultas. Certa noite, surpreendeu seu amo ensinando a seus discípulos exercícios de respiração e as "diferentes técnicas para emitir e tomar (a energia)" *(na fa zhu shu)*. A partir desse dia, assistiu às lições à revelia de todos. Quando, afinal, foi descoberto por Chen Changxing, este ficou surpreso com a sua mestria e decidiu revelar-lhe os segredos da família. Depois disso, Yang regressou inicialmente a Hebei para transmitir o Taiji quan aos habitantes de sua aldeia natal. A técnica de combate que ali se praticava então denominava-se "técnica das transformações" *(hua quan)* ou "arte do combate flexível" *(xuan quan)* ou ainda "técnica de combate ligada" *(zhan mian quan)*, pois era executada com flexibilidade e com movimentos ligados uns aos outros sem interrupção. Ignoramos o tempo exato que Yang permaneceu em sua aldeia após regressar de Chenjiagou, mas, incitado principalmente por Wu Yuxiang, partiu para ensinar o Taiji quan em Pequim, onde fundou uma escola. Foi com ele que o desenvolvimento do Taiji quan começou a deslocar-se dos campos para as cidades, tendência essa que depois se acentuaria.

Em Pequim, Yang ensinou no exército dos manchus e teve, entre seus discípulos diversas personalidades da corte dos Qing. Desde então, votou-se, com os três filhos, ao ensino do Taiji quan. Alcunhado de "o sem rival", era freqüentemente desafiado pelos mestres de outras escolas desejosos de medir-se com ele. Certo número

---

[1] *Song Taizu é o fundador da dinastia Song. Conquistou o trono pelas armas, combatendo as populações bárbaras dos Qitan.*

楊家太極拳第二代傳嗣

故楊健侯老先生遺照　　楊少侯先生遺像

Retratos de Yang Jianhou e Yang Shaohou

楊家太極拳第三代傳嗣

照遺生先甫澄楊故

Retrato de Yang Chengfu

de anedotas valoriza os poderes extraordinários de Yang Luchan, apresentado como herói invulnerável. Conta-se que, num dia de chuva, estando sentado em sua casa, viu a filha, que entrava com uma bácia de água nas mãos, na iminência de escorregar nos degraus da escada que dava acesso à casa. Yang Luchan deu um salto e alcançou-a sem que uma única gota de água se derramasse. Diz-se também que ele era capaz de permanecer colado a um muro com os pés a alguns centímetros do chão. Sua morte é tão fabulosa quanto a do lendário criador do Taiji quan, Zhang Sanfeng. É a morte típica dos mestres de *chan* (zen) ou dos mestres taoístas da escola de Quanzhen. Ele teria mandado, um dia, dois filhos reunirem seus discípulos e descendentes. Após breve discurso, teria declarado aos assistentes que chegara o momento em que teria de deixar este mundo. E morreu no mesmo instante.

Cada um dos três filhos de Yang Luchan desenvolveu seu próprio modo de ensino do Taiji quan. Yang Banhou especializou-se no "pequeno encadeamento" *(xiao jiazi)*, no qual os movimentos eram mais fechados que os do método paterno; Yang Jianhou consagrou-se ao "encadeamento médio" *(zhong jiazi)*, ao passo que Yang Fenghou seguiu o "grande encadeamento" *(da jiazi)*, herdado do pai [1].

O terceiro filho de Yang Jianhou, Yang Chengfu (1883-1936), foi o propagador do Taiji quan em toda a China, que percorreu do norte ao sul, dirigindo-se nomeadamente a Nanquin, Xangai, Hangzhou e Hankou (Wuhan). O Taiji quan espalhou-se, pois, a pouco a pouco, por todo o país, e foi depois da viagem de Yang Chengfu ao sul da China que se difundiu como técnica profilática. Desse modo assinala-se, desde essa época, a mudança de natureza do Taiji quan, que passou da técnica guerreira inicial à técnica psicossomática. Não obstante isso, na época o Taiji quan continuava pouco conhecido fora de Pequim, a crermos num discípulo de Yang Chengfu, Chen Weiming, que confessa no prefácio de sua obra, *Taiji quan wenda*, que, quando começou a aprendê-lo, poucas pessoas tinham ouvido falar no Taiji quan. Porém, segundo Gu Liuxin, na época da revolução de 1911, o Taiji quan já era conhecido em Pequim como técnica terapêutica; e ele cita o poema seguinte, da autoria de um certo Yang Jizi:

---

[1] No Qingbai leichao, *compilação de Xu Ke publicada em 1917 e que encerra um capítulo sobre as artes marciais, está escrito (vol. 22, j. 50, pág. 136): "O boxe compreende duas correntes, o pequeno e o grande encadeamento". Não se menciona, contudo, o nome de Taiji quan.*

"Quem poderia ter previsto que a arte da escola Chen do norte
Se propagaria graças à família Yang do sul?
Quem teria podido pensar outrora que, a partir de Tan gong,
O Taiji quan se espalharia como arte terapêutica?" [1]

Desgraçadamente, não sabemos quem é esse Tang gong.

Um discípulo de Yang Chengfu, Chen Weiming, contribuiu igualmente para a difusão do Taiji quan da escola Yang, com seus escritos e aulas em Xangai. Chen Weiming, com efeito, é autor de vários livros sobre o Taiji quan da escola Yang, que lhe teriam sido ditados por Yang Chengfu. No prefácio de um deles, intitulado *Taiji quan jiangyi* e escrito em 1925, conta como chegou ao Taiji quan. Ouvira falar no Taiji quan da corrente Wudang. Em 1915, dirigiu-se a Pequim e ali encontrou, primeiro, Sun Lutang, então conhecido principalmente pela mestria no "boxe dos oito trigramas" *(bagua quan)* e no "boxe do corpo e do pensamento" *(xingyi quan)*. Só posteriormente o próprio Sun Lutang iria fundar um estilo de Taiji quan. Sun Lutang falou-lhe, portanto, de Yang Chengfu, e Chen Weiming estudou com Yang, durante sete anos, o pequeno e o grande encadeamentos. Em seguida, em 1924, Chen Weiming foi oficialmente para Xangai a fim de ensinar o Taiji quan em troca de honorários. Em 1925, ali fundou a "sociedade das artes marciais de extrema flexibilidade" *(zhirou quanshe)* e continuou difundindo o Taiji quan da escola Yang. No princípio, o Taiji quan, pouco divulgado em Xangai, era até desprezado, pois lhe chamavam a "técnica de combate com os demônios" *(nie gui quan)*, e seus adeptos o praticavam mais ou menos escondidos. Nessa época, pouquíssimas mulheres nele se adestravam. Depois disso, vários mestres célebres, entre os quais Yang Chengfu e Yang Shaohou, foram para Xangai, onde formaram muitos discípulos, alguns dos quais fizeram do Taiji quan uma profissão, ensinando-o nos parques ou fundando associações que visavam ao seu ensino e propagação. Nos anos 30 a 35, registrou-se a introdução do ensino do Taiji quan em estabelecimentos de ensino secundário e nas escolas de professores de educação física.

---

[1] *Extraído da revista* Novos esportes (Xin tiyu), *n.º 12, 1979, págs. 31-33.*

吳鑑泉先生遺相

Retrato de Wu Jianquan

7. A ESCOLA WU

Essa escola foi fundada por Wu Jianquan (1870-1942). Nascido no distrito de Daxing, na província de Hebei, aprendeu a arte marcial com o pai, Wu Quanyou, discípulo de Yang Banhou. Aprendeu, portanto, o "pequeno encadeamento", de movimentos mais fechados. Esses movimentos, em que o tronco se inclina mais do que na escola Yang, formam a particularidade da escola Wu.

Em 1914, nomeado professor de artes marciais na escola de defesa militar do palácio presidencial, Wu Jianquan lecionou na Grande Escola de Educação Física de Pequim. Foi ele quem levou o Taiji quan ao conhecimento dos habitantes de Xangai por meio de uma demonstração realizada em maio de 1924 no Estádio Meridional daquela cidade. Executou o encadeamento com movimentos ágeis, lentos e ininterruptos, o que deixou totalmente indiferentes os espectadores, acostumados às artes marciais de movimentos duros e rápidos. Wu Jianquan, porém, permaneceu em Xangai e tornou-se, em 1928, diretor da Associação das Artes Marciais de Xangai. Deu origem, assim, a uma escola, a escola Wu, que ainda goza de grandíssima popularidade, pois ocupa hoje o segundo lugar, depois da escola Yang. Continua muito viva, sobretudo em Taiwan, Hong Kong, entre as comunidades chinesas de Cingapura e do Brasil, e em Xangai.

8. A ESCOLA DE GUO WEIZHEN

Discípulo, a um tempo, de Li Yixu e de Wu Yuxiang, autores de vários textos sobre o Taiji quan, Guo Weizhen (1849-1920) modificou o Taiji quan que aprendera: dobrou, praticamente, o número das posturas do encadeamento e praticou movimentos ainda mais circulares e fechados que os da escola Wu. Hoje em dia, essa escola não tem representantes. Alguns historiadores do Taiji quan destacam da escola Guo, a escola Wu, cujo fundador teria sido o mestre de Guo Weizhen: Wu Yuxiang.

9. A ESCOLA DE SUN LUTANG

Sun Lutang era sobretudo especialista no "boxe dos oito trigramas" *(bagua quan)* e no "boxe do corpo e do pensamento" *(xingyi quan)*. Foi discípulo de Guo Weizhen no fim do século XIX. Fez uma mistura das três técnicas e ensinou uma forma de Taiji quan que lhe era própria: os movimentos, mais duros e mais rápidos do que os da escola Yang, estão mais próximos dos da escola Chen. Sua técnica desenvolveu-se principalmente nas províncias de Hebei e Jiangsu.

10. A SITUAÇÃO RECENTE

Após o advento da China Popular, o caráter terapêutico e esportivo do Taiji quan acentuou-se cada vez mais. Entretanto, no verão de 1958, estabelecimentos esportivos de Xangai abriram classes de exercícios a dois *(tui shou)* do Taiji quan, destinados normalmente a trabalhar o aspecto marcial dessa disciplina. Especialistas escreveram um livro intitulado *As quatro escolas do Taiji quan* (trata-se das escolas Yang, Chen, Wu e Guo), e empreendeu-se um trabalho de grupo que visava eliminar do Taiji quan os elementos considerados não-científicos.

Segundo Gu Liuxin, grande especialista da história do Taiji quan e discípulo de um aluno de Wu Jianquan, o presidente Mao, nessa época, teria incentivado em diversas oportunidades a prática da arte. Por ocasião de uma conferência geral dos secretários, ele teria exortado os participantes já de idade provecta a praticarem o Taiji quan a fim de conservarem a saúde. Da mesma forma, quando se realizou uma sessão de trabalho do comitê central do Partido Comunista Chinês consagrada à profilaxia, ele teria preconizado a prática de toda sorte de esportes, entre os quais o Taiji quan.

Mais recentemente, o comitê esportivo nacional redigiu o *Taiji quan simplificado (Jianhua Taiji quan)*, que reduzia o encadeamento a vinte e quatro movimentos básicos, com a finalidade de facilitar seu aprendizado.

Assim como a maioria das atividades chinesas tradicionais, o Taiji quan sofreu muito com a Revolução Cultural e passou por um eclipse durante todo esse período. Foi considerado "entulho da

Gu Liuxin, em 1979, fazendo uma demonstração do Taiji quan da escola Chen. Observe-se que os dedos das mãos estão ligeiramente encurvados para trás.

filosofia capitalista" ou acobertador de atividades subversivas, de tal modo que os profissionais não puderam mais exercitar-se nem ensinar nos parques e logradouros públicos.

Depois que a China passou a assacar os malfeitos ao Bando dos Quatro, pessoas de todas as idades recomeçaram, aos poucos, a praticar o Taiji quan ou outras disciplinas corporais nos parques das grandes cidades. A crermos nas estatísticas de 1979, cerca de duas mil e seiscentas pessoas, em Xangai, aprendiam o Taiji quan com um professor, de manhã, nos parques, e cinco mil o praticavam individualmente ou se exercitavam em outras técnicas. Em 1978, vimos um documentário (de meia hora, mais ou menos) nos parques de Xangai, durante o período da manhã, por uma estudante francesa que residira dois anos na China. Pudemos constatar pessoalmente, em agosto de 80, a atividade febril que ali reinava, desde as menininhas que faziam exercícios de flexibilização, preparando-se para exercitar as artes acrobáticas, até as senhoras de certa idade, que vinham, de tempos em tempos, respirar ar fresco ou esticar-se um pouco. Constatamos igualmente que ainda se praticavam os exercícios preparatórios ao combate.

Em abril de 1979, fundou-se a associação das artes marciais de Xangai *(Shanghai shi wushu xiehui)*. Membro ativo dessa associação, Gu Liuxin tomou pessoalmente a iniciativa de mandar filmar os exercícios de praticantes ilustres do Taiji quan das diferentes escolas, os quais têm todos mais de setenta anos.

Assim como em Xangai, o Taiji quan floresce em Pequim. De manhãzinha, os parques que cercam a Cidade Proibida são ocupados pelos praticantes do Taiji quan. Idêntico fenômeno se verifica nas grandes cidades. Não se creia, todavia, que toda a China desperte pela manhã praticando o Taiji quan.

Em Taiwan, o Taiji quan é praticado sobretudo pelos chineses vindos do continente na esteira de Chang Kai-chek. Os habitantes de Taiwan, que emigraram da província do Fujian há duzentos anos aproximadamente, praticam, de preferência, outras técnicas, como o Shaolin quan. Existe uma Associação de Pesquisas sobre o Taiji quan, dirigida atualmente por Han Zhensheng e Xiao Zuming, este último discípulo de Zheng Manqing e do taoísta Liu Peizhong, que teremos ocasiões de citar, pois foi um manancial de informações precisas. Verificamos ainda que muitos mestres do Taiji quan em Taiwan pertenciam à sociedade secreta do Yiguan dao [1] e que o

---

[1] A respeito do Yiguan dao, *veja principalmente o* Mouvements populaires et sociétés secrètes en Chine, *de Chesnaux, pág. 421 e seguintes. Essa sociedade, empenhada em atividades subversivas, ensinava uma doutrina sincrética das três religiões fundamentais da China, o budismo, o taoísmo e o confucionismo.*

Sessão coletiva de Taiji quan pela manhã, no bund de Xangai. Verão de 1980.

QUADRO DOS DIFERENTES

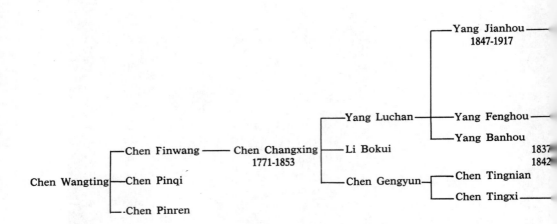
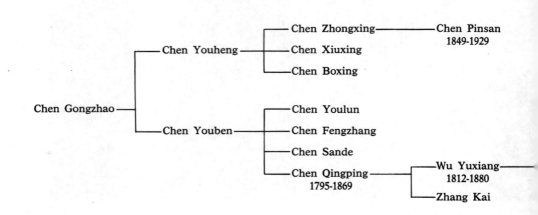

MESTRES DO TAIJI QUAN

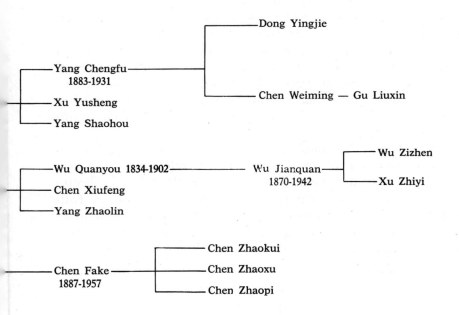
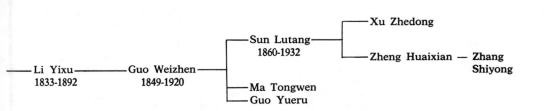

Taiji quan constitui um dos ensinamentos ministrados aos discípulos dessa seita.

Finalmente, cumpre assinalar a crescente difusão do Taiji quan no Ocidente, onde ele segue o caminho da popularidade da hatha ioga, às vezes em detrimento da qualidade do ensino.

Cumpre, todavia, não esquecer que, de um modo geral, o interior do país era inacessível aos turistas, razão pela qual é difícil examinar, nessas regiões, a situação do Taiji quan. Os poucos chineses de ultra-mar que puderam, recentemente, retornar à sua aldeia natal não tiveram conhecimento da prática do Taiji quan nos campos. De mais a mais, nas grandes cidades, pode notar-se que as pessoas que praticam o Taiji quan já são de alguma idade e convivem com jovens que se entregam, faz pouco tempo, a um esporte muito mais em voga: o *jogging*.

Em Hong Kong, Cingapura e na maioria das comunidades chinesas de ultra-mar, o Taiji quan é praticado paralelamente às artes marciais chinesas tradicionais. Realizam-se regularmente, sobretudo em Cingapura e Hong Kong, torneios entre mestres de Taiji quan e mestres de outras técnicas de combate. Mas o Taiji quan é pouco praticado pelos jovens, que preferem o *kung-fu* [1] ou as artes marciais mais violentas e espetaculares.

---

[1] O termo "kung-fu" significa, literalmente, "trabalho" ou "mérito". Designa, portanto, ao mesmo tempo, a prática e o resultado adquiridos. Essa palavra, que aparece ao lado do termo "daoyin", "flexibilização", designava, a princípio, os exercícios corporais de flexibilização destinados a afastar as enfermidades e a prolongar a vida. O padre Amiot foi o primeiro a levar o kung-fu ao conhecimento dos ocidentais através de seu artigo "Notice sur le gongfu", surgido em 1779 na Mémoire sur les Chinois. É possível que os pioneiros da ginástica sueca tenham tido conhecimento dele. Dudgeon escreveu, no princípio do século, Kung-fu or medical gymnastics, apresentando os movimentos mais conhecidos de flexibilização.

Ao lado da expressão "daoyin" já apareciam, a partir dos Ming, os termos "neigong" e "waigong" para designar, respectivamente, o trabalho corporal interiorizado, em que se dava destaque maior ao trabalho do sopro e ao trabalho mental, e o exteriorizado, que incidia mais sobre os músculos. Os termos "neigong" e "gongfu" são, então, sinônimos. Faz alguns anos, porém, que se ouve falar de kung-fu no sentido de artes marciais. Isso provém do fato de terem sido as artes marciais chinesas difundidas no Ocidente, sobretudo a partir de Hong Kong, notadamente pelos numerosos filmes de capa e espada. Ora, os cantoneses empregam o termo "kung-fu" como sinônimo de "wushu", "artes marciais".

II. TAIJI E TAIJI QUAN

A expressão "Taiji quan" significa, literalmente, "arte de combate do Taiji", pois, dizem-nos os mestres, é uma aplicação da forma e dos princípios do Taiji. Com isso eles querem dizer que seus movimentos têm uma forma análoga à do Taiji, e que os princípios fundamentais estão ligados às noções de Taiji, Yin-Yang, cinco elementos e oito trigramas.

1. O TAIJI

O Taiji é a unidade suprema, o primeiro princípio que rege o universo e preside à união do Yin e do Yang. O termo é freqüentemente traduzido por "cumeeira suprema", pois *ji* significa, em primeiro lugar, "viga da cumeeira de uma casa". Mas há também nesse vocábulo a noção de pivô, de eixo em torno do qual se ordenam as dez mil transformações, a partir da evolução do Yin e do Yang. O Taiji foi localizado no céu como a estrela Polar, astro imutável em torno do qual gira a abóbada celeste.

O termo aparece pela primeira vez no *Livro das mutações* [*Yijing (I ching)*, séculos VI e V a.C.]: "Há nas mutações o Taiji, que gera os dois princípios primeiros (Yin e Yang); os dois princípios primeiros geram as quatro imagens; as quatro imagens, os oito trigramas"[1].

O Taiji parece, portanto, estreitamente ligado ao *Yijing* e à teoria chinesa das transformações, mas ainda não está ligado aos cinco elementos e ainda não é objeto de especulação. Poucas referências se fazem a ele, com efeito, nos textos da China antiga anteriores à era cristã. Encontramo-lo mencionado uma única vez

---

[1] Parte Xici do Yijing, tradução de Legge, pág. 373.

no *Zhuangzi*, obra taoísta do século IV a.C. [1]: "O Tao está além do Taiji, mas não é mais alto, está aquém das seis extremidades do universo, mas não é mais profundo".

Foi sobretudo a partir da dinastia Song (960-1206) que essa noção assumiu importância e, desenvolvida, redundou num sistema cosmogônico e filosófico ligado aos cinco elementos por neoconfucionistas, em particular Zhou Dunyi (1017-1073) e Shao Yong (1011-1077) [2]. Foram eles também que disseminaram representações gráficas do Taiji ligado aos cinco elementos e oito trigramas.

2. AS REPRESENTAÇÕES DO TAIJI

A mais antiga representação do Taiji que conhecemos provém de um texto taoísta do século VIII: o *Shangfang dadong zhenyuan miaojing tu* [3], que comporta várias representações: a primeira é uma "representação da espontaneidade e da vacuidade"; a segunda, um "desenho do caos maravilhoso e do Caminho", formado de círculos concêntricos que vão do sopro primordial ao Taiji, Yin-Yang, cinco elementos e oito trigramas; a terceira representação é o "desenho do céu anterior do Taiji" *(Taiji xiantian zhi tu)* (figura 1). Esse diagrama, que parece aliás o modelo do de Zhou Dunyi, teria sido transmitido a partir de Heshang Gong, da dinastia Han, passando por Wei Boyang e Zhong⎕⎕, as duas últimas personagens eram tidas por célebres alquimistas. Convém notar que o texto taoísta é uma obra sobre o comportamento do sábio taoísta, que, para alcançar a longevidade e realizar o Tao, deve conformar-se com o ritmo dos sopros e o da revolução do universo. Nas páginas que precedem o desenho do Taiji fala-se em alquimia, ou melhor, na fixação do mercúrio e na coagulação do chumbo para atingir a imortalidade. Já se trata aqui, provavelmente, de alquimia interior, isto é, de práticas psicofisiológicas que se desenvolvem sob a dinastia Tang paralelamente ou, às vezes, em associação com a ingestão de drogas, a fim de atingir a longevidade. Essa representação do Taiji nos parece, pois, estreitamente ligada à alquimia interior, tanto mais que

---

[1] *Capítulo* Da zongshi, *do Zhuangzi.*
[2] *Zhou Dunyi é um filósofo neoconfucionista, cujas obras principais são o* Taiji tushuo, *o* Tongshu *e o* Yulei. *Shao Yong ou Shao Kangjie estudou mais particularmente o* Yijing *e sua obra maior é o* Huangji jing shi shu.
[3] *TT 196 (n.º 437) pág. 3 a-b.*

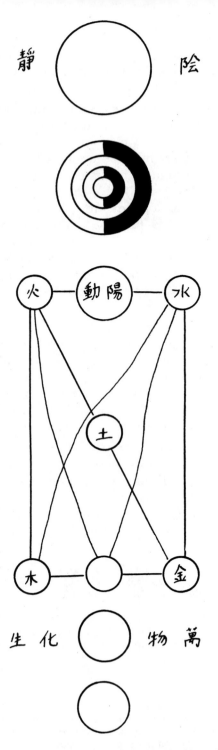

Figura 1. Desenho do céu anterior do Taiji. Extraído do Shangfang dadong zhenyuan miaojing tu.

todas as outras representações gráficas do Taiji que encontramos depois dos Song, excetuando-se as de Zhou Dunyi e Shao Yong, estão inseridas em textos taoístas sobre a alquimia interior [1].

Chegamos até a pensar que esse diagrama fosse uma representação do corpo, na medida em que os cinco elementos podem ser também considerados como as cinco vísceras. Com efeito, diz o texto após o desenho: "As dez mil coisas têm o Taiji, os dois princípios primários", etc. E prossegue: "o homem se apóia no sopro da unidade original e verdadeira do céu e da terra para crescer e realizar-se; se o mantivermos longamente e o observarmos no homem, as substâncias do céu e da terra se manifestarão". A continuação do texto, além disso, é uma explicação médica das cinco revoluções dos sopros no corpo e das correspondências com o universo. Sem ser uma representação do corpo propriamente dito, a carta do Taiji é um modelo da evolução dos sopros tanto no universo quanto no corpo.

A "representação ilustrada do Taiji" *(Taiji tushuo)* (figura 2) de Zhou Dunyi [2] tem uma conotação muito mais metafísica, pois só difere pelo segundo círculo, formado no desenho precedente de semicírculos negros e brancos que simbolizam o Yin e o Yang, e formado aqui de semicírculos imbricados e não mais alternados. É um progresso: traduz melhor o fato de não serem o Yin e o Yang de natureza diferente e de nunca estarem separados.

Falou-se numa influência budista sobre o diagrama do Taiji de Zhou Dunyi [3]. Este último trabalhou, de fato, com Shou Ya, mestre *chan* (zen) da escola Cao Dong [4], no seio da qual circulava um "diagrama das cinco posições" *(wuwei tu)*, formado de cinco círculos que comportam uma divisão em preto e branco ou só branco e acompanhados de trigramas do Livro das mutações [5].

---

[1] *Exemplo:* Songji zhi ming quandi *TT 133 (275) pág. 1 b, diagrama do Taiji.* Shangyangzi jindan da yaotu, *TT 738 (1068) pág. 1 a-b, representação do Taiji.*
[2] A explicação ilustrada do Taiji (Taiji tuchuo), *de Zhou Dunyi, foi objeto de um sem-número de comentários e estudos, tanto dos chineses quanto dos ocidentais. A* História oficial dos Song (Songshi) *consagra-lhe uma página (j. 435, pág. 4). Chow Yiching fala dela longamente em* A filosofia moral no neoconfucionismo *e J. Needham levou a cabo um estudo pormenorizado do desenho e de sua origem em* Science and civilization in China, *vol. 2, pág. 159 e seguintes.*
[3] *Sobre as origens budistas do desenho do Taiji, veja* The development of Chinese zen *págs. 26, 29 e 34, de Heinrich Dumoulin, e a* History of Chinese philosophy, *vol. 2, pág. 440, de Feng Yulan.*
[4] *A partir da dinastia Tang, o Chan se divide em cinco escolas principais, entre as quais figura a escola de Cao Dong, que tira o nome dos dois principais mestres desse ramo: Dongshan Liangjie e Caoshan Benji. Essa escola, que se esforçou por colocar o Chan ao alcance de todos, tem caráter popular.*
[5] *O "diagrama das cinco posições"* (wuwei tu) *foi estudado por Wakayama: "Soto*

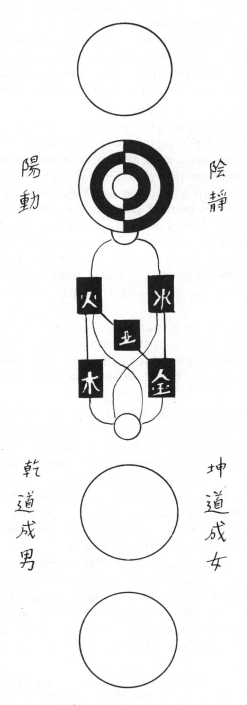

Figura 2. *Desenho do Taiji de Zhou Dunyi.*

Eis aqui o comentário do diagrama do Taiji de Zhou Dunyi: "O Sem Cumeeira e Cumeeira Suprema (Taiji). O Taiji põe-se em movimento e produz o Yang. Quando o movimento atinge o apogeu, segue-se-lhe o repouso. Atingindo o seu apogeu, o repouso, volta o movimento. Repouso e movimento se alternam, pois cada qual é a raiz do outro. Há separação do Yin e do Yang, e os dois princípios são estabelecidos.

Transformado o Yang pela reação com o Yin, produzem-se a água, o fogo, a madeira, o metal e a terra. Esses cinco sopros se propagam harmoniosamente, e as quatro estações seguem seus cursos. Os cinco elementos constituem o Yin e o Yang, o Yin e o Yang formam o Taiji, e o Taiji é idêntico ao Wuji. Desde a sua formação, cada um dos cinco elementos tem sua natureza específica. O princípio verdadeiro do Sem Cumeeira, a essência do Yin, do Yang e a dos cinco elementos unem-se por meios maravilhosos e condensam-se. O Tao do céu faz o homem, o caminho da terra, a mulher. Essas duas energias se trocam, transformam e produzem os dez mil seres. Sucedem-se as gerações, as trocas e transformações são infinitas.

Só o homem recebe a quintessência e é o mais inteligente dos seres. Após a produção do corpo humano, o espírito faz-se consciência. Os cinco agentes estimulados põem-se em movimento, surge a distinção entre o bem e o mal, e as miríades de fenômenos se produzem.

O sábio ordena sua vida esforçando-se por conservar o centro, o correto, o amor, a eqüidade. Concede predominância à ataraxia e dota assim o homem do seu mais alto valor. É por isso que as virtudes do sábio estão em harmonia com o céu e a terra, seu brilho é o mesmo do sol e da lua, suas ações seguem o curso das estações e o seu controle da boa ou da má sorte é o mesmo do dos espíritos e divindades. A boa sorte do homem nobre provém do fato de que ele cultiva suas virtudes, a má sorte do homem comum provém do fato de que ele age em sentido contrário.

É por isso que se diz *(Yijing:)* "Para representar o caminho do céu empregam-se os termos de Yin e Yang, para o caminho da terra, os termos de flexibilidade e dureza, para o caminho do homem, os termos de amor e eqüidade". Diz-se também: "Aquele que remonta às origens das coisas e com elas se conforma até o fim conhece a vida e a morte. Grande é o *Livro das mutações!* É o mais perfeito".

---

gaisetsu ni tsuite", em Bukkyo kenkyu, vol. 2, págs. 101-124. Em Chan and Zen teachings, de Lu Kuan-yu, série 2, pág. 127 e seguintes, encontra-se uma tradução parcial.

Com o passar do tempo, o desenho de Zhou Dunyi foi retomado e comentado muito amiúde, e é a representação mais conhecida. Numa obra sobre as mutações, Huang Zongyan, que viveu durante a dinastia Qing (1644-1911), dá o desenho do Taiji de Zhou Dunyi juntamente à margem comentários puramente alquímicos: as três fases principais, que são "fundir a essência e transformá-la em sopro, fundir o sopro e transformá-lo em energia espiritual, fundir a energia espiritual e fazê-la retornar à vacuidade" e ainda "os cinco sopros (das cinco vísceras) retornam à origem". Trata-se aqui, por conseguinte, sem sombra de dúvida, dos processos alquímicos que ocorrem no interior do corpo. Huang Zongyan precisa, a propósito, no texto que acompanha o desenho, que essa carta vem sendo transmitida desde Heshang Gong, passando por Wei Boyang, Zhong Li e Chen Xiyi, que viveu durante a dinastia Song, e que mandou gravá-la no monte Huashan (província de Shenxi), onde este último cultivava a alquimia e especulava sobre o *Livro das mutações*. E diz: "O desenho deve ser lido de baixo para cima para ser claro; a inversão é o processo de realização do cinábrio". Trata-se, com efeito, em alquimia, de ir da pluralidade à unidade, de trocar o fogo e a água e de estabelecer uma ordem inversa dos cinco elementos a fim de reconduzi-los ao Yin-Yang e à unidade [1].

No diagrama do texto taoísta (pág. 40) e no diagrama de Zhou Dunyi (pág. 42), o Taiji está associado aos cinco elementos, mas o processo de evolução que leva do Taiji aos oito trigramas não aparece. Em compensação, ele é bem ilustrado pela representação do Taiji atribuída ao neoconfucionista Shao Yong [2], ilustração perfeita da frase do *Yijing*: "O Taiji gera os dois princípios primários; os dois princípios primários geram os quatro princípios secundários; os quatro princípios secundários geram os oito trigramas". O Taiji é aqui simplesmente representado por um círculo branco (figura 3, à pág. 45).

As demais representações do Taiji ao tempo das dinastias Song e Yuan são constituídas por um círculo com um ponto no meio, ou então por um círculo dividido em partes iguais ou desiguais pretas e brancas, ou ainda por dois círculos imbricados. Mas sob a di-

---

[1] Extraído do Zhaodai congshu (guiji), Yixue bianhua, de Huang Zongyan, j. 2, pág. 39. Cumpre reparar numa idêntica interpretação alquímica mais antiga num texto taoísta, o Shangyangzi jindan da yaotu *(TT 738)*, que comporta dois desenhos do Taiji: o primeiro se lê no sentido normal, o segundo no sentido inverso e, neste, os cinco elementos são substituídos por cinco ingredientes alquímicos: a prata, o mercúrio, o cinábrio, o chumbo e a terra. Mas aí não se faz menção, como em Huang Zongyan, das três etapas.
[2] Diagrama extraído do Huangji jing shi xuyan, *comentário Ming do* Huangji jing shishu, *de Shao Yong*.

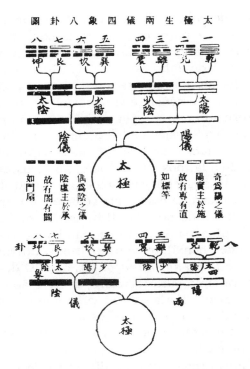

Figura 3. Representação do Taiji de Shao Yong.

Figura 4. Representação de Lai Zhide. Extraída do Huangji jing shi xuyan.

nastia Ming aparece uma representação do Taiji com a particularidade de ser espiralada. Deve-se ela a Lai Zhide [1], eminente comentarista do *Livro das mutações* e autor do *Yijing lai zhu tu jie* (que compreende um prefácio de 1598), no qual se inseriram vários desenhos do Taiji, retomados, aliás, por Chen Pinsan em sua obra sobre o Taiji quan.

A representação de Lai Zhide lê-se de baixo para cima. Compõem-na o Sem Cumeeira *(Wuji)*, o Taiji, uma figura de quatro ordens, que representam os dois princípios primários (pureza do céu e estabilidade da terra), os quatro princípios secundários (céu, lua, sol, terra), os oito trigramas e os cinco elementos; finalmente, no topo, os oito trigramas se acham dispostos segundo a orientação de Fuxi dita do céu anterior (figura 4).

Todas as representações do Taiji de Lai Zhide são espiraladas e são também as únicas retomadas por Chen Pinsan, o qual, diga-se a bem da verdade, as atribui a Lai Zhide. Chen Pinsan retomou também a representação espiralada que ordena o *Hetu* "Carta do Rio", espécie de diagrama mágico, distribuição dos números no espaço (figuras 5 e 6, à pág. 47) [2].

Se Lai Zhide utilizou largamente a representação espiralada do Taiji, não foi o primeiro a fazê-lo. Encontram-se, com efeito, numa obra taoísta de alquimia interior redigida durante a era Jiajing (1522-1567), o *Fanghu waishi*, de Lu Qianxu [3], duas representações espiraladas do Taiji relacionadas com a formação do cinábrio. Uma é tão-somente uma espiral: o "desenho do Taiji não dividido" [4] (figura 7, pág. 47). A outra, o "desenho do Yin e do Yang misturados", representa esses dois elementos espiralados (figura 8, pág. 47).

Notemos aqui que a representação espiralada põe mais nitidamente em relevo o dinamismo desse conceito e a interação do Yin e do Yang, ao passo que as representações anteriores destacavam sobretudo o Taiji enquanto unidade composta de duas partes.

De todas as representações do Taiji, a mais popular ainda é a seguinte: as duas partes são de cores complementares, mais fre-

---

[1] Segundo o Mingshi gao *(vol. 6, biografia 160, pág. 1720), Lai Zhide tinha por sobrenome Jutang ou Yixian. Viveu nas eras Jiajing (1522-1567) e Wanli (1573-1619). Nativo de Lingshan, conta-se que levava uma vida simples, vestido de cânhamo e bebendo pouco vinho. Estudou muito o Yijing e escreveu, portanto, o Yijing lai zhu tujie. Dois de seus poemas estão conservados no* Mingshi jishi, *de Chen Tian, fascículo 18, j. 10, págs. 1948-1949. Diz-se na introdução aos seus versos que Lai Zhide escreveu o* Jornal de Jutang (Jutang rilu) *em trinta juan, obra que parece perdida. A figura 4 foi aqui tirada do* Huangji jing shi xuyan.
[2] *Extraído do* Taiji quan tushuo, *págs. 83-85.*
[3] *Lu Qianxu é o fundador da corrente do leste* (dong pai) *no taoísmo tardio da alquimia interior.*
[4] Fanghu waishi, xia, *pág. 239.*

Figura 5. O Taiji.
Extraído do Taiji quan tushuo.

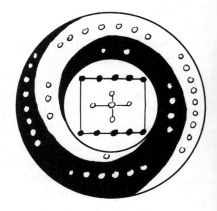

Figura 6. O Taiji hetu.
Extraído do Taiji quan tushuo

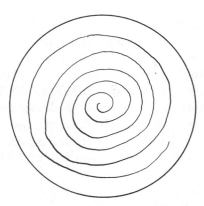

Figura 7. Desenho do Taiji não dividido.
Extraído do Fanghu waishi.

Figura 8. Desenho do Yin e do Yang misturados.
Extraído do Fanghu waishi.

qüentemente preto e branco, mas também, às vezes, vermelho e preto ou vermelho e branco. Um ponto escuro na parte clara recorda que no seio do Yang se encontra Yin, e vice-versa (figura 9). Nessa grafia, os perímetros das partes Yin e Yang têm a particularidade de ser iguais ao perímetro do círculo inteiro que representa o Taiji.

A obra *Tao, filosofia do tempo e da mudança* mostra diversos objetos que trazem essa representação do Taiji. O mais antigo seria o sino de jade do século XII-XIII (número 14) pertencente ao Gulbenkian Museum of Oriental Art, Durham. Os outros que ostentam essa representação datariam dos séculos XVI (número 35), XVII (número 33), XVIII (número 30) e XIX (número 31) [1]. Havíamos também observado o mesmo motivo num vaso hexagonal de cerâmica azul da era Kangxi (1662-1722) das coleções Baur (figura 10, pág. 49) [2].

Em todas as representações que nos foi possível consultar, a concepção dominante é a do círculo, que sugere uma unidade perfeita, sem começo nem fim, fechada sobre si mesma. As representações de Zhou ~ ~ ~ e Shao Yong não refletem de maneira satisfatória a idéia de que o Yin e o Yang são dois princípios inseparáveis, intimamente ligados um ao outro e que se engendram mutuamente. Desse ponto de vista, as representações espiraladas são mais expressivas; nelas se percebe melhor, no girar incessante do Yin e do Yang, o movimento da unidade. A novidade dessas representações reside também no movimento que expressam, do centro para a periferia e da periferia para o centro.

3. TAIJI E CORPO HUMANO

Talvez nenhum outro pensamento, além do chinês, tenha desenvolvido a tal ponto as analogias entre o macrocosmo (universo) e o microcosmo (corpo humano). Por isso mesmo o Taiji é um dos sistemas de representações aplicáveis a todos os domínios. O universo é um Taiji, mas o corpo humano também é um Taiji [3]. Essa idéia representa um grande papel na prática do Taiji quan, durante a qual

---

[1] Tao, philosophie du temps et du changement, Paris, 1973.
[2] Coleção do Museu Baur, em Genebra.
[3] *Idéia desenvolvida notadamente por Zhou Dunyi em sua obra* Yulei. *Mas o* Shangfang dadong zhenyuan miaojing tul, *do século VIII, sem formular as coisas com a mesma clareza, diz, no entanto, "as dez mil coisas têm um Taiji".*

Figura 9. *Representação corrente do Taiji.*

Figura 10. *Vaso hexagonal das coleções Baur, em Genebra.*

o praticante forceja por harmonizar o pequeno universo que é o seu corpo, ao mesmo tempo em que se põe de acordo com a harmonia geral do universo.

A evolução do Taiji para o Yin-Yang, para os cinco elementos e para os oito trigramas também se aplica à do corpo humano. Em Taiwan, recolhemos do taoísta Liu Peizhong a seguinte teoria concernente à gestação. O sopro original concentra-se em cinco elementos que formam o embrião. Ao cabo de sessenta dias de fusão do sêmen do pai e do sangue da mãe, forma-se a placenta. O sêmen do pai converte-se num peixe Yang, o sangue da mãe, num peixe Yin; aparece a forma do Taiji [1] e o feto principia a formar-se. Este último absorve, pelo cordão umbilical e pelo umbigo, denominado "roda dos meridianos" *(mai lun)* [2], o sopro do céu e da terra, o Taiji põe-se em movimento no ventre materno e ocorre a formação da respiração embrionária. Volvidos os sessenta dias, aparece todos os meses na placenta um trigrama; se for menino, o primeiro a surgir será o trigrama *gian* (Yang); se for menina, o trigrama *kun* (Yin). Ao nascer a criança, quando se corta o cordão umbilical, desaparece a respiração embrionária.

No ano passado, deparamos, na loja de um antiquário de Paris, com um prato proveniente do sudeste da Ásia, cujo motivo central era o Taiji, na forma de dois peixes imbricados, em que os dois pontos correspondiam aos olhos.

Já tivemos ocasião de ver anteriormente, a propósito das representações do Taiji, que os alquimistas se esforçam por inverter o processo para retornar à unidade, ao Taiji. Não voltaremos ao assunto aqui.

Estabeleceram-se correspondências entre as diferentes partes do corpo e o Taiji, o Yin-Yang e os oito trigramas. A mais comumente admitida pelos mestres Taiji quan é a seguinte: o coração é o Taiji, os dois olhos são o sol e a lua, isto é, o Yin e o Yang, os membros são os quatro princípios secundários e as oito articulações dos membros, os oito trigramas. Liu Peizhong estabeleceu uma correlação diferente; no seu entender, o umbigo é o Taiji, os rins são os dois princípios Yin e Yang, os membros, os quatros princípios secundários e as oito articulações, os oito trigramas. Por fim, uma correspondência ainda diferente se encontra no *Huangji jing thi xuyan*, onde se lê: "Qian corresponde à cabeça e está situado em cima; Kan corresponde aos rins e está situado embaixo; em cima e na frente, Li cor-

---
[1] *Trata-se da forma da figura 9.*
[2] *O umbigo é chamado "roda dos meridianos" mais particularmente nos textos psicofisiológicos tardios do taoísmo, sobretudo o* Wu Liu xianzong quanji.

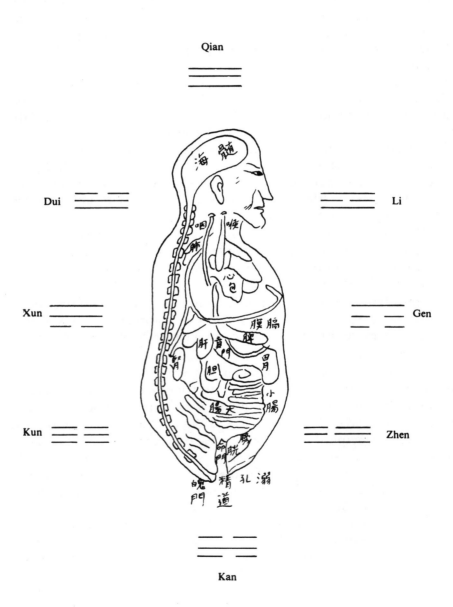

Figura 11. Representação atribuída a Zhang Jingyue. Extraída do Huangji jing shi xuyan.

responde ao coração; Gen é a terra Yang; Kun, a terra Yin, isto é, o baço e o estômago ou o ventre. Atrás e no alto se encontra Dui, que corresponde aos pulmões. Zhen corresponde ao fígado e à vesícula biliar e está localizado no centro. Xun, com um traço inferior quebrado, corresponde ao cóccix"[1] (figura 11).

As correspondências entre os oito trigramas e as diferentes partes do corpo diferem, às vezes, de um mestre para outro, mas a classificação corretamente adotada, perfilhada por Chen Pinsan, é a do *Yijing:* "Qian corresponde à cabeça; Kun, ao ventre; Zhen, aos pés; Xun, às pernas; Kan, aos ouvidos; Li, aos olhos; Gen, às mãos, e Dui, à boca"[2].

Sun Lutang, mestre de Taiji quan, dá outra correspondência: Qian corresponderia à cabeça; Kan, aos rins; Li, ao coração; Gen, ao pescoço; Kun, ao ventre; Dui, à sua parte dianteira; Zhen, à sua parte esquerda, e Xun, à coluna vertebral.

Outro mestre, Dong Yinjie, dá uma classificação dos oito trigramas em correspondência com as oito direções, os meridianos de energia e os cinco elementos. Ei-la:

"Dui: meridiano dos pulmões; oeste, metal.

Qian: meridiano do intestino grosso; noroeste; metal que se transforma em água.

Kun: meridiano do baço; sudoeste; terra que se transforma em terra[3].

Xun: meridiano do pâncreas; sudeste; madeira que se transforma em terra.

Gen: meridiano do estômago; nordeste; terra que se transforma em fogo.

Li: meridiano do coração; sul; fogo.

Kan: meridiano dos rins; norte; água.

Zhen: meridiano do fígado; leste; madeira".

---

[1] *Extraída do* Huangji jing *shi* xuyan, *j. 9, pág. 3 a.*
[2] Yijing, *parte* shuogua, *j. 8.*
[3] *A terra, elemento central que contém os outros quatro e pelo qual esses outros quatro passam no ciclo das transformações de um elemento a outro, é considerada dupla: o elemento gerador e o elemento realizado. Eis a razão por que se encontra esta frase singular: a terra se transforma em terra.*

TAIJI E TAIJI QUAN

A forma do Taiji

A forma circular ou espiralada das diferentes representações do Taiji, que examinamos, volta a encontrar-se em toda a prática do Taiji quan. Dizem os mestres, não raro, que os movimentos têm por base o círculo e o Yin-Yang por utilização; em outras palavras, todo movimento, alternância do Yin e do Yang, passa a ser um círculo. Não deve, portanto, apresentar nenhuma brecha, como também não deve ter reentrâncias nem saliências. Pouco importa que os círculos descritos pelos pés, pelas mãos ou por qualquer outra parte do corpo se situem num plano horizontal, vertical ou oblíquo, a partir do momento em que todo movimento é um círculo e, por conseguinte, um Taiji. O ideal não é obter a forma do círculo perfeito, mas sim que o pensamento criador que preside ao movimento, a imagem mental *(yi)*, seja a do círculo [1]. Chen Pinsan chega a dizer: "Os círculos tornam-se cada vez menores, até que deixa de haver círculos; só então volta ao verdadeiro mistério maravilhoso do Taiji" [2].

Nos movimentos do Taiji quan, as mãos são a parte do corpo que mais manifestamente descreve círculos ou, pelo menos, linhas sinuosas. Mas é na escola Chen que os movimentos manuais mais se aproximam do círculo e até da forma mais comum do Taiji, isto é, um círculo separado em duas partes por uma linha sinuosa [3] (figura 12).

A idéia do círculo e do Taiji se encontra igualmente no deslocamento de passos. A última postura do encadeamento vai dar no ponto de partida, o que quer dizer que há retorno à origem e fechamento de um deslocamento circular. Ademais, a primeira postura chama-se "abertura do Taiji" e a última, "fechamento do Taiji".

Os mestres de Taiji quan dão uma razão prática para o emprego de movimentos circulares. Segundo eles, os movimentos circulares são os que menos permitem ao adversário dominar-nos no combate; sua energia chega ao círculo e resvala pela tangente. Só uma

---

[1] *Traduzimos o semantema* yi *por "pensamento criador" ou "imagem mental". Não se trata, na verdade, de pensamento discursivo, mas de intenção, de emissão criadora do espírito. A noção é importante no Taiji quan e na filosofia chinesa. Há no* Zhuzi quan shu *(j. 45, págs. 16-17) um estudo interessante, no qual se relaciona o* yi *à flexibilidade, o Yin, o particular, em oposição a* zhi, *"a vontade", relacionada à rigidez, o Yang, o comum. O autor estabelece, portanto, uma relação de complementaridade entre o pensamento criador e a vontade.*
[2] Taiji quan tushuo, *pág. 236.*
[3] *Extraído do* Chenjia Taiji quan, *de Jiazshen, pág. 19.*

Figura 12.

brecha no círculo dá ao adversário a possibilidade de vencer. Além disso, o movimento circular esconde dele o ponto de partida do nosso ataque e sua direção exata, o que lhe torna muito mais difícil evitá-lo ou enfrentá-lo.

A idéia de círculo está ligada à de continuidade. Os movimentos são encadeados e ligados sem interrupção, de acordo com as alternâncias do Yin e do Yang. Um encadeamento do Taiji quan compõe-se, de fato, de uma infinidade de movimentos que não se podem isolar uns dos outros. O princípio de um movimento é o fim do movimento precedente. Não há corte nem parada na passagem de um movimento para outro. O adepto obedece unicamente a um ritmo: convertido num eixo, num pivô, assiste como espectador às alternâncias do Yin e do Yang, como o sábio contempla os sucessos da vida, ao mesmo tempo em que deles participa pelo seu não-agir. A continuidade, portanto, reside menos na execução dos movimentos do que no pensamento *(yi):* "Se a energia vital pode ser interrompida, o pensamento não o pode"[1].

Os mestres da escola Chen dizem de modo muito metafórico que os movimentos se executam como se desenrola o fio de seda de um casulo. Utilizam também a expressão "realização de um único sopro He"[2]. A continuidade e a ligação desempenham um papel não

---

[1] Extraído do "Espírito no qual se praticam as treze posturas", de Wu Yuxiang e traduzido no capítulo "Tratado sobre o Taiji quan", deste livro.
[2] Chenjia taiji quan, de Sen Jiazhen, pág. 45. O He é o sopro do coração. A cada víscera corresponde um modo particular de emitir o sopro da expiração: aos pulmões corresponde o sopro Si; ao baço, o sopro Hu; ao fígado, o sopro Xu; aos

só na execução dos movimentos, mas também na mobilidade do corpo, cujas diferentes partes devem participar dos movimentos e estar ligadas umas às outras sem a menor interrupção.

Princípios do Taiji aplicados ao Taiji quan

O símbolo do Taiji pode aplicar-se ao universo e a todos os seres; é o princípio natural do movimento perpétuo: nascimento, crescimento, decadência, aniquilação, alternância do Yin e do Yang. Todos os elementos do universo, tanto os maiores como as estrelas, quanto os menores como os átomos, movem-se nas transformações do Yin e do Yang. O Taiji quan, portanto, mais do que uma técnica corporal, é também uma prática que une o céu, a terra e o homem, de conformidade com o ideal do sábio como está expresso no *Livro das mutações:* "O grande homem une sua virtude eficiente à do céu e da terra, une sua luz à do sol e da lua, imprime à sua vida um ritmo acorde com as quatro estações"[1]. É uma volta ao natural, à espontaneidade. Os movimentos devem refletir a calma das montanhas e colinas, a onda incessante dos rios e ribeiras. Wu Yuxiang, o mestre do Taiji quan, exprime-se assim[2]: "O boxe longo semelha as vagas de um longo rio ou do mar, que se movem contínua e incessantemente".

Todos os elementos do Taiji quan estão classificados em Yin-Yang ou em termos complementares, seja nos movimentos, seja nos princípios básicos, seja nas partes do corpo. Assim, as costas são Yan, o ventre é Yin; os antebraços e o dorso da mão são Yang, os punhos e cotovelos, Yin; o rosto é Yang, a nuca, Yin; o lado esquerdo é Yang, o lado direito, Yin, etc.

Quando se trata dos pés e das mãos em movimento, fala-se antes em "cheio" *(shi)* e "vazio" *(xu)*[3]. Um dos princípios essenciais do

---

rins, *o sopro Chui, e ao triplo aquecedor, o sopro Xi. No momento da expiração nenhum som deve ser audível. Constatou-se que se punham em ação, na expiração, conforme o som emitido, músculos diferentes correspondentes a níveis diferentes do corpo. A propósito desses seis sopros, veja nomeadamente o TT 59 (131) Taiji miyao gejue, pág. 1 b e Le Taoïsme et les religions Chinoises, de Maspero, págs. 532-533. Este exercício presta-se à cura de doenças das vísceras e à eliminação de sopros impuros. Mas o sopro He é o principal; denomina-se também o "sopro do Um" e representa um papel preponderante na alquimia interior. Veja sobretudo o* Wuzhen pian, *pág. 3 a-b.*
[1] Yijing, *hexagrama Qian.*
[2] *Veja os* Tratados sobre o Taiji quan, *pág. 103.*
[3] *Os termos "vazio" e "cheio" eram correntemente empregados na arte militar. O* Sunzi bingfa, *obra básica sobre estratégia, constantemente retomado pelas obras posteriores, inclui um capítulo inteiro intitulado "Do vazio e do cheio".*

Taiji quan é saber distinguir o cheio do vazio. O vazio é Yin, o cheio, Yang. Diz-se que um pé está cheio quando a maior parte ou a totalidade do peso do corpo incide sobre ele; quando dizemos do pé esquerdo que está cheio e do pé direito que está vazio, estamos dizendo que setenta por cento do peso do corpo recaem sobre o pé esquerdo, trinta por cento sobre o pé direito, ou que todo o peso do corpo recai sobre o pé esquerdo. Considera-se erro grave distribuir igualmente o peso do corpo sobre os dois pés, pois, nesse caso, não há distinção entre o Yin e o Yang, há imobilidade e as mudanças não podem efetuar-se com agilidade. Chama-se a esse defeito "peso duplo" *(shuang zhong)*.

Os termos "cheio" e "vazio" também se empregam, se bem que mais raramente, em relação às mãos: se o pé esquerdo estiver vazio, a mão esquerda também estará vazia, e vice-versa. Na verdade, prefere-se empregar, no caso das mãos, os termos "Yin" e "Yang". A mão levada para a frente é Yang, a mão levada para trás, Yin; a mão em cima, Yang, a mão embaixo, Yin.

Os termos complementares que servem para definir os movimentos são, em geral, os de mobilidade/imobilidade, flexibilidade/rigidez, abertura/fechamento. Mas, assim como no seio do Yang reside o Yin e no seio do Yin, o Yang, assim na imobilidade há mobilidade e na mobilidade, imobilidade.

Se bem que a flexibilidade e a rigidez sejam consideradas complementares no Taiji quan, confere-se maior importância à flexibilidade, pois, segundo o princípio de engendramento mútuo do Yin e do Yang, só a flexibilidade extrema engendra a extrema rigidez. A supremacia da flexibilidade recorda as máximas do *Daode jing (Tao te king)*, tais como: "A flexibilidade de todas as coisas sobreleva a rigidez de todas as coisas"[1].

O fechamento é Yin, a abertura, Yang. Esses vocábulos designam não somente os movimentos abertos e fechados, mas também duas formas complementares de energia ou de força interior: a energia aberta e a energia fechada, sendo que a primeira comporta a idéia de expansão para o exterior e a segunda, a de recolhimento e concentração em si mesmo.

Os movimentos do Taiji quan foram reduzidos a treze movimentos de base, em que oito correspondem aos oito trigramas e são orientados para os quatro pontos cardeais e as quatro direções angulares, e cinco correspondem aos cinco elementos orientados para os quatro pontos cardeais e mais o centro.

---

[1] Daode jing, *cap. 43.*

A orientação dos trigramas está em correlação com a chamada orientação do céu anterior ou de Fuxi: Qian fica ao sul; Kun, ao norte; Kan, a oeste, e Li, a leste, e os outros quatro trigramas estão nas direções angulares. Os cinco elementos orientam-se do seguinte modo: a madeira, que corresponde à primavera, está a leste; o metal, a oeste; o fogo, ao sul; a água, ao norte, e a terra, no meio.

Eis aqui as correspondências dadas pelo texto de Wu Yuxiang [1], as mesmas que se encontram nos escritos de Chen Pinsan: "Os treze movimentos são: aparar, puxar, empurrar, repelir, torcer, torcer para baixo, dar uma cotovelada, desferir um golpe com o ombro, oito movimentos correspondentes aos oitos trigramas; e avançar, recuar, deslocar-se para a direita, deslocar-se para a esquerda, permanecer no meio, cinco movimentos correspondentes aos cinco elementos.

Os quatro movimentos, aparar, puxar, empurrar, repelir, correspondem respectivamente aos trigramas Qian, Kun, Kan e Li, e aos quatro pontos cardeais. Os quatro movimentos, torcer, torcer para baixo, dar uma cotovelada, desferir um golpe com o ombro, correspondem, respectivamente, aos trigramas Xun, Zhen, Dui, Gen, e aos quatro pontos colaterais.

Os movimentos avançar, recuar, deslocar-se para a direita, deslocar-se para a esquerda, permanecer no meio, correspondem, respectivamente, ao metal, à madeira, à água, ao fogo e à terra."

---

[1] *Veja* Tratados sobre o Taiji quan, *à pág. 103.*

III. TAIJI QUAN, A ARTE DA LONGA VIDA

O Taiji quan distingue-se de outras artes marciais ocidentais e orientais pelo fato de não dar destaque ao trabalho muscular, mas ao trabalho interior do sopro, da energia e do espírito. Os adeptos dessa arte buscaram ultrapassar os limites físicos tanto no combate quanto na vida. Daí que o Taiji quan também fosse considerado, muito tardiamente ao que parece, uma técnica da longa vida. Assim sendo, um dos tratados sobre o Taiji quan, escrito no princípio do século XX, termina com a seguinte frase: "Não se esqueçam do propósito principal (da arte marcial), que é o prolongamento da vida e o não-envelhecimento"[1].

Como o trabalho da energia interior desempenha um papel considerável no Taiji quan, este apresenta inúmeros pontos em comum com as técnicas de longevidade que também têm, por ponto de partida, um trabalho da energia interior. No trabalho preliminar os mestres mandam fazer, freqüentemente, exercícios isolados, tomados de empréstimo ao *daoyin*, isto é, às técnicas de flexibilização e indução do sopro interior, comuns à medicina tradicional e ao taoísmo[2]. Mandam igualmente praticar exercícios respiratórios semelhantes aos descritos pelos textos taoístas. Quanto ao trabalho do sopro interior, este inspirou-se nos exercícios de alquimia interior *(neidan)*[3]. Afora o *daoyin*, todos esses exercícios são executados separadamente, ou durante a prática do encadeamento.

---

[1] Extraído do "Canto das treze posturas", de Wu Yuxiang.
[2] Existe sobre esse assunto uma literatura importante, principalmente do tempo da dinastia Ming.
[3] O neidan, "alquimia interior", é um grupo de várias escolas taoístas intensamente influenciadas pelo budismo chan, que descreve o trabalho psicofisiológico do adepto em termos de alquimia. Assim, a água e o fogo poderão designar a energia dos rins e a do coração. Opõe-se ao waidan, "alquimia operatória", bem anterior, e que buscava a imortalidade pela absorção de drogas.

1. A RESPIRAÇÃO

Os chineses dedicaram, logo de início, especial atenção à respiração. Desde a mais alta Antiguidade, esforçaram-se por absorver os sopros aéreos externos, a fim de aumentar a própria vitalidade, e desenvolveram a arte de enriquecer o próprio sopro pela troca com o sopro externo. No *Zhuangzi*, obra taoísta do século IV a.C. mais ou menos, já se fazia menção de métodos que consistiam em "rejeitar o velho e absorver o novo" *(tu gu na xin)* [1]. Essa frase, aliás, deu origem à expressão "técnicas de rejeição e absorção" [2] para designar os exercícios de respiração em geral. Hoje em dia, emprega-se de preferência a expressão "trabalho do sopro" *(qigong)* [3], que não designa unicamente exercícios respiratórios, mas também trabalho sobre a energia.

Helmut Wilhelm chamou a atenção para uma descrição dos exercícios respiratórios que dataria da dinastia Zhou (1122-século VII a.C.), segundo a qual o sopro absorvido na respiração circula por todo o corpo. Diz o texto: "Na respiração, deve-se proceder desta sorte: retém-se o sopro para que ele se acumule. Uma vez acumulado, dilata-se. Quando se dilata, desce. Quando desce, acalma-se. Quando se acalma, consolida-se. Quando se consolida, começa a crescer. Quando começa a crescer, é novamente puxado e contraído para as regiões superiores. Quando é puxado, atinge o sincipúcio. Em cima, exerce pressão no cocuruto da cabeça. Embaixo, empurra para baixo. Quem seguir esses princípios viverá; quem for de encontro a eles morrerá" [4]. Infelizmente, certos sinólogos, entre os quais Guo Moruo, duvidam da ancianidade dessa estela, que poderia datar, na realidade, das Seis Dinastias.

---

[1] Capítulo "Keyi pian", *no* Zhuangzi.
[2] *A expressão* tuna *aparece em diversas ocasiões no* Baopuzi neipian *nos j. 1, pág. 1; j. 6, pág. 26, etc.*
[3] *A expressão* qigong, *sinônima de* tuna, *"técnicas de rejeição e absorção", ao que tudo indica, não apareceu antes da dinastia Qing (1644-1911). Designa não somente os exercícios de respiração, os exercícios de circulação do sopro interno destinados a curar as enfermidades ou a lograr a longevidade, mas também o resultado obtido, a saber, a possibilidade, pela emissão do qi, do sopro, de quebrar pedras, tijolos, ou ainda de curar os outros. O qigong está hoje muito em voga na China, onde se realizam pesquisas sobre suas virtudes terapêuticas e, ao que parece, com resultados positivos. Ele aumenta a resistência dos doentes.*
[4] *"Eine Chou Inschrift über Atemtechnik", em* Monumenta Serica, *vol. 13, 1948. Guo Moruo discutiu a autenticidade dessa estela em* Tiandi xuanhuang, Xangai, 1946. *Traduzimos o texto da inscrição amparados numa paráfrase moderna de Guo Moruo.*

No Taiji quan, a respiração é análoga à efetuada na maioria dos exercícios taoístas. Ao contrário da respiração ocidental, não é torácica, mas essencialmente abdominal, razão pela qual os mestres recomendam que se relaxe a cintura e o abdômen. Por conseguinte, ela não se efetua por um trabalho da caixa torácica, que se dilata na inspiração e se contrai na expiração, mas por um trabalho do diafragma, que se abaixa na inspiração e volta ao seu lugar na expiração, o que implica a intumescência do abdômen. Podem obter-se assim inspirações e expirações mais e mais longas, e fazer de modo que a dilatação aparente da caixa torácica se torne muito fraca e quase imperceptível. Essa respiração apresenta, entre outras, a vantagem de facilitar o trabalho da digestão e acelerar as secreções internas, graças à pressão exercida sobre os diversos órgãos da digestão pelo diafragma. A respiração lenta e profunda se efetua pelo nariz, tanto na inspiração quanto na expiração durante a prática do Taiji quan, ao passo que, em certos exercícios isolados de respiração, a expiração pode fazer-se pela boca.

Os chineses consideram a inspiração como Yin, e a expiração, como Yang; este último tempo, portanto, o mais importante, é aquele para o qual se dirige a atenção e é nele que o executante distende progressivamente todas as partes do corpo; é também durante a expiração que ele emitirá a energia para tocar o adversário. O dr. Schatz mostrou [1] que a expiração era, efetivamente, o tempo importante da respiração durante o qual se registravam as trocas entre as células.

Um dos princípios publicados nos textos sobre o Taiji quan é o de "concentrar o sopro no campo de cinábrio" *(qi chen dantian)* [2]. A expressão "campo de cinábrio" vem do taoísmo; há três campos de cinábrio, ou seja, três lugares do corpo que correspondem, aproximadamente, ao abdômen, no caso do campo de cinábrio inferior, ao coração, no campo de cinábrio médio, e à cabeça, no campo de cinábrio superior. Sendo o cinábrio um sulfeto de mercúrio e a matéria-prima dos alquimistas chineses, a expressão designa os campos de transmutação do corpo [3]. No Taiji quan, trata-se sobretudo do

---

[1] *"La mécanique respiratoire dans le Taiji quan"*, de Jean Schatz, publicado na Nouvelle Revue Internationale d'Acupuncture, n.º 13.
[2] Veja *"Cinco princípios essenciais do Taiji quan"*, § 4.
[3] *O texto mais antigo em que vamos encontrar uma descrição desses campos de cinábrio é o* Baopuzi neipian, *de* Ge Hong, *texto do século IV, e, em seguida, o* Dengzhen yinjue, *de Tao Honjing TT 193 (421). De acordo com o* Baopuzi neipian, *j. 18, pág. 92, o campo de cinábrio inferior localiza-se 6,09 centímetros abaixo do*

campo de cinábrio inferior, localizado mais freqüentemente 7,62 centímetros abaixo do umbigo, mas situado por certos autores entre o umbigo e os rins, às vezes até confundido com estes últimos [1].

Para que o sopro possa concentrar-se no campo de cinábrio inferior, a atenção deve fixar-se nessa região do corpo e a respiração acompanhar-se de um relaxamento total de todas as partes do corpo, notadamente da cintura e do abdômen. Durante a inspiração, há descontração da parte inferior do ventre, e ligeira retração na expiração (entretanto, segundo certos autores, efetua-se o movimento inverso, retração do ventre na inspiração e descontração na expiração). Os movimentos do ventre são imperceptíveis e não devem, em hipótese nenhuma, ser forçados. Cumpre apenas ao principiante respirar naturalmente, com o corpo relaxado e a atenção concentrada no campo de cinábrio inferior.

Realizadas essas condições, se os movimentos do Taiji quan já tiverem sido dominados, o praticante trabalhará a respiração durante a execução dos movimentos. Ele deverá esforçar-se por fazer coincidir os dois tempos da respiração com os diferentes movimentos, da seguinte maneira: a inspiração corresponde a quatro tipos de movimentos: movimento de contração do corpo ou dos braços, movimento para cima, movimento de elevação, movimento aberto; a expiração corresponde aos quatro tipos inversos: movimento de extensão, movimento para baixo, movimento de pressão, movimento fechado. Durante o encadeamento do Taiji quan, os movimentos de concentração ou de extensão, para cima ou para baixo, etc., se alternam; não há, portanto, dificuldade em fazer corresponder a inspiração e a expiração à classificação supra de movimentos. Dessa maneira, a respiração estabelece o ritmo do desenrolar do encadeamento, numa cadência cada vez mais lenta à medida que se alonga a duração da respiração. Levado por esse fluxo, o executante sente-se unido ao ritmo do universo.

---

umbigo; a maioria dos textos, porém, situa-o 7,62 centímetros abaixo do umbigo, como o Xiuzhen shishu, TT 125 (263) j. 18, pág. 9 a-b ou o Taixi jing TT 59 (130) pág. 1 a.

[1] Isso explicaria o cognome "orifício da essência" (jingqiao) conferido por certos mestres de artes marciais ao campo de cinábrio inferior. Embora a essência, o mais das vezes se localize nos rins, alguns a situam no campo de cinábrio.

60

2. TÉCNICAS PSICOFISIOLÓGICAS

Os mestres do Taiji quan descrevem os exercícios psicofisiológicos utilizando largamente o vocabulário taoísta e, sobretudo, o da alquimia interior *(neidan)*. No plano do método, as escolas tardias de alquimia interior dividem o trabalho em três etapas, efetuadas sucessivamente em cada um dos três campos de cinábrio: o baixo-ventre, o meio do peito e o centro da cabeça. No campo de cinábrio inferior, a essência *(jing)*, refinada, converte-se em sopro *(qi)*; no campo de cinábrio médio, o sopro, refinado, transforma-se em energia espiritual *(shen)*, e no campo de cinábrio superior, a energia espiritual, refinada, reintegra-se na vacuidade.

A essência, que é, ao mesmo tempo, o sêmen e a energia nascida da digestão, designaria certos líquidos do corpo. O sopro *(qi)* é o sopro da respiração e a energia que circula no interior, nos meridianos e em todo o corpo. Conceberam-no os chineses como vapor que enche todos os interstícios, donde a possibilidade da passagem da essência (líquido) para o sopro (vapor). As qualidades essenciais da energia espiritual são o calor e a luz.

Por ocasião da primeira etapa da alquimia interior, convém ter uma alimentação apropriada e evitar o desperdício de energia sexual *(jing)*. A essência, que se acumula aos poucos no baixo-ventre, é conduzida para cima pelo "canal de controle" *(dumai)*, situado ao longo da coluna vertebral, do cóccix ao cocuruto da cabeça. A essência sobe, é Yang que cresce e atinge o apogeu no cocuruto. De lá, a essência torna a descer pelo "canal de função" *(renmai)*, que passa pelo meio da parte anterior do corpo. Convém reunir por diversos processos as duas extremidades superiores e inferiores desses canais, a fim de formar um circuito fechado com crescimento e decréscimo do Yin e do Yang segundo um ritmo calcado sobre os do universo, o dia e a noite, as estações, as fases da lua, etc. Então o corpo torna-se um universo cerrado, como o atanor hermeticamente fechado dos nossos alquimistas. Essa revolução repetida transforma a essência em sopro, e no ventre forma-se o "cinábrio", comparado a uma gota de orvalho, pérola formada pelo sopro Yin e Yang, que se transforma em embrião na segunda etapa.

Efetua-se, portanto, a segunda etapa no campo de cinábrio médio, onde a pérola de luz se transmuda em embrião de sopro conservado durante dez meses simbólicos, a fim de transformá-la em energia espiritual, cujas qualidades principais são o calor e a luz. A revolução da essência e do sopro nos dois canais de controle e de função continua, mas sem ser ajudada por exercícios de **visualização** e de **respiração** como no transcurso da primeira etapa.

Na terceira etapa nasce a "criança-energia espiritual", isto é, chega à cabeça, por onde sai do corpo, nele tornando a entrar pela fontanela, conforme a vontade do adepto. Esse filho da luz, modelo reduzido do adepto, é finalmente conservado por meios espirituais a fim de integrar-se na vacuidade.

Tais são, descritas de modo sucinto e essencialmente segundo o modelo da escola Wu Lin, as três etapas da alquimia interior. Das três, a primeira diz mais diretamente respeito ao praticante do Taiji quan; com efeito, a circulação anelar da essência e do sopro nos dois canais, efetuada por ocasião da primeira etapa, é necessária para trabalhar e desenvolver a energia interior utilizada no combate. Por outro lado, ao mesmo tempo que imita o modelo, o Taiji quan, às vezes, dele se aparta.

1) Primeira etapa no Taiji quan

Diversos processos mentais serão utilizados para provocar efeitos fisiológicos bem definidos. E aí, mais uma vez, é o *yi*, o pensamento criador, que representa uma parte determinante.

Essa primeira etapa inicia-se, portanto, no campo de cinábrio inferior, cuja energia será estimulada por diversos meios. Já vimos que a respiração, essencialmente abdominal, faz trabalhar essa parte do corpo.

Um dos métodos mais utilizados é a produção de um movimento giratório no interior desse campo de cinábrio, que se orienta para a direita nos homens e para a esquerda nas mulheres. Com a ajuda do pensamento criador *(yi)*, o adepto faz girar o sopro no campo de cinábrio trinta e seis vezes e o faz voltar ao centro depois, descrevendo vinte e quatro espiras cada vez menores. Na escola Chen, o mesmo exercício é freqüentemente acompanhado da recitação mental, em cada respiração, dos quatro caracteres He, Xi, Xu, Chui [1].

Uma variante desse exercício, denominada "respiração dos oito trigramas" *(bagua huxi)*, foi-nos explicada em Taiwan por um adepto da escola Yang e taoísta da escola Wu Liu, Liu Peizhong. Imaginamos os oito trigramas dispostos em círculo à volta do umbigo, que é um Taiji. Pensando, durante a respiração, nos números cor-

---

[1] Veja a nota 3, à pág. 12.

respondentes aos oito trigramas segundo a disposição dita do céu posterior [1], portanto com os números do Luoshu [2], engendramos um movimento giratório do sopro do campo de cinábrio ao redor do umbigo (esse movimento se efetua para a direita nos homens e para a esquerda nas mulheres). O movimento torna-se cada vez mais rápido e o sopro se aproxima do umbigo, até reunir-se a ele. Os oito trigramas giram então sozinhos e produzem-se tremores no corpo.

Não encontramos exercício algum análogo a esse na literatura taoísta. Apenas um tratado taoísta, o *Yuqing jinsi qinghua miwen jinbao neilian danjue*, que trata de alquimia interior, comporta um "diagrama do fogão e do caldeirão" que representa um homem sentado tendo ao nível do estômago o desenho dos oito trigramas dispostos em círculo segundo a ordem do céu posterior. É possível que se trate de um exercício semelhante ao nosso, porém executado mais em cima (figura 13, pág. 66).

Esses exercícios recentes eram comumente praticados pelos taoístas? Poucos textos dão testemunho disso. Todavia, o capítulo "Métodos do sopro das diversas escolas", do *Yunji qiqian*, descreve um movimento giratório do sopro no campo de cinábrio, provocado pela "estimulação do sopro" *(gu qi)* nesse lugar [3]: "Retido o sopro, estimule (bata como num tambor) o sopro situado no oceano de sopro [4], de sorte que ele gire em movimentos circulares do inte-

---

[1] *A orientação dos trigramas é a fornecida por Wen wan, dita "do céu posterior", com os números seguintes:*

	Li	
Xun 4	9	Kun 2
Zhen 3	5	Dui 7
Gen 8	Kan 1	Qian 6

Existe outra orientação dos trigramas chamada "do céu anterior" e atribuída ao imperador mítico Fuxi: essas duas orientações atestadas no Yijing são amiúde postas em correlação com a Carta da Luo, *diagrama numeral em nove partes e a* Carta do Rio, *em oito seções.*
[2] *A representação da* Carta da Luo *só apareceu ao tempo da dinastia Song, ao mesmo tempo que a da* Carta do Rio. *Citada no* Yijing, *a* Carta da Luo *é um esquema do mundo oferecido por intermédio de uma tartaruga mágica, que a levou nas costas para Yu, o Grande, o qual domou as águas e organizou a China em nove províncias.*
[3] *O* Yuji qiqian *é a coletânea de textos taoístas compilada, no princípio do século XI, por Zhang Junfang, por ordem do imperador. O capítulo "Métodos do sopro das diversas escolas" encontra-se no TT 689 (1032) j. 60, pág. 15 b.*
[4] *Oceano de sopro: outro nome do campo de cinábrio.*

Figura 13.

rior para o exterior; faça-o sair como sopro He. Proceda dessa maneira uma ou duas novena de vezes"[1].

Outro texto, publicado mais tarde, no fim da dinastia Ming, (século XVII), semitaoísta, semibudista, o *xingming guizhi*[2], descreve um método para fazer girar o sopro em torno do umbigo, método que apresenta muita coisa em comum com o exercício que nos ensinou Liu Peizhong: "No início, conduza o sopro com o pensamento e faça-o girar do centro para a periferia em circunvoluções cada vez maiores, ao mesmo tempo em que recita mentalmente a fórmula de doze caracteres: o tigre branco está dissimulado no leste, o dragão verde está imerso no oeste[3]; recite um verso em cada circunvolução, trinta e seis vezes. Volte, em seguida, do exterior para o interior em circunvoluções cada vez menores, enquanto recita: o dragão verde está imerso no oeste, o tigre branco está dissimulado no leste, trinta e seis vezes também, até que se verifique o retorno ao Taiji: é uma revolução. Ao cabo de algum tempo, já não há necessidade de empregar o pensamento, pois o movimento giratório se efetua espontânea e continuamente. A roda da lei[4] gira sozinha".

Esses exercícios de giro do sopro são corolários do princípio: "concentre o sopro no campo de cinábrio". Parece que eram chamados antigamente "estimule o sopro" *(gu qi)*. Eles acarretam o aparecimento de calor, às vezes elevado, nessa parte do corpo, bem co-

---

[1] *Nove é o número do Yang supremo; daí a sua importância nos textos taoístas.*
[2] *Atribui-se o Xingming guizhi a Yin zhenren, personagem que teria vivido no tempo da dinastia Song. O nosso texto foi extraído do vol. 2, pág. 32, da edição do Baoren tang. Imprimiu-se esse livro, pela primeira vez, em 1670. Expõe um sincretismo das três religiões com a predominância, todavia, dos elementos de alquimia interior.*
[3] *Termos empregados em alquimia interior. O dragão verde designa, entre outros, o mercúrio, e o tigre branco, o chumbo. Mas são também, de acordo com a etapa em que se consideram, a água e o fogo, o Yin e o Yang, etc.*
[4] *"Roda da lei"* (dharmakaya): *termo budista que designa a verdade do Buda capaz de debelar todos os males e obstáculos. Em alquimia interior, essa expressão designa a circulação anelar do sopro nos canais de controle e de função.*

nhecido dos adeptos da alquimia interior que precisavam ativar o fogo interior para fundir o cinábrio e sobre os quais se fazia mister, às vezes, derramar baldes de água para refrescá-los; diz a lenda que alguns foram consumidos por não terem sabido regular o fogo interior.

Graças à estimulação do sopro e ao seu desbloqueio por movimentos de ginástica acompanhados da respiração apropriada, o campo de cinábrio se enche dele e o sopro poderá escoar-se e encher os dois canais de controle e função. Convém, a princípio, dirigi-lo com o pensamento [1].

Esse sopro, chamado "sopro central" *(zhongqi)* entre os cultores das artes marciais, é conduzido segundo duas circulações anelares: a pequena revolução *(xiao zhou tian)* e a grande revolução *(da zhou tian)* [2].

a) Na pequena revolução, o sopro sobe do campo de cinábrio do pátio amarelo *(huangting)*, situado ao nível do baço (ou ainda do esquentador médio [3]), onde há "troca" *(jiao)* com o sopro externo inspirado pelo nariz; enriquecido pela troca, o sopro interno torna a descer, durante a expiração, ao campo de cinábrio e circula em torno da cintura.

b) No que tange à grande revolução, o trajeto seguido pelo sopro nem sempre é definido com precisão e varia segundo as fontes de informação. O mais corrente é a circulação em anel fechado no canal de controle *(dumai)* [4] e no canal de função *(renmai)*. Com a ajuda do pensamento criador, fazemos descer o sopro do campo de

---

[1] Cf. Yunji qiqian: *"Métodos do sopro das diversas escolas"*, TT 690, j. 62, pág. 6 b: *"Movimente o sopro com o pensamento"*.
[2] Compara-se a revolução do sopro no corpo à revolução dos astros no universo.
[3] Distinguem-se em medicina chinesa três aquecedores: o superior, o médio e o inferior, considerados um órgão Yang. Sua localização e seu papel constituem objeto de numerosas controvérsias. No entender de Maspero, (pág. 360), correspondem ao esôfago, ao canal interior do estômago e à uretra. Segundo o dr. Ferreyrolles (Acuponcture chinoise, pág. 27), "os três aquecedores correspondem topograficamente ao sistema nervoso vegetativo com suas três ordens: o aquecedor superior é o parassimpático cervical, o médio, o simpático e o inferior, o parassimpático pélvico".
[4] O "canal de controle" (dumai), consoante alguns comentadores, já teria sido citado no Zhuangzi. No j. 3, vamos encontrar, com efeito, a seguinte frase: "Conservem o meio justo (du); assim poderão conservar o corpo intato e manter a vida até o fim". O caráter du já designaria o "canal de controle" (dumai) que passa pelo meio das costas. Entretanto, nos manuscritos médicos descobertos no túmulo número 3 de Mawangdui, o qual dataria do século IV a.C., sendo, portanto, da mesma época do Zhuangzi, dois manuscritos falam em onze meridianos (em lugar de doze) e não fazem menção alguma do canal de controle. Não obstante, a interpretação conserva seu interesse, pois mostra como certos comentaristas forcejaram por dar um sentido mais fisiológico aos clássicos do taoísmo, o Zhungzi e o Daode jing.

cinábrio ao ponto Huiyin, situado entre o ânus e o sexo, e ponto de partida dos dois canais, fazemo-lo subir de novo pelo canal de controle até o sincipúcio, e transpor as três passagens das costas *(sanguan)*, que são: os rins, o ponto Lingtai, ao nível da sétima vértebra dorsal, e o ponto Yuzhen, ao nível da nuca [1]; a seguir, o sopro volta a descer para o meio do rosto, até o ponto Renzhong [2], entre o nariz e a boca, ponto final do canal de controle; por fim, segue o canal de função até o ponto Huiyin. A circulação do canal de controle para o canal de função dá-se o nome de circulação "do céu anterior ao céu posterior". Mas pode ser efetuada também em sentido contrário, do canal de função para o canal de controle, e é então chamada "do céu posterior ao céu anterior". Esses canais, segundo Chen Pinsan, "estão no corpo humano como o ciclo dos doze períodos está no macrocosmo. No corpo, os dois canais circulam no meio das costas e da face anterior do corpo, que representam o céu e a terra. Podem ser considerados separadamente ou em sua união. Considerados separadamente, percebe-se que o Yin e o Yang não estão dissociados. Considerados em sua união, é a indiferenciação primordial" [3] (figura 14).

Esta circulação anelar semelha aqui à descrita pelos textos alquímicos, nos quais se denomina "pequena revolução celeste", quando se verifica na primeira etapa, e "grande revolução celeste", quando se verifica na segunda etapa em combinação com a troca entre o fogo do coração e a água dos rins. No caso do Taiji quan, não saberíamos dizer se se trata de uma interpretação errônea de certos mestres que conhecem imperfeitamente o processo, ou se se trata de uma interpretação própria do meio das artes marciais.

Liu Peizhong nos deu uma versão diferente da circulação anelar do sopro. No seu entender, o sopro parte do ponto Yinqiao [4], situado 3,30 centímetros acima do ponto Huiyin. A 3,30 centímetros acima do osso sacro encontra-se o "ponto do sopro verdadeiro" *(zhenqi xue)*. Desde que esse ponto se abaixa, o ponto Yanqiao sobe e os dois se ligam pelo sopro do campo de cinábrio. A fim de facilitar a comunicação entre eles, Liu Peizhong nos aconselha a contrair

---

[1] *São as três passagens indicadas oralmente pelos mestres que encontramos, e citadas em certas obras sobre o Taiji quan. No taoísmo, a localização corrente das três passagens é, antes, o cóccix, os rins e a nuca.*
[2] *Demos a localização do ponto Renzhog em acupuntura; dir-se-ia, contudo, que esse ponto é confundido, às vezes, com a aresta do nariz.*
[3] Taiji quan tushuo, de Chen Pinsan, pág. 139.
[4] *Em medicina chinesa, Yinqiao não designa um ponto, mas um dos oito meridianos curiosos.*

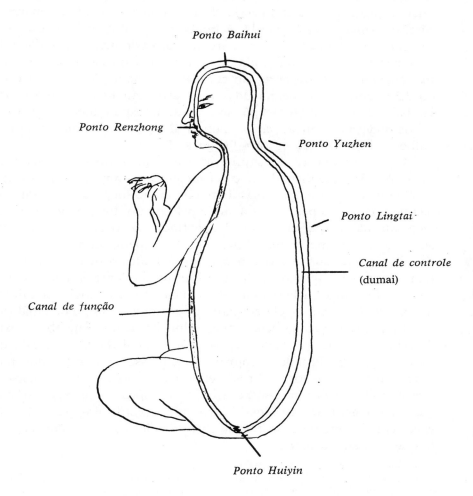

Figura 14. Os canais de função e de controle.

o ponto Yanqiao para cima, como se fosse aspirado; essa contração deve efetuar-se também durante a execução dos movimentos de Taiji quan. O sopro sobe então pelo canal de controle. Localizado ao nível da sétima vértebra dorsal e considerado como a segunda passagem das costas, o ponto Lingtai, segundo Liu Peizhong, é a sede da energia espiritual. É nesse ponto que precisamos concentrar-nos quando praticamos a técnica de "fazer voltar a essência e reparar o cérebro" *(huan jing bu nao)* [1]. É também o ponto em que deve concentrar-se o adepto das artes marciais para adquirir a faculdade de pressentir o perigo ou a vinda do inimigo. Por outro lado, se o ponto Yangwei [2], situado perto do coração, e o ponto Yinwei, localizado 3,30 centímetros acima dos rins, estiverem ligados pelo sopro verdadeiro, o combatente pôr-se-á a saltar espontaneamente, e os saltos poderão alcançar vários metros. É o que se denomina o "trabalho da ligeireza" *(qing gong)* (figura 15).

Outra circulação do sopro praticada pelos mestres inclui os membros. Sempre dirigido pelo pensamento, o sopro parte do campo de cinábrio, desce ao ponto Huiyin, circula ao longo da face interna das pernas até os pés, torna a subir pelo dorso dos pés ao longo da face externa das pernas. A seguir, partindo do cóccix, sobe de novo ao longo da coluna vertebral até o nível do peito, onde se separa a fim de circular nos ombros, nos cotovelos, até os dedos. Finalmente, retorna pelos punhos, pela face interna dos braços, pelas axilas, passa pelo ponto Yuzhen ao nível da nuca, atinge o sincipúcio, desce outra vez pela testa e pela garganta e retorna ao campo de cinábrio.

Uma circulação parecida, que inclui também os membros, está descrita no capítulo "Métodos do sopro das diversas escolas", do *Yunji qiqian* [3]*:* "Prenda o sopro; concentre-se [4] no sopro dos pulmões, que passa pelos ombros, penetra nos braços, até as mãos, e fica na palma. Dirigindo-se para baixo, o sopro passa pelo estômago, pelos rins, pelos ísquios e desce até a planta dos pés. Quando você sentir insetos deslocarem-se entre a pele e os músculos, acredite que foi bem sucedido".

---

[1] *"Fazer voltar a essência e reparar o cérebro", método que consiste em fazer voltar a essência, misturada ao sopro do campo de cinábrio inferior, ao campo de cinábrio superior, a fim de que ela repare o cérebro, ou melhor, regenere a medula que se esgota à proporção que a essência se escoa para o exterior do corpo. Em outras palavras, convém, exatamente antes da emissão da essência seminal, exercer uma pressão sobre o canal da uretra a fim de impedir-lhe a emissão; essa técnica exige também um adestramento em calma interior e em diversos modos de respiração.*
[2] *Reparo idêntico ao que foi feito em relação a Yinqiao. Em acupuntura, Yangwen é um dos oito meridianos curiosos.*
[3] Yunji qiqian, TT 698, j. 57, pág. 7 b.
[4] *Traduzimos por "concentre-se" o caráter* cun, *que tem sentido muito preciso. Um dos processos de meditação taoísta é o* cunsi, *"manutenção do pensamento".*

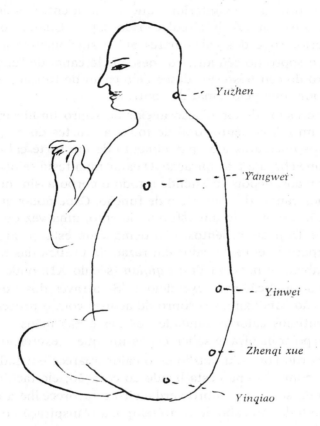

Figura 15. Localizações de alguns pontos do corpo, segundo Liu Peizhong.

A circulação acima não é concomitante à circulação anelar nos canais de controle e de função, se bem o seja na descrição que dela fazem os mestres do Taiji quan. O único texto que encontramos e que apresenta uma descrição semelhante é o tardio *Xingming fajue mingzhi*, de Zhao Bichen, redigido no fim do século XIX. O texto em apreço distingue entre a respiração dos calcanhares "do céu posterior" e o sopro "do céu anterior", que se escoa entre os dois canais. São quatro os tempos de circulação do sopro. Quando o sopro do céu posterior sobe dos calcanhares até o sincipúcio pelo canal de controle, o sopro do céu anterior desce pelo canal de função. Quando o sopro do céu posterior desce pelo canal de função, o sopro do céu anterior sobe pelo canal de controle.

Os exercícios de circulação anelar do sopro implicam uma distensão e um relaxamento total de todas as partes do corpo. Um de seus efeitos imediatos é o aparecimento de um forte calor em todo o corpo, que chega à transpiração. O calor manifesta-se primeiro nos pés e nas mãos, depois se estende a todo o corpo assim que o sopro penetra nos canais de controle e de função. Cabe notar que a transpiração não decorre de um esforço violento, uma vez que os movimentos de Taiji quan, lentos, não demandam esforço algum. Além disso, o aparecimento do calor em razão da prática das técnicas do sopro também se nota no *Yunji qiqian* (século XI), onde é considerado prova da eficácia do exercício [1]: "Se através dos exercícios de flexibilização conduzimos o sopro de acordo com o processo conveniente, sentimos calor e umidade nos pés e nas mãos... Destarte, todo o corpo transpira, e sabemos, assim, que o exercício é eficaz".

De acordo com Liu Peizhong, o calor aparece em todo o corpo quando o ponto Yinqiao está ligado ao coração; ele faculta a transformação do sopro em sopro verdadeiro e favorece-lhe a circulação pelo corpo todo. Ao cabo de certo tempo, a transpiração desaparece, substituída por tremores: o movimento imaginário do sopro guiado pelo pensamento criou um movimento real.

Tais práticas do sopro acarretam grande calma do espírito. Escreve Chen Pinsan [2]: "O sopro verdadeiro circula, a partir dos pés, como uma roda nos canais de controle e de função, os membros têm a estabilidade das montanhas, os pensamentos já não nascem, o mecanismo celeste move-se sozinho".

---

[1] Yunji qiqian, *TT 689*, j. *57*, pág. *7 b*.
[2] Taiji quan tushuo, pág. *139*.

2. Segunda etapa: fusão do sopro em energia espiritual

A energia, isto é, o sopro em quantidade suficiente, pode ser refinada e transformada em energia espiritual. Isso corresponde a um refinamento dessa força interior, numa direção que se poderia qualificar de psicológica. Com efeito, o esforço já não é dirigido para o movimento, nem para o sopro, mas para o pensamento criador, o *yi*, termo que encerra a idéia de volição, de intenção. Os mestres da arte marcial definem o *yi* da seguinte maneira: "O *yi* é a intenção do meu coração" [1], ou: "o que é emitido pelo coração chama-se *yi* [2]. A distinção entre *yi* (pensamento) e *xin* (coração) nem sempre é nítida nos textos sobre Taiji quan, onde se emprega um ou outro termo no mesmo contexto. Por exemplo, tanto se encontra "mover as mãos com o coração" quanto "mover as mãos pelo pensamento".

No Taiji quan, todo movimento parte do coração e é dirigido pelo pensamento criador: "O pensamento e o sopro são soberanos, os ossos e os músculos, os ministros", lê-se num texto. O pensamento criador serve de elo entre o corpo e o espírito. Essa função fundamental do pensamento chinês é, aliás, qualificada em alquimia interior de "alcoviteira" *(mei)* [3].

O pensamento criador é, a um tempo, intenção precisa e representação, imagem formada no coração. O primeiro dicionário etimológico chinês (século I), o *Shuowen*, define-a como "o discurso do coração" *(xinsheng)*. Vimos nos exercícios de circulação do sopro que ela é capaz de provocar transformações fisiológicas e psicológicas e tem, portanto, um papel criador [4], já mencionado num clássico do taoísmo do século II, o *Liezi*, onde se lê: "As dez mil transformações só são precedidas pelo pensamento criador" [5].

É, pois, o afinamento do pensamento, tanto no combate quanto na prática individual, que caracteriza essa etapa do Taiji quan.

---

[1] Chenjia taiji quan, de *Shen Jiazhen*, pág. 157.
[2] Taiji quan tushuo, pág. 158.
[3] Yuqing jinsi qinghua miwen jinbao neilian danjue, j. shang, pág. 8 b: "O pensamento faz o papel de alcoviteira. Na via alquímica, do princípio ao fim, não podemos prescindir de sua utilização. O pensamento nasce do coração".
[4] *Nos textos taoístas, emprega-se amiúde o termo "pensamento"* (yi) *em correlação com o termo "energia espiritual"* (shen). *Segundo o* Xianxue cidian, *o* shen *é a substância, o* yi, *a função. O* shen *corresponde ao não-agir, ao passo que o* yi *governa a ação. Sempre que há ação, há emprego do* yi, *que se localiza no baço, ou, antes, que se correlaciona com o baço. No* Xianfo hezong yulu, *de Wu Chongxu, está escrito: "O* shen *original é imóvel, é a substância; o* yi *verdadeiro rege, é a função. Mas o* shen *original e o* yi *verdadeiro são, fundamentalmente, uma coisa só".*
[5] *Capítulo* Tangwen, juan 5.

3. *Terceira etapa: fusão da energia espiritual
e retorno à vacuidade*

Quando há coincidência, cada vez mais perfeita, entre a execução de um movimento e a emissão, pelo coração, de sua representação mental, quando o corpo responde instantaneamente ao pensamento emitido, há automatismo do movimento e passagem ao inconsciente. Já não se faz necessário o esforço consciente para executar o movimento nem para emitir o pensamento determinado que lhe corresponde. A "palavra do coração" *(yi)* se escoa por si só. Chegado a esse estádio, o exterior já não perturba o adepto, cuja energia espiritual está concentrada. Já não tem vontade de mover-se segundo um esquema definido, mas responde instantânea e espontaneamente às diferentes circunstâncias, e os movimentos executados, já não são, forçosamente, do Taiji quan. O adepto perde a consciência do eu e do corpo [1], mas ainda está consciente, o que não acontece nos estados de transe. Encontra-se num estado que ultrapassa a dualidade consciência/não-consciência, pois foi realizada a união dos contrários: interior e exterior, movimento e repouso, eu e o outro. É a união do Tao com a vacuidade. Chen Pinsan escreve: "Já não sei que esse corpo sou eu, nem que eu sou esse corpo" [2]. Ele encarna, portanto, o ideal do santo gabado pelos taoístas, o mais célebre dos quais, Zhuangzi, afirmou: "O sábio supremo não tem eu" [3].

Quando nenhum pensamento se eleva no interior e não há obstruções no exterior, a energia do indivíduo não tem limites, identifica-se com as forças do universo cujas leis segue; é a realização do Taiji. O praticante não executa por si mesmo os movimentos, deixa operar o Tao através de si. Nesse estado, não está sujeito a pensamentos desordenados que o assaltam de todos os lados, suas tensões desapareceram, substituídas pela calma e pela serenidade. Esse efeito semelha o da meditação.

Vários mestres do Taiji quan estabeleceram uma relação de complementaridade entre o Taiji quan e a meditação. Chen Yanlin, mestre de Taiji quan que viveu no princípio deste século, escreveu [4]: "Quando praticamos a meditação até certo nível, precisamos buscar em nós mesmos a mobilidade no seio da imobilidade. Não se trata

---
[1] *"O esquecimento do corpo"* (xing wang) *desempenha um papel fundamental no taoísmo e no pensamento de Zhuangzi, que utiliza o termo em várias ocasiões e ilustra esse estado por meio de diversas anedotas.*
[2] Taiji quan tushuo, *pág. 139.*
[3] Zhuangzi, *j. 14 e j. 54.*
[4] *No* Taiji quan dao jian gun sanshou daquan, *de Chen Yanlin, j. 1, pág. 6 (ou pág. 23, de acordo com a numeração ocidental).*

de permanecermos sempre imóveis, sem mobilidade. A idéia aqui é idêntica à da busca da imobilidade na mobilidade do Taiji quan. É por isso que, depois de nos havermos exercitado no Taiji quan até certo ponto, precisamos também procurar em nós mesmos a mobilidade no seio da imobilidade".

Certo número de mestres preconiza, portanto, a prática da meditação, além do Taiji quan, na busca da calma interior, uma das condições necessárias ao progresso na prática do Taiji quan. Existem vários métodos de meditação. O mais simples consiste em permanecer imóvel, sentado ou deitado de lado, e acalmar o espírito por meio de uma atenção contemplativa. Vimos no verão de 80, num parque de Xangai, duas pessoas sentadas em postura de meditação, de manhãzinha, entre duas árvores, enquanto centenas de outras se entregavam a exercícios de artes marciais em derredor. Um método mais complexo utiliza o pensamento criativo para visualizar, durante o tempo em que o praticante permanece sentado, imóvel, trajetos de energia, lugares do corpo ou divindades em certas partes do corpo, até a instalação da calma interior. Instalada a calma, o adepto forceja, então, por ultrapassar a dualidade mobilidade/imobilidade, e, para consegui-lo, procura a mobilidade na imobilidade e a imobilidade na mobilidade.

IV. O TAIJI QUAN ENQUANTO ARTE MARCIAL

O observador ocidental que assiste ao desenrolar do Taiji quan dificilmente acreditará que se trata de uma arte marcial, e idêntica reação poderão ter os jovens chineses que se riem dessa ginástica e a ela preferem práticas mais combativas e também mais agressivas. Não obstante, os antigos mestres reputam o combate a função primeira do Taiji quan, e alguns, cada vez mais raros, dão provas de capacidades impressionantes nessa arte. Por outro lado, cumpre notar que o aspecto marcial é mais evidente na escola Chen, que não levou ao extremo a noção de flexibilidade e de lentidão e conservou uma execução mais marcial e mais seca do movimento. De um ponto de vista tanto histórico quanto prático, o Taiji quan participa da tradição chinesa da estratégia e da arte do combate [1]. Cumpre, aliás, precisar que a noção de combate na China não se reduz à idéia de luta contra um adversário real, mas engloba igualmente os combates contra os demônios (tais como os que participam de rituais e exorcismos), contra as tendências profundas, contra todo obstáculo encontrado na existência.

Se é portanto verdade que a execução de movimentos de extrema lentidão, sem emprego da força, parece constituir estranha preparação para o combate, cumpre não esquecer que esse encadeamento é apenas a primeira etapa, o trabalho preliminar. A preparação para o combate faz-se mais particularmente a partir de exercícios de dois praticantes chamados "empurrar das mãos" *(tui shou)*, "grande deslocamento" *(da lü)*, "dispersão das mãos" *(san shou)*, e a partir de exercícios livres.

---

[1] *Várias passagens do* Daode jing *tratam de estratégia, e podemos perguntar-nos se não foi esse, a princípio, um dos aspectos principais da obra. Escreveu-se um comentário nesse sentido, o "Relatório dos princípios estratégicos do livro do Caminho e da virtude"* (Daode jing bingyao yishu) *em 4 juan. Esse texto encontra-se inserto no* Cânon taoísta *(TT 417, n.º 713).*

A distensão e o trabalho do sopro efetuados por ocasião do encadeamento permitirão que se desenvolva uma força interior e ilimitada chamada *jing*, que os mestres do Taiji quan opõem à força muscular, considerada bem inferior e limitada. O *jing* será apurado, durante os exercícios a dois, por um trabalho de sopro, um desenvolvimento das sensações e percepções, um estudo psicológico de si mesmo, da estratégia e da concentração do espírito.

1. A FORÇA INTERIOR

O termo *"jing"* era empregado nos textos antigos, embora raramente, com o sentido de força. Hoje em dia, na linguagem corrente, designa a mola do indivíduo, sua vitalidade, seu dinamismo, dando destaque à interioridade dessa força, que precede a forma muscular, preside a ela e está ligada à atitude psicológica da pessoa. É empregado nesse sentido também no Taiji quan.

Os mestres definem o *jing* como manifestação do "sopro verdadeiro" em sua forma dinâmica. Estabelecem, portanto, distinção entre o sopro, elemento que circula no corpo, e a força nascida dele. Mas a distinção parece bem superficial, pois os textos empregam a palavra "sopro" onde se esperaria que utilizassem "força interior", e vice-versa. Foi, provavelmente, para distinguir-se da escola exotérica que os mestres da escola esotérica se serviram da palavra *"jing"*, erigindo-a num conceito novo.

Também se define o *jing* como o "sopro central que parte do coração"[1]. Chen Fake definiu a força interior do sincipúcio como "o sopro central do coração no ponto Baihui (sincipúcio)". O sopro central parte do coração, passa pelas vértebras cervicais e chega ao ponto Baihui; desbloqueiam-se as artérias de sopro, e a força interior se distribui pelos quatro membros. O *jing*, com efeito, só pode aparecer se o sopro circular sem nenhuma dificuldade por todas as partes do corpo, donde a necessidade de um treinamento intensivo de encadeamento individual, com lentidão e flexibilidade, acompanhado de todos os exercícios de respiração e outros, que facultem o desbloqueio do sopro no corpo.

O *jing* é concebido no Taiji quan como força enrolada, força de contração ou desdobramento, fina e ininterrupta. Os mestres da es-

---

[1] Chengia Taiji quan, *pág. 285.*

cola Chen forjaram a expressão "força enrolada como fio de seda" *(chansi jing)*. Esse enrolamento não caracteriza a força propriamente dita, senão o modo com que devemos utilizá-la. E Chen Fake, mestre contemporâneo da escola Chen, afirma que "a força interior do Taiji não é um círculo horizontal, mas uma espiral que se eleva no espaço"[1].

No *Taiji quan tushuo*, de Chen Pinsan, encontramos duas ilustrações da força enrolada como fio de seda. Ocorre notar que Chen Pinsan emprega, às vezes, em lugar do *"jing"*, que designa a força interior, o caráter homófono *"jing"*, que designa a "essência seminal", ou a quintessência de uma coisa.

O primeiro esquema representa a força enrolada que deve ser utilizada nos membros (figura 16, pág. 80).

O segundo esquema (figura 17, pág. 80) tem por título: "Desenho da essência (força) enrolada como fio de seda no Taiji quan" e vem acompanhada do seguinte comentário: "Estudei a representação circular do Taiji segundo os diferentes filósofos, e dei tento de que, para executar (corretamente) o Taiji quan, é preciso compreender o que é a essência enrolada como fio de seda. O enrolamento como fio de seda é o método para movimentar o sopro central. Quem não o compreender não compreenderá a arte marcial. As primeiras espirais branca e negra representam o Yin e o Yang do Taiji que existe naturalmente no seio do Wuji[2]. As segundas espirais branca e negra representam o Taiji engendrando os dois princípios primários (o Yin e o Yang); os dois princípios primários são o Yin e o Yang, ou o céu e a terra.

As terceiras espirais branca e negra representam o homem. É pelos sopros do Yin e do Yang e dos cinco elementos que o homem existe. A quarta espiral negra representa o que Mêncio denomina "o sopro cósmico". A quarta espiral negra representa o sopro e o sangue do corpo humano; unidos ao sentido justo do Tao, são o sopro correto, isto é, o sopro cósmico. A quinta espiral branca representa aquilo pelo qual o espírito Tao dirige o sopro. O sopro sem o Princípio[3] não pode manifestar-se, é um princípio inerente a todas as

---

[1] Ibid., pág. 20.
[2] O termo "Wuji" já se encontra no Daode jing, capítulo 28. Mas a noção de "sem cumeeira", vacuidade além da cumeeira suprema (Taiji), foi desenvolvida pelos neoconfucionistas Song, sob a influência, ao que tudo indica, do budismo.
[3] Encontramos aqui a distinção entre "sopro" (qi) e "princípio" (li), estabelecidas pelos neoconfucionistas e notadamente por Zhu Xi, que faz longa exposição das duas noções no "Tratado do universo" (yuzhou lun). Chen Pinsan mostra, em diversas oportunidades, o quanto seu pensamento foi influenciado pelo dos neoconfucionistas.

Figura 16. Força enrolada utilizada nos membros.

Figura 17. Desenho da essência enrolada como um fio de seda no Taiji quan.

coisas. A quinta espiral negra representa o espírito do homem ou o que os sábios denominaram recentemente o "ego"[1]. O ponto branco no seio do negro representa os pensamentos dominados; o ponto negro no seio do branco, os pensamentos desgarrados[2]. O sábio guarda os pensamentos controlados e rechaça os pensamentos desgarrados, que foram chamados por Gaozi a natureza dos desejos e apetites[3]. Todos a possuem, mas quem puder expulsar essa idéia única do eu e fazer de modo que ela nunca mais renasça torna-se puro como o céu e executa os movimentos do Taiji quan de acordo com o movimento do mecanismo celeste. Não há nada que não seja espontaneidade e vivacidade à semelhança do Taiji, que não dimane do nosso corpo. As três grandes espirais internas indicam que o Yin e o Yang têm um governador. (A idéia dos três círculos internos está, inteira, no terceiro círculo interno, que é o fundamento dado ao homem. Não vale a pena fazer disso outro esquema[4].)

O comentário, impregnado de filosofia neoconfuciana, nomeadamente da distinção entre o sopro e o princípio, põe em relevo também a necessária conformidade dos atos do homem com o ritmo da natureza e do mecanismo celeste. Essa noção de forças cíclicas encontra-se desde o início nos escritos chineses relativos às artes da guerra. Assim, no *Sunzi bingfa*, Sunzi escreve: "As forças extraordinárias se extinguem e logo se reformam, cíclicas como os movimentos do céu e da lua. Expiram e depois renascem para a vida, repetindo-se como as estações que passam"[5].

a) As modalidades da força interior da escola Chen

Os critérios que presidiram à classificação das diferentes formas de força interior são múltiplos: pode ser que predomine a orientação da utilização da força, ou sua aplicação a um período dado no desenrolar do embate, ou ainda a função que ela deve ter.

---

[1] *Expressão empregada sobretudo nos textos budistas.*
[2] *No Shujing (l. 18, cap. Duofang), o pensamento dominado e os pensamentos desgarrados são postos em paralelo da seguinte maneira: "O sábio que deixa desgarrarem-se seus pensamentos enlouquece, e o louco que domina seus pensamentos torna-se sábio".*
[3] *Trata-se de uma citação do Mengzi, um dos quatro livros confucianos. Está escrito no capítulo Gaozi (parte 1, cap. 4): "Desfrutar do alimento e dos desejos, tal é a natureza do homem. Mas a virtude da humanidade é interior e não exterior".*
[4] *Extraído do* Taiji quan tushuo, *pág. 91.*
[5] Sunzi bingfa, *j. 5.*

A escola Chen distingue, em primeiro lugar, duas formas de força interior:

1) A força interior enrolada em sentido normal *(shun chansi jing)*, manifestada quando se viram as palmas das mãos de dentro para fora; nesse caso, ela parte do coração, circula nos ombros e chega aos dedos. A mesma força é também cognominada "a força que apara" *(peng jing)*.

2) A força interior enrolada em sentido inverso *(ni chansi jing)*, que se manifesta quando as palmas das mãos estão viradas de fora para dentro. A força parte dos dedos, circula pelos ombros e chega ao coração. É também denominada "a força que puxa para trás" *(lü jing)*.

Em sua obra, Chen Pinsan propõe dois esquemas que representam as duas forças enroladas em torno do corpo (figura 18, à pág. 83). Acompanha-os o seguinte comentário: "Todo o corpo é uma força espiralada. Distinguem-se globalmente uma força enrolada para o interior e uma força enrolada para o exterior; emite-se uma ou outra, de acordo com o movimento executado... Há uma única força e não várias: é o sopro emitido do coração. Se a pessoa estiver bem concentrada, é o sopro central que, sustentado, se transforma no sopro cósmico"[1].

Nos exercícios a dois, a escola Chen distinguiu treze formas principais da força interior, que correspondem aos cinco elementos e aos oito trigramas.

Os cinco elementos correspondem aos deslocamentos do corpo de acordo com as cinco direções (os quatro pontos cardeais aos quais se acrescenta o centro), isto é, a orientação espacial dos cinco elementos. O vocabulário da prática do encadeamento compreende, portanto, os cinco deslocamentos seguintes: avançar, recuar, ir para a direita, ir para a esquerda, ficar no meio. Quando se descreve a utilização do Taiji quan em combate, fala-se em cinco espécies de força, pelas quais estabelecemos contato *(tie)*, ligamos *(lian)*, colamos *(tie)*, seguimos *(sui)* e mantemos contato *(bu diu ding)*. Vemos que aqui já não se trata de movimento físico e externo, mas sobretudo da intenção, do pensamento criador que a ele preside. Num plano prático, os cinco tipos de força interior correspondem às fases seguintes:

1) Estabelecer contato *(tie)*: esta fase intervém no início do combate, quando dois elementos começam a entrar em contato, de modo

---

[1] Taiji quan tushuo, *pág. 95*.

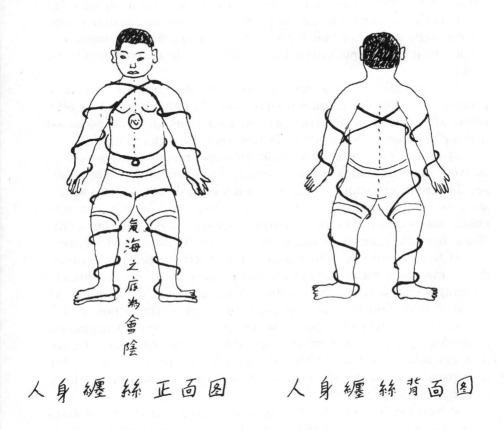

Figura 18. Forças enroladas ao redor do corpo.

que um possa levantar o outro. Assim, com a pressão das mãos, quando enfrentamos um parceiro poderoso e fortemente constituído, dotado de grande estabilidade, é difícil desalojá-lo de seu centro de gravidade. É o momento de empregarmos essa força. Por intermédio do pensamento criador, fazemos elevar-se o sopro do adversário, de sorte que sua energia espiritual, concentrada no alto, faz que a parte superior de seu corpo fique pesada ao mesmo tempo em que seus pés se tornam ligeiros. Basta-nos então não abandonar o contato a fim de podermos facilmente atraí-lo e arremessá-lo no vazio.

2) Ligar *(lian):* para sermos senhores do combate, ser-nos-á preciso evitar toda ruptura e interrupção. Os movimentos e as diferentes situações deverão estar ligados; aqui, mais uma vez, podemos utilizar a imagem do fio de seda fino mas não-interrompido.

3) Colar *(tie):* se o adversário avançar, recuaremos, se ele se detiver, deter-nos-emos, se ele recuar, avançaremos, se ele subir, segui-lo-emos; em suma, somos qual uma cola, de sorte que o adversário se sentirá enviscado e terá a impressão de que não somente nossas mãos mas todo o nosso corpo o seguram e ele não tem saída. Nesse instante preciso de desorientação, o adversário é vulnerável.

4) Seguir *(sui):* essa forma de força interior decorre da precedente, mas está mais relacionada com o desenrolar do movimento no tempo, com o ritmo do movimento. Cumpre-nos, de fato, não só seguir o deslocamento do adversário no espaço (colar-nos a ele), mas também segui-lo no tempo, isto é, conformar-nos à lentidão ou à rapidez de seus movimentos, sem ultrapassá-lo, nem nos atrasarmos em relação a ele. Abrimos mão, assim, da nossa própria vontade para seguir a do adversário; convém, por conseguinte, atingir uma coincidência perfeita.

5) Não perder contato *(bu diu ding),* força que contém e resume as outras quatro: não deixarmos nem encontrarmos o adversário, sermos sempre senhores da situação, na agilidade e na ligeireza. Essa força corresponde ao meio e, portanto, ao elemento "terra", que contém os demais elementos.

As oito forças correspondentes aos oito trigramas exprimem-se através de oito formas de movimento dos membros superiores executadas nos quatro pontos cardeais e nos quatro pontos colaterais. Essas oito forças são comuns à escola Chen e à escola Yang.

1) Em todo movimento, quando a palma da mão se volta de dentro para fora, utiliza-se a "força que apara" *(peng jing),* que corresponde ao trigrama Qian e é, em geral, utilizada para a frente, ou seja, na direção do norte fictício. Segundo Chen Pinsan, essa força

é como a água que leva a embarcação, expressão que lhe traduz, a um tempo, a elasticidade e o poder de neutralização da força do adversário. Para obtê-la, convém encher de sopro o campo de cinábrio e suspender a cabeça pelo cocuruto. Podemos chegar, então, a pesar quinhentos quilos ou, pelo contrário, a ter a leveza de uma pluma.

2) Quando, em todo movimento, a palma da mão se volta de fora para dentro, utiliza-se a "força que puxa para trás" *(lü jing)*, que corresponde ao trigrama Kun e é utilizada, em geral, na direção do sul fictício.

3) Quando as duas mãos se cruzam simultaneamente e voltam-se para fora, utiliza-se a "força que empurra para a frente" *(ji jing)*. Ela corresponde ao trigrama Kan.

4) Quando as palmas das mãos descrevem um círculo na direção de si mesmas, a fim de serem repelidas para a frente, utiliza-se a "força que repele" *(an jing)*.

As outras quatro forças utilizadas nas direções colaterais correspondem aos quatro movimentos: torcer, torcer para baixo, cotovelada, golpe de ombro.

b) As modalidades da força interior segundo a escola Yang

Tornamos a encontrar aqui, como na escola Chen, as oito forças interiores em correspondência com os oito movimentos de base do Taiji quan, mas a classificação da escola Yang é mais minuciosa. Chen Yanlin, um dos raros autores de obras dessa escola [1], distingue vinte e cinco formas de força interior: a força que adere *(chan tie jing)*, a força que escuta *(ting jing)*, a força que compreende *(dong jing)*, a força que evita *(zou jing)*, a força que transforma *(hua jing)*, a força que atrai *(yin jing)*, a força que toma *(na jing)*, a força que jorra *(fa jing)*, a força que tira *(jie jing)*, a força que abre *(kai jing)*, a força que fecha *(he jing)*, a força que eleva *(ti jing)*, a força que afunda *(chen jing)*, a força que apara *(peng jing)*, a força que puxa para trás *(lü jing)*, a força que empurra para a frente *(ji jing)*, a força que repele *(an jing)*, a força que torce *(cai jing)*, a força que torce para baixo *(lie jing)*, a força do cotovelo *(zhou jing)*, a força do ombro *(kao jing)*, a força longa *(chang jing)*, a força cortante *(cai jing)*, a força de verruma *(zuan jing)* e a força que traspassa o vazio *(ling kong jing)*.

---

[1] Taiji quan dao jian gun san shou da quan, *de Chen Yanlin*, juan 2, *pág. 1 b.*

As três primeiras forças enumeradas constituem a primeira abertura, chave do conhecimento da outra, que permite desenvolver em seguida certas qualidades específicas da força interior. Para conhecer a outra, faz-se mister seguir e desenvolver o órgão da sensação: convém adquirir uma sensibilidade fora do comum. Com efeito, os aprendizes têm mãos "parecidas com pedaços de madeira", dizem os mestres. Cumpre, portanto, desenvolver primeiro a sensibilidade das mãos, dos braços, depois de todo o corpo e de toda a pele. O calor que aparece por ocasião dessa tomada de consciência aguda das mãos e do corpo significa que os trajetos do sopro estão se desbloqueando no interior do corpo. Os mestres consideram o fenômeno a manifestação tangível da força interior denominada "força que adere" *(chan tie jing)*. Desenvolvida e apurada por ocasião dos exercícios a dois, essa força apresenta analogias com o que chamamos no Ocidente o "magnetismo" do indivíduo. Efetivamente, ela não designa, nos exercícios a dois, tão-só o fato de aderir ao adversário, mas também a capacidade de atraí-lo e fazê-lo sair de seu centro de gravidade. Nesse caso, o elo entre os dois beneficia o que adere.

A força que escuta *(ting jing)*. No desenvolvimento dessa força, a percepção não só do nosso corpo, mas também do adversário e do espaço em que nos movemos, se apura cada vez mais, até sentirmos o ar como se fosse água: o menor deslocamento de ar torna-se perceptível. No *tuishou*, "pressão das mãos", por exemplo, quando os adversários estão em contato através das mãos ou dos antebraços, esse único ponto de contato deve bastar-nos para percebermos os movimentos do corpo inteiro do outro, pois o menor movimento de um músculo revela o movimento geral do corpo inteiro e sua direção, já que o menor deslocamento de uma parte do corpo implica o corpo inteiro. Assim, um praticante bem exercitado torna-se capaz de adivinhar, a partir desse único ponto de contato, a intenção do adversário antes que ele se concretize num movimento, podendo assim antecipar-lhe o ataque por uma fração de segundo. O treinamento efetua-se, aliás, às vezes, com os olhos fechados, a fim de não sermos perturbados pelo mundo exterior e suas imagens, e de estarmos bem concentrados na sensação. Em nossas civilizações, o homem desenvolveu as faculdades visuais em detrimento da sensação: são essas faculdades sensitivas latentes que os mestres do Taiji quan buscam desenvolver ou, mais exatamente, reativar.

A força que compreende *(dong jing)*. Quando tem conhecimento suficiente da energia do adversário para saber em que direção e com que intensidade essa força será emitida, o praticante adquire a força que compreende. Chen Yanlin afirma que essa força que lhe incumbe desenvolver é invisível e, portanto, denominada em geral "força interior" *(nei jing)*. Escreve ele [1]: "Essa força não pode ser vista por si mesma, só podemos senti-la em nós ou fazer que duas pessoas do mesmo nível a sintam reciprocamente. Eis aí por que, no exercício de pressão das mãos, a primeira tomada de contato indica imediatamente, aos mestres que possuem uma arte apurada, o nível do adversário".

A força que evita *(zou jing)*. Graças a um bom conhecimento de si e do outro, o combatente pode evitar o ataque com a rapidez de um reflexo. O corpo inteiro, sensibilizado para a ação, adquire automaticamente os reflexos que lhe permitem pressentir e evitar o perigo.

A força que transforma *(hua jing)*. Nessa etapa, o papel do adepto torna-se mais ativo. Não nos contentamos com evitar, mas nos esforçamos por transformar o desenrolar dos acontecimentos, ou melhor, por utilizar o ataque do adversário voltando-o contra ele, ou então por deixar-lhe a força cair no vazio e anular-lhe assim o efeito, ou ainda por mudar a direção dessa força e utilizá-la em nosso proveito. Isso só será possível se o adversário ignorar nossas intenções. Importa, pois, agir com astúcia, dissimulando o ponto de partida e a direção da nossa própria força e, com esse intuito, imprimir-lhe uma trajetória curva. Essa tática já era preconizada no clássico de estratégia militar do século IV a.C., o *Sunzi bingfa:* "Nada é mais difícil do que a arte da manobra. A dificuldade dessa matéria consiste em fazer de um caminho tortuoso a estrada mais direta e de uma situação desfavorável, uma situação propícia. Assim, procedamos por vias indiretas e distraiamos o inimigo, seduzindo-o. Mercê desse processo, pode ser que, saindo depois, cheguemos antes dele. Quem é capaz de agir assim compreende a estratégia do direto e do indireto" [2].

A transformação implica uma ruptura da força do adversário. Enquanto este último emite uma força, o adepto da arte marcial só pode colocar-se como complemento dessa força para formar uma unidade, um Taiji. É unicamente na passagem de um tipo de força para outro que podemos operar a transformação. Para isso é necessário que nos conformemos com o ritmo do adversário e espreite-

---

[1] Op. cit., *j.* 2, *pág.* 2 *a.*
[2] Sunzi bingfa, *j.* 7.

mos o instante em que sua antiga energia chegue ao esgotamento ou aquele em que a nova ainda não tenha nascido. É nesse momento que devemos agir para vencê-lo. E a fim de não sermos apanhados desprevenidos, insiste-se, no treinamento, na necessidade de executarmos movimentos ligados e ininterruptos.

A força que atrai *(yin jing)*. Se a arte do combate consiste essencialmente em nos defendermos em lugar de atacarmos, não é menos possível orientar em nosso favor o ataque do adversário, e até de provocá-lo: seremos então senhores do combate e do seu resultado. Para fazê-lo, devemos desenvolver a força que atrai. Assim, para golpear o adversário embaixo, devemos primeiro atraí-lo para cima. O adversário terá, então, uma reação para baixo, e nos será possível desfechar um ataque no sentido de reação para baixo. Outro processo empregado consiste em comover o adversário pelo simulacro, por exemplo, de um soco. Sob o efeito da surpresa, este último perde o centro de gravidade, pois o sopro lhe sai do campo de cinábrio inferior (baixo-ventre) e torna a subir.

Para atrair, usamos todo o corpo e não apenas as mãos. Dever-se-ia até dizer que o pensamento *(yi)* é quem atrai. O movimento que atrai pode ser imperceptível à vista descansada, é antes de tudo um movimento interior, uma atitude psicológica. Depreende-se dos diferentes textos sobre Taiji quan que se considera "exterior" o movimento do corpo e "interior" o movimento da força e do sopro. No treinamento, o interior precederá e guiará o exterior, até que haja "coincidência entre o interior e o exterior"; energia e movimento coincidem, e já não se faz preciso dirigir voluntariamente esses movimentos, que se tornam espontâneos.

A força que toma *(na jing)*. Chen Yanlin divide-a em duas categorias: a tomada visível e a tomada invisível. Nesta última forma de tomada, as peles dos dois adversários estão como coladas uma na outra. A tomada efetua-se nas articulações, principalmente nos cotovelos, punhos e ombros.

A força que jorra *(fa jing)*. As formas de força descritas até aqui permitem a defesa, não o ataque. Ora, enquanto não atingir o domínio perfeito do Taiji quan, o adepto poderá ver-se numa situação em que lhe será necessário atacar. Cabe-lhe, portanto, desenvolver a "força que jorra", emitida durante a expiração e bastante possante para arrancar o adversário do solo. Ao que parece, Yang Luchan, o grande mestre da escola Yang, era capaz de fazê-lo. A emissão dessa força, rápida como o relâmpago, é idêntica a um reflexo, ela ocorre inconscientemente. Escreve Chen Yanlin: "A emissão da força faz-se sem que dela tenhamos consciência. Por ocasião da emissão, quanto menos tivermos a impressão de que há energia, tanto mais forte a receberá o adversário. Inversamente, se a força parecer sair com violência, a vítima não a receberá com a intensidade desejada. A razão é porque, se o emissor tem a impressão de possuir força, essa força não terá saído completamente [1].

Outra característica da "força que jorra" consiste na rapidez com que é emitida. Desde a Antiguidade, os chineses têm considerado a rapidez do ataque como fator mais importante que a sua intensidade. Assim, pode-se ler no *Sunzi bingfa* [2]: "Tão insondável quanto as nuvens, desloca-te com a rapidez do relâmpago". Essa rapidez só se pode adquirir com extrema lentidão, visto que, conforme o princípio da geração mútua do Yin e do Yang, só a lentidão extrema gera a extrema rapidez. Emite-se a força como mola que se distende. Compara-se, às vezes, o corpo a um arco e a força, a uma flecha.

A força de verruma *(zuan jing)*. Emitida pelos dedos ou pela palma da mão. Ao tocar a pele do adversário, age como verruma que penetra a madeira; em outras palavras, sua força penetra girando. Acredita-se que esse método fira os órgãos internos do adversário e lhe altere ou perturbe a energia interior. Essa força é sobretudo emitida em certos pontos vulneráveis do corpo.

A força que traspassa o vazio *(ling kong jing)*. Representa o mais alto ideal a que o homem pode aspirar no combate. Um dos combatentes toma a energia do adversário, absorve-a e transforma-a. Ela vem assim enriquecer-lhe a própria força sem prejudicá-la, e sua finalidade nefasta é neutralizada. Por ocasião do emprego dessa força, o indivíduo tem na boca o sopro He [3], que é o sopro do coração.

Dessas diferentes formas de força interior, não está excluída a idéia de força muscular. Chen Yanlin faz entre esta última e a força interior a seguinte distinção [4]: "A força muscular sai dos ossos, entranha-se nas costas e não pode ser emitida. A força interior, que parte dos tendões, pode ser emitida e chegar aos quatro membros".

Quanto a Li Yixu, este distingue quatro tipos de força interior:

"1) Distribuir: distribuir significa fazer circular o sopro em seu próprio corpo e distribuí-lo sobre a energia do adversário, de sorte que este não possa mexer-se.

2) Cobrir: cobrir com o próprio sopro o lugar visado pelo adversário.

---

[1] Op. cit., de Chen Yanlin, j. 2, pág. 6 a (59).
[2] Sunzi bingfa, j. 7.
[3] Veja a nota 2, à pág. 53.
[4] Op. cit., j. 2, pág. 1 a (49).

3) Opor-se: opomos o sopro ao ponto de ataque do adversário quando podemos determinar o ponto preciso de emissão do sopro.

4) Engolir: trata-se de engolir completamente, com a ajuda do sopro, a energia do adversário, fazê-la penetrar em nós e transformá-la."

No primeiro ponto desse texto, convém formar ao redor do corpo, com o sopro, uma zona de proteção que o adversário não pode penetrar, porque está como paralisado. No segundo, essa zona de proteção tem efeito ativo: o sopro não só impede a penetração do adversário, mas também o repele. No terceiro, o sopro é emitido numa direção precisa e num ponto preciso do corpo do adversário: é a técnica dos pontos vulneráveis, sobre a qual falaremos mais adiante. Finalmente, o quarto ponto corresponde à "força que traspassa o vazio" da classificação de Chen Yanlin. É a forma suprema de combate, em que já não há combate, pois por sua atitude interior o combatente já não dá ensejo ao ataque. Isso porque ele afastou de si todo princípio de morte e tornou-se vida pura. Essa concepção, comum a todo o taoísmo, é também enunciada no *Livro do Caminho e da virtude (Daode jing)* [1]: "Aquele que é hábil em cuidar da própria vida não encontra em suas viagens rinoceronte nem tigre. No combate, não usa couraça e não precisa desviar as armas de si, pois o rinoceronte não tem com que enfiar o seu chifre, o tigre, suas garras, o combatente, suas armas. Por quê? Porque ele não dá ensejo à morte".

Assim sendo, essa arte marcial está ligada às técnicas da longa vida, com as quais tem em comum, sobretudo, a busca da invulnerabilidade e a eliminação do princípio da morte. O sábio é invulnerável porque conquistou o princípio das transformações e caminha na água e no fogo sem sofrer danos. O combatente é invulnerável, pois também ascendeu ao domínio das transformações e eliminou de si todo princípio de morte.

2. PRINCÍPIOS ESTRATÉGICOS

O princípio básico é a formação de um Taiji pelos dois adversários. Não se considera o combate, portanto, uma sucessão de situações antagônicas, a não ser a manutenção de uma complementa-

---

[1] Daode jing, *cap. 50.*

ridade em todas as circunstâncias. Colocados frente a frente, os dois combatentes não enfrentam suas forças respectivas, mas se consideram (no exercício da pressão das mãos, por exemplo) uma unidade, um Taiji, formado de dois elementos complementares, cada um dos quais forceja por harmonizar-se com o outro. Se um dos adversários esboçar um movimento para a frente, o outro efetuará um movimento para trás, que deverá ser exatamente o inverso e o complemento do movimento efetuado pelo primeiro. Isso implica um domínio tão grande do corpo, que este responde perfeitamente às solicitações do espírito, uma flexibilidade do corpo e do espírito, que nos permite adaptarmo-nos a toda e qualquer circunstância, e faculdades de percepção tão aguçadas, que nos facultam a apreciação instantânea de uma situação e do sentido de sua evolução.

A invencibilidade, por conseguinte, tem por condição a busca da harmonia com o adversário; essa harmonia é atingida quando o seguimos em seus mínimos movimentos e nos adaptamos a eles. Inversamente, apenas a ruptura da complementaridade permite a um suplantar o outro e ao combate, existir verdadeiramente: um dos pontos de ruptura é a passagem de um movimento para o outro. Eis por que, no encadeamento, dá-se destaque à execução de movimentos circulares, dos quais participa todo o corpo, e não apenas os pés e as mãos.

Um princípio conseqüente da formação do Taiji é a noção do desenrolar cíclico do combate. A estratégia do Taiji quan não emprega os termos "Yin" e "Yang", mas antes "vazio" e "plenitude", que se nos deparam constantemente nos tratados chineses de estratégia militar.

Saber distinguir o vazio da plenitude é ser exímio na utilização delas; pela plenitude atacamos o vazio, e vice-versa. Todo acontecimento conhece um desenrolar cíclico, como a revolução dos planetas que engendra a evolução do dia e da noite. O mesmo se verifica no combate: sua divisão em duas fases faz surgir uma evolução cíclica do vazio à plenitude. Mas Chen Pinsan divide igualmente essa evolução em quatro e até em oito fases: reencontramos a evolução do Taiji no Yin-Yang, nas quatro imagens secundárias e nos oito trigramas.

As quatro fases, ou quatro virtudes essenciais para desenvolver no combate, são: atrair o adversário, transformar-lhe a força e atacar, recolher a própria força, deter-se *(yin, jin, luo, kong)*; essas quatro virtudes correspondem às quatro fases do dia, formadas cada qual por três períodos de duas horas, visto que os chineses dividiram o dia em doze períodos de duas horas cada um. Os períodos *zi, chou* e *yin* (das 23:00 às 5:00 horas) correspondem, sim-

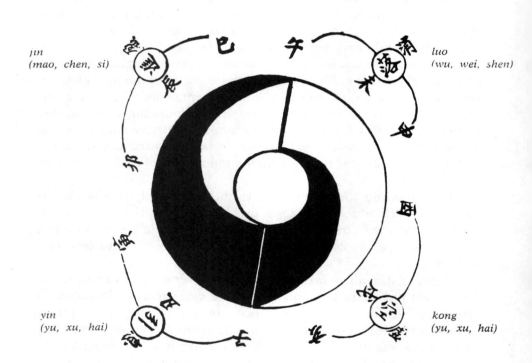

Figura 19. Aspecto do sopro (Yin e Yang) num dia, e as quatro fases do combate, yin, jin, luo, kong.

bolicamente, à acolhida do adversário e ao desenvolvimento da nossa força interior, que cresce como o clarão ainda invisível da aurora. Nos períodos *mao, chen, si* (das 5:00 às 11:00 horas), a força interior continua a crescer, de modo que, depois de havermos atraído o adversário, fazemo-lo avançar para podermos atacar. Nos períodos *wu, wei* e *shen* (das 11:00 às 17:00 horas), transformamos a força do adversário, que começa a declinar até desaparecer; ele se encontra, nesse momento, numa posição desfavorável e não sabe onde pousar os pés: é a queda *(luo)*. Nos períodos *yu, xu* e *hai* (das 17:00 às 23:00 horas), o inimigo, vazio de força, como poderia não ser vencido? Vemos, assim, o dia dar lugar à noite ou o movimento, ao repouso. O combatente recolheu sua força e imobilizou-se (figura 19).

As oito fases do combate não são mais que um desenvolvimento das quatro precedentes. São: acolher, atrair, avançar, transformar, combater, reunir, guardar e deter-se. Acolher, na realidade, é chegar às vias de fato. Atrair é ser transparente e atrair o adversário de modo que o faça avançar. O avanço marca uma vitória sobre o adversário, cuja energia, ao atingir o máximo, diminuirá até desaparecer, colocando-o numa posição desfavorável. Transformar consiste em transformar a situação em nosso proveito. Combater é atacar o adversário. Reunir é recolher e reunir a nossa energia. Guardar consiste em guardar reservas e não usar toda a nossa força. Deter-se é não prosseguir no combate.

Tal é o desenvolvimento cíclico do combate, que Chen Pinsan compara ao movimento cíclico de todo elemento do universo nestes termos [1]: "O universo é um movimento perpétuo. As estrelas, os planetas, o Sol e a Lua são as suas manifestações celestes; o trovão, a chuva, o vento e as nuvens distribuem a umidade sobre a terra; a primavera, o verão, o outono e o inverno formam uma evolução cíclica incessante. Da mesma forma, o dia e a noite se alternam sem interrupção. Tal é o movimento perpétuo do universo. O sábio também está em perpétuo movimento: separa e reparte os campos e os poços para alimentar o povo e dar-lhe prosperidade; constrói escolas a fim de rematar a natureza do povo; aplica leis para remediar as calamidades naturais, os crimes dos bandidos e dos ladrões; age do mesmo modo para acudir às viúvas e órfãos. Tal é o movimento perpétuo do sábio. Quanto ao corpo humano, por que seria ele o único a não ter movimento cíclico? Graças ao sopro do universo, as dez mil coisas são engendradas e se encontram por inteiro no ser humano. Através do ensinamento civilizador do sábio, cada

---

[1] Taiji quan tushuo, *pág. 149.*

qual pode conservar a natureza celeste que obteve com o Yin-Yang e os cinco elementos. Tal é o grande movimento do corpo. Assim, o homem aplica sua vontade exercitando seus ossos e tendões, de sorte que repouso e movimento se engendram mutuamente, a abertura e o fechamento se manifestam mutuamente, até podermos avançar, recuar, mostrar-nos ou apagar-nos à vontade, ou seja, conquistar todas as transformações. Tal é o movimento espontâneo do corpo. É preciso incentivar nossos compatriotas a nele se exercitarem com facilidade em todo o país e a se adestrarem na pressão das mãos sem preguiça... Podemos assim não só acalmar o espírito e o sopro, mas também, pela manutenção desses resultados, chegar a compreender inteiramente a essência do Taiji... Podemos fortalecer a saúde e, ao mesmo tempo, livrar o país dos bandidos e das perturbações..."

As relações entre os dois combatentes e as diferentes fases do combate foram igualmente expressas de acordo com as relações de domínio entre os cinco elementos: a madeira domina a terra; a terra, a água; a água, o fogo; o fogo, o metal, e o metal, a madeira. Escreve Chen Pinsan [1]: "Em todos os terrenos existem relações de engendração ou dominação entre os cinco elementos. Isso ocorre em quaisquer circunstâncias. Por conseguinte, num confronto entre duas pessoas, se a arma de um dos adversários é a flexibilidade, ele é Yin, e o Yin deve ser suplantado pelo Yang; ele pertence à água, que deve ser dominada pelo fogo; eis aí o princípio evidente e natural ao alcance de qualquer pessoa..."

Já dissemos que o homem é um microcosmo, que toma por modelo o mecanismo do universo. O combatente também se ajusta a essas regras; mas ele deve ir mais longe ainda: cumpre-lhe identificar-se com esse universo ilimitado e ultrapassar os limites de seu corpo. Chen Pinsan escreve [2]: "Aquele que deseja ser um cavaleiro deve considerar a duração da alta Antiguidade como um dia, ter o coração tão vasto quanto o oceano, ser tão elevado quanto o céu, e não ter outro propósito senão o de tornar-se um homem instruído, um sábio, retirando-se da sociedade e considerando o renome, o mérito, as honras e as riquezas poeira vulgar".

---

[1] Ibid., *pág. 167.*
[2] Ibid., *pág. 74.*

3. TÉCNICA DOS PONTOS VULNERÁVEIS

Essa técnica é um emprego particular da força interior. Os mestres reputam possível tocar o adversário à distância pela emissão da própria força interior (alguns dizem o sopro) e feri-lo mortalmente se essa força lhe atingir pontos vulneráveis do corpo. Entramos aqui em plena magia, e não podemos deixar de pensar nos romances de capa e espada chineses, que descrevem as proezas de cavaleiros que combatem com armas secretas, cada qual mais extraordinária do que a outra ou no livro *Viagem pelo Ocidente (Xi you ji)*, no qual o macaco Sun Wukong arrosta os demônios e combate-os com a emissão de sopros. Hoje há ainda quem afirme ter visto seu mestre combater assim à distância. Não saberíamos, *a priori*, negar essa possibilidade; pareceu-nos, todavia, que a técnica dos pontos vulneráveis era também utilizada nos golpes desferidos em certos pontos do corpo, escolhidos de acordo com as horas.

Segundo a tradição, a técnica remonta a Zhang Sanfeng e teria sido mantida em segredo, pelo temor de que viessem a abusar dela. Outras fontes associam-na à tradição das artes marciais do Templo Shaolin. Uma obra recém-publicada em Taiwan é atribuída, aliás, a um mestre *chan* (zen) [1]. Na verdade, parece que se desenvolveram várias técnicas nas diferentes escolas.

A técnica dos pontos vulneráveis *(dian xue)* consiste em perturbar, se não deter, a circulação do sangue ou do sopro do adversário pela emissão de sua própria energia. Essa emissão deve atingir os pontos vulneráveis do corpo, a maioria dos quais é empregada em acupuntura e repertoriada nos livros de medicina chinesa. Certos pontos, contudo, se bem tenham a mesma localização, recebem nomes diferentes nas artes marciais. Em geral, utilizam-se cento e oito pontos: setenta e dois que, se atingidos, acarretam distúrbios graves, e trinta e seis que, se golpeados, podem causar a morte. Esses pontos, distribuídos no corpo à maneira das estrelas no céu, relacionam-se com as cento e oito constelações da astronomia chinesa.

Técnica semelhante existe na Índia. Rosu realizou uma pesquisa de campo no seio da classe guerreira indiana dos *ksatria* e recolheu informações preciosas sobre essa técnica de ataque dos pontos vulneráveis, chamados *marman*, termo cuja existência Filliozat já notara nos textos antigos de medicina indiana [2]. Uma comparação minuciosa da localização dos pontos, de sua denominação e da

---
[1] Dianxue mijue, *de Lingkong Chanshi*.
[2] *Veja* Doctrine de la médécine indienne classique, *de J. Filliozat*.

técnica empregada nos dois países talvez permitisse determinar se houve alguma influência de um país sobre o outro.

O emprego dessa técnica requer profundo conhecimento de medicina chinesa. Com efeito, o ataque só pode ter êxito se a força interior for dirigida exatamente ao ponto e no momento em que o sopro atinge o máximo. Importa, pois, conhecer perfeitamente as horas de circulação do sopro e do sangue nas diferentes partes do corpo, assim como a localização dos pontos. Por outro lado, uma vez que se encontra exposto a tais ferimentos, todo praticante deve conhecer certo número de drogas capazes de curá-los. Essas drogas, em geral, são feitas de plantas medicinais, aplicadas em emplastro ou administradas por via oral. Isso explica por que a maioria das lojas dirigidas por mestres de milícias em Taiwan é especializada na redução de fraturas e na venda de poções milagrosas contra os ferimentos. Assim, um livro sobre a técnica dos pontos vulneráveis publicado em Taiwan [1] relaciona, na primeira parte, os pontos vulneráveis e, na segunda, uma série de receitas que devem ser utilizadas em caso de ferimento.

O sopro efetua no corpo humano uma revolução inteira ao longo dos doze períodos de duas horas que compreende o transcurso de um dia, percorrendo sucessivamente os doze meridianos. Das 23:00 à 1:00 hora, percorre o meridiano da vesícula biliar; da 1:00 às 3:00, o meridiano do fígado; das 3:00 às 5:00, o meridiano dos pulmões; das 5:00 às 7:00, o meridiano do intestino grosso; das 7:00 às 9:00, o meridiano do estômago; das 9:00 às 11:00, o meridiano do baço; das 11:00 às 13:00, o meridiano do coração; das 13:00 às 15:00, o meridiano do intestino delgado; das 15:00 às 17:00, o meridiano da bexiga; das 17:00 às 19:00, o meridiano dos rins; das 19:00 às 21:00, o meridiano do invólucro do coração; das 21:00 às 23:00, o meridiano do triplo aquecedor. Esse é o circuito descrito pelo mestre de Taiji quan, Song Zhijian, e pela maioria dos livros de medicina. Curiosamente, Chen Pinsan o considera como o circuito do *sangue*, e descreve um trajeto diferente [2] para o sopro: "O período das 23:00 à 1:00 hora corresponde aos rins; o das 11:00 às 13:00, ao coração: esses dois órgãos são os mestres do Shaoyin. O período da 1:00 às 3:00 horas corresponde ao baço; o das 13:00 às 15:00, aos pulmões: esses dois órgãos são as raízes do Taiyin. O período das 3:00 às 5:00 horas corresponde à vesícula biliar; o das 15:00 às 17:00, ao triplo aquecedor: são os pivôs do Shaoyang. O período das 5:00 às 7:00 horas corresponde ao intestino grosso;

---

[1] Xuedao liaofa, de *Tang Hao*.
[2] Taiji quan tushuo, *pág. 137*.

o das 17:00 às 19:00, ao estômago: diferencia-se o Yangming. O período das 7:00 às 9:00 horas corresponde ao intestino delgado; o das 19:00 às 21:00, à bexiga: são os fundamentos do Taiyang. O período das 9:00 às 11:00 horas corresponde ao invólucro do coração; o das 21:00 às 23:00, ao fígado: são o fim do Jueyin". Já não se trata aqui de meridianos, mas de órgãos vulneráveis em determinados períodos.

Chen Pinsan dá igualmente duas descrições diferentes da distribuição do sopro nas diversas partes do corpo, conforme os períodos horários. As duas descrições assumiram a forma de cantos, nos quais se reconhecem traços de um ensinamento oral e recitativo.

1) "Das 23:00 à 1:00 hora o sopro está nas nádegas; da 1:00 às 3:00 horas, na cintura; das 3:00 às 5:00 horas, nos olhos; das 5:00 às 7:00 horas, no rosto; das 7:00 às 9:00 horas, na nuca; das 9:00 às 11:00 horas, nas mãos; das 11:00 às 13:00 horas, no peito; das 13:00 às 15:00 horas, no ventre; das 15:00 às 17:00 horas, no coração; das 17:00 às 19:00 horas, nas costas; das 19:00 às 21:00 horas, na parte inferior das costas, e das 21:00 às 23:00 horas, nas coxas."

2) "Das 23:00 à 1:00 hora o sopro circula nas nádegas; da 1:00 às 3:00 horas, no cocuruto da cabeça; das 3:00 às 5:00 horas, atrás das orelhas; das 5:00 às 7:00 horas, no rosto; das 7:00 às 9:00 horas, na nuca; das 9:00 às 11:00 horas, entre os dois seios; das 11:00 às 13:00 horas, nas costelas; das 13:00 às 15:00 horas, no ventre; das 15:00 às 17:00 horas, no coração; das 17:00 às 19:00 horas, nos joelhos; das 19:00 às 21:00 horas, na cintura, e das 21:00 às 23:00 horas, nas coxas." [1]

Assinalemos, além disso, que, segundo Tang Hao [2], a força vital veiculada pelo sangue reside em diferentes partes do corpo de acordo com as estações: na primavera, encontra-se no flanco esquerdo; no verão, nos joelhos e nos pés; no outono, no flanco direito; no inverno, na cintura e nos rins.

A emissão da força interior faz-se, na maior parte das vezes, pelos dedos. Escreve Chen Pinsan: "O corpo é como um arco, a força interior é a sua corda, os pontos vulneráveis, o alvo e as mãos, a flecha" [3]. Ela pode verificar-se igualmente pelas articulações, pelo punho, pelo cotovelo, pelo joelho, ou ainda pela palma das mãos e pela planta dos pés. O ponto de emissão varia conforme o movimento utilizado. Assim, no movimento intitulado "chicote simples", a força interior é emitida pelos cinco dedos ao mesmo tempo ou

---

[1] Taiji quan tushuo, *pág. 134.*
[2] Xuedao liaofa, *pág. 29.*
[3] Taiji quan tushuo, *pág. 143.*

pelo pulso. No movimento "dar um golpe de calcanhar", faz-se a emissão pela planta dos pés.

Os praticantes desenvolvem a força dos dedos por meio de exercícios de concentração, esforçando-se por sentir uma dureza crescente na ponta de cada um, até que lhes pareçam de aço.

Distinguem-se diversas espécies de pontos vulneráveis. A "Biografia de Zhang Songxi" e o "Epitáfio de Wang Zhengnan" enumeram três categorias deles: os pontos que produzem o desmaio *(hun xue)*, os que provocam o mutismo *(ya xue)* e os mortais *(si xue)*. Documentos recentes acrescentaram à lista uma quarta categoria, a dos pontos que paralisam *(ma xue)*.

Existem várias listas de pontos vulneráveis. Damos aqui, a título de exemplo, alguns dos mais importantes classificados nas quatro categorias conforme o *Zhang Sanfeng he tade Taiji quan*, de Li Ying-ang (figura 20).

1) *Nove pontos mortais*

— "Potência celeste" *(tianling xue)*, também chamado as "cem reuniões" *(baihui xue)*: situado no local correspondente à moleira (ponto número 1).

— "Porta do sopro" *(qimen)*, também chamado "nó circular" *(huanjie)*, situado na garganta, onde se iniciam a faringe e o esôfago (número 5).

— "Porta diretora" *(dangmen)*, ou "ponto do sangue" *(xue xue)*, situado no meio do peito. Um ataque nesse local provoca palpitações e escarraduras de sangue. Chen Pinsan chama-lhe "mediastino" *(tanzhong)*, o mesmo nome do ponto de acupuntura situado nesse local, e afirma que um ataque que lhe seja desferido causa elevação do sopro do coração e coagulação do sangue. Conclusão: a morte pode sobrevir a qualquer momento.

— "Porta do umbigo" *(jimen)*: situado abaixo do umbigo (número 12).

— "Oceano do cérebro" *(naohai)*: situado na nuca (número 20).

— "Fronteira do céu" *(tianxi)*, ou ainda "raiz da orelha" *(ergen)*, situado exatamente na raiz da orelha. Age sobre o sistema nervoso e o cérebro (número 21).

— "Pivô dorsal" *(beiliang)*, ou "oceano dos pulmões" *(feihai)*, situado no nível da sétima vértebra dorsal (número 25).

— "Coração da espinha dorsal" *(jixin)*, ou "porta do destino" *(mingmen)*, situado ao nível da quinta vértebra lombar. É o ponto mais frágil da coluna vertebral (número 27).

2) *Nove pontos que causam desmaio*

— "O yang supremo" *(taiyang)*, situado na fonte (número 2).

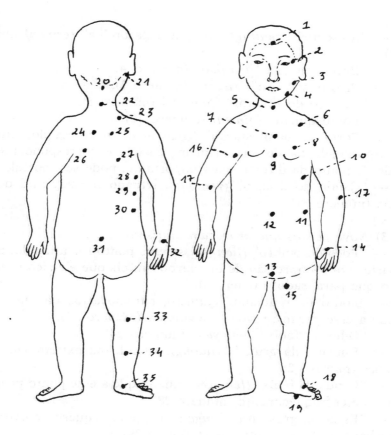

1 Tianling xue
2 Taiyang xue
3 Wenting xue
4 Saijiao xue
5 Qimen xue
6 Jianjin xue
7 Xuanji xue
8 Jiangtai xue
9 Dangmen xue
10 Qimen xue
11 Zhangmen xue
12 Jimen xue
13 Jugou xue
14 Hukou xue
15 Baihai xue
16 Binao xue
17 Quchi xue
18 Taichong xue
19 Yongquan xue
20 Naohai xue
21 Tianxi xue
22 Yamen xue
23 Tianzhu xue
24 Fengyan xue
25 Beiliang xue
26 Rudong xue
27 Jixin xue
28 Fengwei xue
29 Jingeu xue
30 Xiaoyao xue
31 Weilong xue
32 Wanmai xue
33 Weizhong xue
34 Zhubin xue
35 Gongsun xue

Figura 20. Os pontos vulneráveis, segundo o Zhang Sanfeng he tade Taiji quan.

— "A escuta" *(wenting)*, ou "porta da orelha" *(ermen)* (número 3).
— "Bordo da face" *(saijiao)* (número 4).
— "Pivô misterioso" *(xuanji)* (número 7).
— "Terraço do general" *(jiangtai)* (número 8).
— "Ponto qimen" *(qimen)* (número 10).
— "Porta da manifestação" *(zhangmen)*: ponto duplo, situado na extremidade da décima primeira costela e correspondente ao fígado. O ponto da direita, mais importante, pode ser mortal.
— "Cauda do dragão" *(weilong)*, situado na extremidade do cóccix (número 31).

3) *Nove pontos que provocam mutismo*
— "Poço do ombro" *(jianjin)*: se esse ponto for atingido, o adversário terá a impressão de que levou um choque elétrico e ficará como que paralisado (número 6).
— "Ponto do mutismo" *(yamen)*, situado atrás da nuca: um ataque a esse ponto provoca convulsões (número 22).
— "Olho da fênix" *(fengyan)* (número 24).
— "Entrada da gruta" *"rudong)*, situado na extremidade dos pulmões (número 26).
— "Cauda da fênix" *(fengwei)*: um ataque a esse ponto provoca vômitos e enfraquecimento (número 28).
— "Essência grosseira" *(jingcu)*: o ponto esquerdo corresponde ao baço; o direito, ao fígado (número 29).
— "Cintura risonha" *(xiaoyao)*: esse ponto corresponde aos rins (número 30).
— "Artéria do pulso" *(wanmai)* (número 32).
— "Grande irrupção" *(taichong)* (número 18).

4) *Nove pontos que causam paralisia*
— "O osso grande" *(jugou)* (número 13).
— "Pilar celeste" *(tianzhu)* (número 23).
— "Bíceps" *(binao)* (número 16).
— "Lagoa curva" *(quchi)* (número 17).
— "Boca do tigre" *(hukou)* (número 14).
— "Cem mares" *(baihai)* (número 15).
— "Weizhong" *(weizhong)* (número 33).
— "Ponto zhubin" *(zhubin)* (número 34).
— "Ponto gongsun *(gongsun)* (número 35).

No que concerne ao ataque aos pontos vulneráveis, Li Ying-ang define quatro técnicas principais:

Jie: bloqueio da circulação do sangue nas veias do adversário.
Na: a ação atinge os trajetos do sopro do adversário, causando-lhe paralisia temporária.
Zhuo: a ação atinge os músculos. Os membros perdem a força, e o adversário é paralisado.
Bi: bloqueio da circulação do sopro em certas regiões do corpo quando o sopro se encontra no máximo da sua intensidade.

O ataque aos pontos vulneráveis está ligado a movimentos determinados do Taiji quan. Com o movimento "repelir" *(an)*, atacamos o adversário no ponto Jiangtai. No movimento do "chicote simples" *(danbian)*, atacamos o ponto "poço do ombro" com a mão direita e o ponto "pivô misterioso" com a esquerda. No movimento "golpear o tigre à esquerda" *(zuo da hu)*, atacamos o adversário com a mão direita no ponto "lagoa curva" e, com a esquerda, no ponto "yang supremo", etc.

A emissão de energia pelos dedos ou pelas mãos não é privilégio dos praticantes do Taiji quan: os sacerdotes taoístas fazem o mesmo em seus rituais, e isso já há muito tempo. No *Yunji qiqian*, enciclopédia taoísta do século XI, o dedo é até qualificado de arma eficaz [1]: "A primeira articulação corresponde a *meng*, a segunda, a *zhong*, a terceira, a *ji* [2], e a unha dos dedos é a arma dos cinco elementos. A arma tem por função principal matar, utiliza-se para executar rebeldes e hereges; os cinco sopros devem estar ajustados às cinco categorias e dominar-se mutuamente; nessas circunstâncias não há nada que não seja fácil. O método de 'apertar com firmeza' *(wugu)* consiste em apoiar o polegar sobre a primeira articulação do anular; assim se obstrui o caminho dos demônios". Conforme a hora ou as estações, o sopro era emitido por esta ou aquela articulação dos dedos para dominar os demônios durante os rituais taoístas. Empregar o mesmo método para dominar os homens foi apenas um passo. Cabe observar que nos rituais esse método de expulsão dos sopros pelos dedos acompanhava um deslocamento ritual do oficiante, tal e qual o passo de Yu. A expressão "apertar com firmeza", à qual está ligada a emissão dos sopros pelos dedos, aparece pela primeira vez no *Daode jing* [3]: "Mantenham os ossos moles, os músculos flexíveis e apertem com firmeza". Os taoístas comparam essa atitude à do bebê que conserva amiúde as mãos fechadas, pois retém ainda toda a sua integridade e o seu sopro vital continua inteiro. Pela técnica de "apertar com firmeza", o adepto

---
[1] "Métodos do sopro das diversas escolas", TT 689, j. 61.
[2] Meng, zhong e ji *designam, respectivamente, o primeiro, o segundo e o terceiro mês da estação de acordo com o calendário lunar.*
[3] Daode jing, cap. 55.

estabelece no corpo um circuito fechado e evita o escoamento do sopro por qualquer orifício; ela também está ligada, portanto, às técnicas sexuais que visam a reter a emissão do sêmen, considerada um desperdício do sopro original.

Para estabelecer o circuito fechado é indispensável o desbloqueio dos canais de sopro do corpo, como o recordam os "Métodos do sopro", do *Yunji qiqian* [1]: "Enquanto os canais de sopro não forem desbloqueados, os que dele se alimentam não podem apertar com firmeza. Será preciso esperar de cem a cento e oitenta dias, até sentirmos o sopro penetrar em toda parte e o suor transudar da palma das mãos, antes de sermos capazes de apertar com firmeza". Outra passagem do mesmo texto esmiúça um pouco mais o "apertar com firmeza" [2]: "O sopro que vem do coração está em consonância com a mão e, graças a isso, podemos controlar as Três Potências [3], os cinco elementos e os dez mil seres. As fórmulas secretas relativas à palma das mãos fundam-se no método geral de 'apertar com firmeza', mercê do qual fazemos girar as quatro estrelas da Ursa Maior, fazemos o sacrifício *feng* dos cinco picos e das três luminárias, combatemos a bruxaria e detemos a nascente dos rios. Urge revigorar o sopro verdadeiro a fim de possuir e dominar as coisas visíveis e invisíveis. O sentido dessas atividades é que precisamos soltar e dispersar o sopro de acordo com as fórmulas de respiração. Para as fórmulas dos dedos, as mulheres empregam de preferência a direita, os homens, a esquerda, de conformidade com o princípio do Yin e do Yang. O polegar corresponde à terra; o indicador, ao fogo; o médio, à madeira; o anular, ao metal, e o dedo mínimo, à água".

O método de "apertar com firmeza" como foi descrito acima apresenta, por conseguinte, alguns pontos em comum com a técnica dos pontos vulneráveis. Permite ferir pela emissão do sopro, emissão ligada ao desenrolar do tempo e aos cinco elementos, e subentende um trabalho do sopro interior por parte do adepto: nele reencontramos a idéia de conservação da integridade da energia por um circuito fechado.

Podemos perguntar-nos se o termo "punho" *(quan)* não implica uma noção análoga à do "apertar com firmeza". Nos textos antigos, o termo *"quan"* designa, acima de tudo, a força, a bravura. É em primeiro lugar a mão, diz-nos o *Shuowen*, primeiro dicionário etimológico que remonta ao primeiro século. O ideograma *quan* ("punho") deve ser reaproximado do ideograma homófono *quan*, que

---

[1] *"Métodos do sopro..."*, TT 689, j. 60.
[2] TT 689, j. 61.
[3] As Três Potências são o céu, a terra e o homem.

significa "pesar", "avaliar", equivalente outrora de outro homófono *quan*, definido pelo *Shuowen* como "o poder, a posição do sopro", que dá idéia de um poder recolhido e contido. O termo "punho" é empregado nesse sentido numa lenda referida pela *História oficial da dinastia Han (Hanshu)*, a da "dama dos punhos". De acordo com a lenda, o imperador Wu, dessa dinastia, ao partir para caçar, ouviu de seu adivinho, observador dos sopros: "Deve haver ali uma rapariga pouco comum". O imperador mandou um emissário, e este encontrou uma mulher de mãos fechadas. À chegada do imperador, ela as abriu [1].

A palavra *"quan"* ("punho") supõe, portanto, a idéia de domínio e poder, mas também de medida, avaliação. Chen Pinsan dá a seguinte explicação [2]: "O termo '*quan*' ('punho') significa 'avaliar', pois é pelo punho que avaliamos a leveza ou o peso das coisas. Os princípios do Taiji quan têm, decerto, suas raízes no conceito do Taiji, mas sua utilização é inseparável dos dois punhos. Todo o corpo humano, de alto a baixo, é um Taiji, todo o corpo humano, de alto a baixo, é um *quan*. Urge, pois, não ver no termo '*quan*' unicamente o sentido de punho". Assim, é preciso ver nele também a idéia de concentração, de força enrolada: a força do universo contida na mão.

---

[1] Cap. *"Waiqi zhuan"*, *do* Hanshu.
[2] Taiji quan tushuo, *pág. 153*.

V. OS TRATADOS SOBRE O TAIJI QUAN

Os textos cuja tradução apresentamos aqui datam todos do início do século XX, pelo menos na forma escrita. Um chinês contemporâneo, Xu Zhedong, investigou-lhes a autenticidade, de acordo com os diversos manuscritos que logrou recolher [1]. E para levar a bom termo a investigação, foi pessoalmente a Chenjiagou, aldeia da família Chen.

Reproduzidos na maioria dos livros sobre o Taiji quan editados recentemente, esses textos apresentam, todavia, caracteres que variam de um livro para outro, e a maior parte dessas variantes versam sobre caracteres homófonos e mal alteram o sentido do texto. Assim, das duas redações do princípio que se enuncia *Xuling dingjing*, uma significa "ser vazio, ágil, e manter a força no sincipúcio", e a outra, "esvaziar a nuca e manter a força no sincipúcio". A variante incide sobre o caráter *ling*, que significa, num caso, "agilidade" e, no outro, "nuca". Como se vê, o sentido geral da expressão pouco se modificou. As diferenças dos caracteres nos fazem pensar que os textos circularam, a princípio, oralmente, antes de terem sido grafados. É provável que não sejam obra dos autores aos quais são atribuídos. Estes últimos devem ter-se contentado com anotar os princípios formulados pelos mestres de Taiji quan, enunciados em voz alta, durante a prática do encadeamento.

Por outro lado, alguns textos, muito curtos, ritmados, são intitulados "cantos" *(ge)*. Deviam ser, portanto, no princípio, se não cantados, ao menos escandidos, e ter função pedagógica: permitir aos praticantes, por esses cantos mnemotécnicos, assimilar os princípios básicos que devem ser observados na execução. Constatamos em Taiwan que um de nossos mestres, ainda que iletrado, sabia recitá-los.

Encontramos, igualmente, em outros domínios da cultura chinesa, notadamente na medicina tradicional, cantos semelhantes que

---

[1] *Veja* Taiji quan kaoxin lu *e* Taiji quan pu lidong bianwei hebian.

os alunos, muitas vezes também iletrados, decoravam, ainda que não lhes compreendessem o sentido, que só era explicado depois.

O aparecimento de textos mais longos corresponde ao período de difusão do Taiji quan, por volta de 1930. Quando Xu Zhedong se dirigiu a Chenjiagou e interrogou a respeito deles, um descendente da família Chen, Chen Ziming, lhe respondeu que, antigamente, eles não existiam em Chenjiagou.

A maioria desses escritos é atribuída principalmente a Wu Yuxiang, Li Yixu e Song Shuming. Foi o irmão de Wu Yuxiang, Wu Chengqing, quem descobriu, num depósito de sal do distrito de Wuyang (província de Henan), o *Tratado sobre o Taiji quan* creditado a Wang Zongyue. Após estudá-lo, Wu Yuxiang escreveu alguns textos acerca do Taiji quan e forneceu uma cópia a Yang Luchan, que os fez circular entre os discípulos. Foi a partir dessa época que apareceram os textos relativos ao Taiji quan.

Li Yixu (1833-1892), sobrinho de Wu Yuxiang, escreveu também alguns textos sobre Taiji quan. Em 1884, redigiu um "Prefácio ao Taiji quan", no qual diz que, se a sua origem é desconhecida, ao menos sabe-se que a teoria e os princípios foram desenvolvidos por Wang Zongyue.

Tratado sobre o Taiji quan
(atribuído a Zhang Sanfeng) [1]

"A partir do menor movimento, todo o corpo deve estar leve e ágil, com todas as partes ligadas [2]. Convém estimular o sopro [3], concentrar o poder espiritual, fazer de modo que os movimentos não apresentem nenhuma ruptura, que não tenham reentrância nem saliência e não apresentem descontinuidade. A energia enraíza-se nos pés, desenvolve-se nas pernas, é comandada pela cintura e mani-

---

[1] Texto extraído de Zhang Sanfeng he tade Taiji quan, de Li Ying-ang, pág. 129. Encontra-se reproduzido, com algumas variantes, em todos os livros sobre o Taiji quan. Extratos desse tratado, por outro lado, são citados em outros textos, introduzidos simplesmente pela frase "Está dito no tratado". Tão grande é sua fama, que ele foi atribuído a Zhang Sanfeng. Apenas o Yangshi Taiji quan indica outro autor: Wu Yuxiang. Para a compreensão de certas passagens obscuras do texto, nós nos apoiamos nas interpretações dadas oralmente pelos mestres e nos comentários que se encontram no Taiji quan fa jingyi.

[2] "Com todas as partes ligadas" (guanhuan). Essa expressão, que significa, literalmente, "ligar", "enfiar", não deixa de recordar a célebre passagem das Práticas de Confúcio (Lunyu) (livro 4, capítulo 15): "Minha doutrina é a de uma unidade que liga tudo".

[3] Os textos taoístas empregam freqüentemente a expressão "estimular o sopro" (guqi) ou ainda "bater no ventre como um tambor" (gufu).

festa-se nos dedos [1]. Dos pés às pernas e à cintura, é mister uma unidade perfeita [2]; assim seremos capazes, no avanço e no recuo, de captar o momento propício e obter uma posição vantajosa. Caso contrário, o corpo será deslocado, defeito proveniente das pernas e da cintura.

Aplica-se o princípio seja qual for a direção. Tudo isso é um caso de intenção e não uma coisa exterior. O alto não vai sem o baixo, nem a esquerda sem a direita, nem o dianteiro sem o traseiro; se a intenção é ir para cima, coloquemos o pensamento voltado para baixo, exatamente como quando queremos arrancar uma planta; se lhe acrescentarmos a idéia de torção, é certo que a própria raiz se romperá e será rapidamente destruída [3]. Convém distinguir claramente o 'vazio' do 'cheio'. Cada parte do corpo corresponde ao 'vazio' ou à 'plenitude'. O corpo deve estar ligado, articulação por articulação, sem nenhuma descontinuidade."

Texto sobre o Taiji quan
De Wang Zongyue [4]

"A Grande Cumeeira *(Taiji)* nasce do Sem Cumeeira *(Wuji)* [5]: é a mãe do Yin e do Yang. No movimento, Yin e Yang se separam; no repouso, se unem. Não vamos longe demais nem demasiado perto. Dobremo-nos quando (o adversário) se estender, e vice-versa. 'Retirar-se' é ser flexível quando o adversário alardeia dureza. 'Aderir' é ter uma posição favorável em detrimento do adversário. Se este se move rapidamente, responde-se com rapidez; se ele se move lentamente, deve-se imitá-lo. Posto que haja milhares de si-

---

[1] *Conquanto isso não tenha sido precisado, parece-nos ser a energia a força interior que deita raízes nos pés; mas também pode tratar-se do sopro.*
[2] *"Unidade perfeita" ou, literalmente, "um sopro só"* (yi qi). *Emprega-se a expressão em chinês moderno para designar uma unidade perfeita, estando enfraquecido o sentido do caráter* qi, *"sopro". Mas numa corrente taoísta, isso designa, não raro, "o sopro do Um", unificador, que é também o sopro unificado ou o sopro original.*
[3] *Esse trecho, assaz obscuro, versa, de acordo com os comentários, sobre a tática a ser empregada no combate. Todo movimento para cima, por exemplo, deve ser precedido de um movimento para baixo, a fim de confundir o adversário. Este, atraído para baixo, terá uma reação para cima, para onde levará seu centro de gravidade; será fácil, então, aproveitar o fato de que, tendo alçado o centro de gravidade, o adversário carece de estabilidade nos pés, devendo ser atacado com um movimento para o alto, que seguirá, com efeito, o sentido de sua reação.*
[4] *Atribuído a Wang Zongyue, esse tratado teria sido achado num depósito de sal do distrito de Wuyang pelo irmão de Wu Yuxiang, Wu Chengking; razão pela qual alguns o acreditam de autoria de Wu Yuxiang. O estilo desse texto, porém difere do dos outros escritos de Wu Yuxiang, e parece-nos mais antigo.*
[5] *Todo o exórdio desse tratado se inspira no* Taiji tushuo, *de Zhou Dunyi.*

tuações diferentes, o princípio é sempre o mesmo. Graças à prática, adquirimos uma compreensão progressiva do que é a energia, compreensão que nos permite chegar ao ponto em que a energia espiritual se torna luminosa. Mas é difícil chegar a uma compreensão perfeita sem esforços prolongados. Sejamos vazios e ágeis e mantenhamos a energia no sincipúcio [1]; concentremos o sopro no campo de cinábrio. Não nos inclinemos para um lado nem para o outro; ora dissimulemos (a nossa energia), ora a manifestemos. Se (o adversário) atacar à esquerda [2], 'esvaziemos' a nossa esquerda; se ele atacar pela direita, esquivemo-nos para a direita. Quando o ataque for para o alto, vamos ainda mais alto do que ele; quando ele atacar para baixo, desçamos ainda mais baixo. Quando ele atacar pela frente, a distância que nos separa deverá aumentar; quando ele se retirar, a distância entre nós deverá diminuir. (O corpo há de ser tão sensível) que não possamos acrescentar-lhe uma pluma e que uma mosca não possa pousar nele. O adversário não me conhece, mas eu o conheço. É sempre por essa qualidade que o herói não tem rival.

Existem muitas artes de combate que, apesar das divergências na forma dos movimentos, têm por princípio comum superar a fraqueza e a lentidão pela força muscular e pela rapidez. Que o forte sobrepuje o fraco e o rápido se avantaje ao lento não é senão o resultado de capacidades naturais inatas (do céu anterior) [3] e não de um estudo profundo e sustentado. O adágio 'quatro onças prevalecem sobre mil libras' mostra que podemos vencer sem a força muscular. Quando vemos velhos [4] resistirem a numerosos atacantes, não podemos dizer que o fazem graças à sua rapidez!

Em pé, imóveis, sejamos equilibrados como os pratos de uma balança; no movimento, semelhemos uma roda. Se o peso do corpo pender mais para um lado, nossos movimentos serão fáceis: se ele estiver distribuído igualmente pelas duas pernas, estaremos 'sem

---

[1] *Esse princípio pode ser escrito de duas maneiras e significar* "ser vazio e ágil e manter a energia no sincipúcio", *ou:* "esvaziar a nuca e manter a energia no sincipúcio". *A leitura fonética das duas frases é a mesma; apenas a grafia difere.*

[2] *Essa passagem põe em relevo uma noção essencial do combate no Taiji quan, a saber, que os dois adversários formam um Taiji, e que um é sempre o complemento do outro. Aliás, na língua chinesa não se diz combater contra alguém, senão combater* com *alguém.*

[3] *As capacidades inatas, ditas* "do céu anterior", *opõem-se às adquiridas por meio de um treinamento.*

[4] *Traduzimos por* "velho" *dois caracteres chineses, o primeiro que designa os anciãos de mais de setenta anos, o segundo os de mais de oitenta. Na biografia da família Chen, inserida no* Taiji quan tushuo, *o autor relata que Chen Wangting, por ocasião de uma viagem ao Shanxi, observou um treinamento de dois velhos e dois moços.*

jeito'. Algumas pessoas, mesmo após vários anos de prática, não conseguem transformar (o ataque) e ficam sob o controle do adversário; isso ocorre porque ainda não compreenderam o erro que cometem ao distribuir igualmente o peso do corpo em ambas as pernas. Para evitar esse erro, temos de conhecer (a teoria) do Yin e do Yang. 'Aderir' é 'retirar-se', retirar-se é aderir. O Yang é inseparável do Yin, assim como o Yin é inseparável do Yang; quando o Yin e o Yang se completam mutuamente, podemos compreender o que é a energia. Depois de havê-lo compreendido, quanto mais nos exercitamos mais adquirimos habilidade, conhecemos por nós mesmos e estimamos (nossos progressos) [1], e chegamos a conseguir que o corpo, aos poucos, siga inteiramente os desejos do espírito. A idéia fundamental é que devemos esquecer-nos de nós mesmos e acompanhar o adversário. Muitos interpretaram mal esse princípio, acreditando ser preciso esquecer o que está próximo e procurar o que está longe; ou, em outras palavras: 'o menor passo em falso equivale a um afastamento de mil *li'* [2]. Reflitam nisso os adeptos. Fim do tratado."

Os dez princípios essenciais do Taiji quan [3]
Ditados por Yang Chengfu
Escritos por Chen Weiming

"1) Ser vazio e ágil e manter a energia no sincipúcio
Manter a energia no sincipúcio é conservar a cabeça direita, de modo que a energia espiritual permaneça ligada ao sincipúcio. Não empreguemos a força muscular, que enrijece o pescoço e atrapalha a circulação do sangue e do sopro. Seja o nosso espírito espontâneo e ágil, pois sem a agilidade e a manutenção da energia no sincipúcio, a força vital [4] não pode ser posta em movimento.

2) Encolher ligeiramente o peito e esticar as costas
Encolher o peito consiste em retê-lo ligeiramente na direção do interior, a fim de que o sopro desça para concentrar-se no campo de cinábrio. Abstenhamo-nos de arquear o torso, pois, se o fizer-

---

[1] Literalmente, *"em silêncio, conhecemos as conjecturas".*
[2] A expressão encontra-se na *"Biografia de Dongfang Ruo",* do Hanshu.
[3] Esse texto, ditado por Yang Chengfu, teria sido escrito por Chen Weiming, um de seus melhores discípulos e o mais instruído.
[4] Traduzimos jingshen por *"força vital"* de acordo com o emprego mais corrente desses dois caracteres na língua moderna; esse nos parece ser o sentido que mais convém ao contexto. Poder-se-ia considerar, entretanto, que os dois caracteres são duas noções separadas e designam a essência (jing) e a energia espiritual (shen).

mos, o sopro ficará comprimido no nível do peito, a parte superior do corpo será pesada, a parte inferior, leve, e os pés terão tendência a flutuar. Esticar as costas significa fazer o sopro aderir às costas. O encolhimento do peito provoca naturalmente um estiramento das costas, o que nos permite emitir a força a partir do eixo espinhal; se conseguirmos fazê-lo, não teremos competidores.

3) Afrouxar a cintura

A cintura é o senhor de todo o corpo. Os pés só terão força e a bacia só terá base se formos capazes de afrouxar a cintura. As passagens do 'cheio' para o 'vazio' efetuam-se a partir de movimentos giratórios da cintura. Eis aí por que dizemos: 'a fonte do comando está na cintura'[1]. A falta de força provém da cintura e das pernas.

4) Distinguir o 'cheio' do 'vazio'

Na arte do Taiji quan, o primeiro princípio é distinguir o 'cheio' do 'vazio'. Quando todo o corpo se apóia na perna direita, dizemos que a perna direita está 'cheia' e a esquerda, 'vazia', e vice-versa. Os movimentos giratórios só se efetuam com ligeireza, agilidade e sem o menor esforço quando sabemos distinguir o 'cheio' do 'vazio'; caso contrário, os deslocamentos são pesados e desajeitados, o corpo carece de estabilidade e somos facilmente desequilibrados pelo adversário que nos atrai.

5) Baixar os ombros e deixar cair os cotovelos

Baixar os ombros consiste em afrouxá-los e deixá-los cair; quando não podemos afrouxá-los e deixá-los cair, eles se erguem, o que acarreta uma nova subida do sopro e, por conseguinte, a falta de força em todo o corpo.

Deixar cair os cotovelos ao longo do corpo é o mesmo que afrouxá-los. Quando eles estão erguidos, não se podem abaixar os ombros, e não podemos repelir o adversário para muito longe. A técnica utilizada aproxima-se, então, da da escola exotérica, que emprega uma força interior *(jing)* descontínua.

6) Empregar o pensamento criador e não a força muscular

Está dito no *Tratado sobre o Taiji quan:* 'Tudo reside no emprego do pensamento em lugar da força'[2]. Durante a prática do Taiji quan, todo o corpo está distendido, de sorte que não subsiste a mínima energia grosseira, estagnada entre os ossos, os mús-

---

[1] *Frase extraída do texto "Fórmula e canto das treze posturas", de Wu Yuxiang.*
[2] *Trata-se do tratado atribuído a Zhang Sanfeng.*

culos ou as veias, amarrando-nos a nós mesmos. Só então podemos efetuar as passagens de um movimento para outro com rapidez e facilidade, e executar os movimentos giratórios com naturalidade. Alguns duvidam de que seja possível ter uma força durável sem o emprego da força muscular, mas o corpo humano possui canais de circulação do sopro, do mesmo modo que a terra tem suas regueiras. Se as regueiras não estiverem obstruídas, a água fluirá; se as veias não estiverem entupidas, o sopro circulará. Quando uma energia dura enche os canais, o sangue e o sopro se vêem tolhidos, os movimentos giratórios carecem de agilidade e basta puxar um fio de cabelo para que todo o corpo o siga. Se em lugar da força muscular empregarmos o pensamento criador, aonde quer que chegue o pensamento chegará o sopro. Desse modo, o sangue e o sopro circulam continuamente no corpo, sem parar um só instante. Graças a um longo treinamento, adquirimos a verdadeira energia interior e, como está dito no *Tratado sobre o Taiji quan*, 'a agilidade e a flexibilidade extremas produzem a resistência e a rigidez extremas' [1]. Aqueles que estão familiarizados com a técnica do Taiji quan e a dominam têm os braços semelhantes ao ferro envolto em algodão — a força aí penetrou profundamente —, ao passo que os discípulos da escola exotérica manifestam a força muscular na ação e parecem flutuar na inação. Isso prova que sua força muscular não passa de uma energia superficial.

Quando empregamos a força muscular em lugar do pensamento criador, o adversário pode incitar-nos, muito facilmente, a movernos, e isso não merece a nossa estima.

7) Ligar o alto e o baixo

Ligar o alto e o baixo é conformar-nos com o princípio enunciado no *Tratado sobre o Taiji quan*: 'A energia enraíza-se nos pés, desenvolve-se nas pernas, é comandada pela cintura e manifesta-se nos dedos. Dos pés às pernas e à cintura faz-se mister uma unidade perfeita' [2]. Todo movimento das mãos acompanha um movimento da cintura; quando se movem os pés, a energia espiritual dos olhos (o olhar) move-se ao mesmo tempo e os segue; nesse caso, pode-se dizer que o alto e o baixo estão ligados; mas quando uma única parte do corpo não se move com o resto, há desordem e deslocamento.

---

[1] Trata-se, talvez, do tratado de Wang Zongyue.
[2] Citação do Tratado sobre o Taiji quan, *de Zhang Sanfeng.*

8) Unir o interior e o exterior

O trabalho do Taiji quan é um trabalho da energia espiritual. Por isso dizemos: 'A energia espiritual é o amo, o corpo, o criado'. Se pudermos pôr em movimento a força vital, os movimentos serão espontâneos, leves e ágeis. O encadeamento dos movimentos segue os princípios (de alternância) de 'cheio' e 'vazio', de abertura e fechamento. Quando falamos de abertura, não nos referimos unicamente à abertura dos pés e das mãos, mas também à do pensamento e do espírito. Da mesma forma, o fechamento não é tão-só o fechamento dos pés e das mãos, mas também do pensamento e do espírito. Se o interior e o exterior puderem ser unidos no mesmo sopro [1], tudo estará perfeito.

9) Ligar os movimentos sem interrupção

Nas artes de combate da escola exotérica, a energia empregada é a energia grosseira do 'céu posterior' [2]. Há, portanto, partidas, paradas, encadeamentos e interrupções. É no momento preciso em que a antiga força chega ao fim e a nova ainda não nasceu que podemos ser vencidos com maior facilidade. Como, no Taiji quan, utilizamos o pensamento e não a força muscular, tudo está ligado, sem interrupção, do princípio ao fim; quando termina uma revolução, começa outra, o movimento circular desenrola-se ao infinito. Está escrito no tratado original: 'O boxe longo semelha as ondas de um grande rio ou do mar, que se movem continuamente e sem fim' [3]. Ou ainda: 'Façamos mover-se a energia como um fio de seda que desenrolamos de um casulo'. Todas essas comparações sugerem que tudo está ligado por um único sopro.

10) Buscar a calma no meio do movimento

Nas artes marciais da escola exotérica, considera-se muito importante a capacidade de saltar, e nela se utilizam, até o esgotamento, a força muscular e o sopro. Eis por que, depois de se haver exercitado, o praticante está sempre ofegante. No Taiji quan, dirigimos o movimento pela calma; ainda que se mova, o executante permanece calmo; eis por que é preferível executar o encadeamento dos movimentos da maneira mais lenta possível. Graças à lentidão, a respiração torna-se longa e profunda, o sopro se concentra no campo de cinábrio, e o praticante, naturalmente, não tem as arté-

---
[1] Cf. nota 2, à pág. 105.
[2] Ou seja, uma energia adquirida pelo trabalho cotidiano e pelo adestramento e considerada mais "estúpida", menos requintada do que a energia inata.
[3] Citação do texto "As treze posturas do boxe longo".

rias aceleradas. Os adeptos devem aplicar-se a compreendê-lo, mas poucos o conseguem."

Cinco princípios essenciais do Taiji quan

"1) Esvaziar a nuca e manter a energia no sincipúcio

Manter a energia no sincipúcio é conservar a cabeça e o pescoço direitos, e 'suspender a cabeça pelo cocuruto'. Aquele que conseguir manter a energia no sincipúcio será capaz de executar os movimentos corretamente; sua energia espiritual estará ligada ao cimo da cabeça. Convém não empregar a força muscular, que enrijeceria o pescoço, estorvando a circulação do sangue e do sopro. Para esvaziar a nuca faz-se mister enxotar todo pensamento vulgar, de sorte que suba o sopro puro e desça o impuro. Se se puder esvaziar a nuca e manter a energia no sincipúcio, a força vital se movimentará por si mesma; leve e ágil, o corpo inteiro estará bem centrado, sem se inclinar para um lado ou outro, e as pernas estarão na posição do cavaleiro numa sela de grande estabilidade.

2) Recolher ligeiramente o peito e esticar as costas

Para recolher ligeiramente o peito, é preciso mantê-lo encolhido e, ao mesmo tempo, conservá-lo relaxado. O peito é mais ou menos recolhido de acordo com os movimentos. Uma vez recolhido o peito, os ombros podem ser solidamente presos e os braços, alongados. Se se arquear o peito, o sopro, comprimido nesse nível, não circulará nos braços; a parte superior do corpo ficará pesada, a parte inferior, leve, e os pés não se manterão com firmeza no solo. Para recolher o peito temos de esticar as costas, isto é, relaxar a coluna vertebral, como se ela estivesse sendo puxada para cima. Ao mesmo tempo, deve-se relaxar os ombros e deixar que os cotovelos caiam ao longo do corpo, para não comprimir os pulmões e não prejudicar o processo fisiológico. Da mesma forma, precisamos zelar para que o sopro adira às costas, penetre na coluna vertebral e ali se acumule; em seguida, recolher ligeiramente o peito e esticar as costas, a fim de nos encolhermos antes da emissão (de energia). A energia lançada parte da coluna vertebral, e por aí se vê que não se trata unicamente da força muscular dos braços.

3) Relaxar os ombros e deixar que os cotovelos caiam

Na prática do Taiji quan convém empregar o pensamento criador e não a força muscular. Os ombros devem estar relaxados e os cotovelos, caídos ao longo do corpo. Dessa maneira, os ombros podem ficar solidamente presos e os braços, esticados. Se houver o mesmo afastamento entre os dois ombros e os dois cotovelos, a energia poderá circular até as mãos e ser emitida. Caso contrário, os cotovelos estarão na 'horizontal' e os ombros, erguidos; disso resultará que os braços não serão senhores da força muscular e não terão, de modo algum, agilidade, naturalidade e vivacidade; não seria possível, por isso mesmo, a emissão de energia.

4) Concentrar o sopro no campo de cinábrio

Concentrar o sopro do céu anterior no campo de cinábrio corresponde, na prática, a um relaxamento da cintura e do abdômen. Se se puder relaxar a cintura e o abdômen, o corpo inteiro começará a distender-se, articulação por articulação; graças a isso, o sopro e o sangue circularão sem impedimentos, os pés terão força, a bacia, estabilidade. Diz o tratado: 'A energia enraíza-se nos pés, desenvolve-se nas pernas, é comandada pela cintura'. Diz ainda: 'O sopro semelha uma roda, a cintura, um eixo'. Isso mostra a importância da cintura. Mercê do relaxamento da cintura e do abdômen, os movimentos giratórios se efetuam com agilidade e vivacidade, todo o corpo se move com a mesma presteza. Se a cintura e o abdômen estiverem contraídos, os movimentos serão lentos e dificultosos, a energia não poderá ser emitida. Não é esse o método do Taiji.

5) Manter o cóccix no eixo

Na execução de cada movimento, que deve ter um centro e ser efetuado com facilidade, faz-se mister, além disso, manter o cóccix no eixo. Por quê? Porque o essencial é saber emitir a energia em cada movimento e, para fazê-lo, devemos ser capazes de manter o cóccix no eixo; dessa maneira obteremos os maiores resultados no momento da emissão da energia. Eis por que 'manter o cóccix no eixo' é, com efeito, o princípio fundamental do Taiji quan; assim como cada movimento é diferente, são-no também as condições de aplicação desse princípio. O mais importante, porém, é estabelecer uma relação entre a direção da emissão da energia e a posição das mãos, da cintura, das pernas, da cabeça, dos pés, etc., de modo que a direção resultante das diferentes forças passe pelo centro de gravidade do corpo. Exercitando-nos continuamente, não somente obteremos resultados na ocasião da emissão de energia, mas também seremos exímios na utilização da força de inércia do corço. Além disso, se não se inclinar para um lado nem para o outro, o corpo conservará um centro e um eixo, e os movimentos serão executados com estabilidade. Isso está perfeitamente de acordo com as teorias da dinâmica em física. No que respeita ao princípio 'manter o cóccix no eixo', os velhos mestres não deram muitas explicações, o que é muito lamentável. Esforçar-me-ei, contudo, por explicá-lo tomando por exemplo o movimento 'passo para a frente com torção do tronco e roçadura do joelho' executado à esquerda. Se, no momento de executarmos o movimento 'a cegonha abre as asas', alguém nos atacar pela frente desferindo um golpe com o pé direito, efetuaremos um movimento giratório para a direita, dobraremos o joelho direito e colocaremos o centro de gravidade do corpo sobre esse pé; com as pernas dobradas, avançaremos o pé esquerdo, roçaremos com a mão esquerda o joelho esquerdo e afastaremos com essa mão a perna direita do adversário; simultaneamente descreveremos, num plano vertical, com a mão direita, um círculo de trás para diante, fazendo-a passar perto da orelha. O corpo gira a partir da cintura. No momento em que o peso do corpo estiver distribuído igualmente nos dois pés, a ponta do pé direito terá voltado para dentro, de modo a formar um ângulo de trinta graus com a linha frente—atrás. Se o pé esquerdo estiver nessa linha e os calcanhares afastados um 'punho' (cerca de dez centímetros) um do outro, o corpo continuará a girar a partir da cintura, para ficar de frente; simultaneamente, a perna direita, que estava dobrada, se estenderá, a mão direita se distenderá para a frente, como a distensão de uma mola comprimida; é esse o significado da frase: 'A energia se enraíza nos pés, desenvolve-se nas pernas, passa pela coluna vertebral e chega às mãos'. O resultado dos esforços verifica-se num abrir e fechar de olhos. A extremidade do dedo indicador da mão direita, a ponta do nariz e o cóccix estão no mesmo plano vertical. Nesse momento, o corpo ligeiramente inclinado para a frente está no prolongamento da perna direita. A energia fixou-se no sincipúcio e no calcanhar. Com a mesma força, o pulso esquerdo faz pressão para baixo, de sorte que há igualdade entre a direita e a esquerda. O peito está recolhido, as costas esticadas, os ombros relaxados e os cotovelos pendentes; o sopro se concentra no campo de cinábrio, a energia espiritual dos olhos (o olhar) se dirige para a frente e fixa-se na ponta do dedo indicador direito. Dessa maneira, é possível reunir a força de todo o corpo na mão direita e emiti-la. Os movimentos são executados com a rapidez do relâmpago e uma força capaz de derrubar montanhas e erguer o oceano; estável como o monte Taishan, o corpo mantém-se num lugar onde não existe a derrota. Eis aí, mais ou menos, o que se entende por 'manter o cóccix no eixo'."

Fórmulas dos cinco princípios [1]
De Li Yixu

"1) A calma do espírito
Sem a calma do espírito não há concentração, e a execução do menor movimento para trás, para a esquerda ou para a direita é desordenada. Faz-se necessário, portanto, ter o espírito calmo. No princípio, incapazes de guiarmos, nós mesmos, o movimento, temos de aprender, com todo o nosso ser, a conhecer e seguir os movimentos do adversário. Se o adversário se recolher, estiquemo-nos sem perder contato com ele e sem esbarrar nele; jamais devemos nos esticar ou nos contrair por nossa própria vontade. Se o adversário empregar a força, imitemo-lo antecipando-nos a ele; se ele não a empregar, não a empreguemos tampouco, mas o nosso pensamento há de sempre antecipar-se ao dele. O espírito deve estar a todo instante atento e aplicado ao ponto de onde vem o ataque. É preciso encontrar a informação (no próprio interior da colocação em prática do princípio) para não largar nem tocar o adversário. Ao fim de seis a doze meses dessa prática, podemos aplicá-la a todo o corpo. Tudo reside no emprego do pensamento criador no lugar da força. Com o tempo, disso resultará o controle dos outros por nós e não a nossa submisão ao controle dos outros.

2) A agilidade
Quando há 'peso', não podemos avançar nem recuar segundo a nossa idéia e com facilidade. Daí a precisão da agilidade. Nenhum movimento há de ser desajeitado. A força muscular do adversário apenas terá roçado a nossa pele e o nosso pensamento já lhe terá penetrado os ossos. As mãos formam a defesa, um único sopro liga (tudo). Se o ataque vier da esquerda, 'esvaziemos' a nossa esquerda e esquivemos também a nossa direita, e vice-versa. O sopro é como uma roda. Todo o corpo deve estar em harmonia: se esta faltar em alguns lugares, o corpo se tornará dividido, desordenado e não poderá ter força. É preciso buscar a causa desse erro nas pernas e na cintura. Cumpre, primeiro, controlar o corpo pelo espírito e seguir o adversário ao invés de agir segundo nossas próprias intenções. Depois, quando o corpo segue o espírito, tomar a iniciativa consiste ainda em seguir o adversário. Se seguirmos nossas próprias intenções chegaremos ao entrave, se nos conformarmos com as intenções do outro, lograremos a vivacidade. Se formos capazes de seguir o adversário, as mãos terão a capacidade de avaliar, e avaliarão,

---

[1] *Esse texto e o seguinte são de Li Yixu, sobrinho de Wu Yuxiang.*

sem o menor erro, a importância da energia do adversário e medirão a distância de seu ataque. Poderemos então avançar ou recuar, conforme a necessidade. Quanto mais nos exercitarmos, tanto mais perto chegaremos da perfeição.

3) O controle do sopro

Se deixarmos o poder do sopro dispersar-se, nossos movimentos serão facilmente desordenados. Convém, portanto, fazer com que o sopro, controlado, penetre na coluna vertebral. A respiração deve penetrar todo o corpo, que adquire agilidade. Na inspiração, há fechamento e acumulação; na expiração, abertura e emissão (do sopro). Pois na inspiração o sopro se eleva, espontâneo, e pode até erguer o adversário; na expiração, o sopro se abaixa, sempre espontâneo, e pode até derrubar o adversário. Eis aí como se faz circular o sopro por meio do pensamento, em lugar de comandá-lo por meio da força muscular.

4) A ordenação da energia

Exercitemo-nos em fazer que a energia do corpo inteiro forme um todo, e aprendamos a distinguir claramente o 'cheio' do 'vazio'. Para emitir energia, é preciso conhecer-lhe a fonte; partindo dos calcanhares, ela é comandada pela cintura, manifesta-se nos dedos e é emitida a partir da espinha dorsal. Para disparála, fiemo-nos inteiramente em nossa força vital. No preciso momento, nem antes nem depois, em que o adversário se dispõe a usar sua energia mas ainda não a soltou, a nossa força já entrou na dele, como o abrasamento espontâneo de uma pele ou o jorro de uma fonte. Dessa maneira, avançamos e recuamos sem a menor desordem. Busquemos a linha reta na curva; acumulemos (a energia) antes de emiti-la, e obteremos, sem sombra de dúvida, o resultado almejado: é o que chamamos 'utilizar a força do outro para combatê-lo'. Desse modo, 'quatro onças podem valer mais do que mil libras'.

5) Concentração da energia espiritual

Só depois de haver realizado as quatro condições precedentes é que a energia espiritual pode ser concentrada.

Se ela estiver concentrada, todo o sopro estará estimulado e afinado; pela fonte do sopro se adquire a energia espiritual, o vigor se eleva e movimenta, a força vital enche regularmente o corpo, a abertura e o fechamento se alternam, o 'vazio' e o 'cheio' se distinguem com clareza. Se a esquerda estiver 'vazia', a direita estará 'cheia', e vice-versa. Quando falamos em vazio, não queremos dizer ausência total de força, senão que o vigor deve ser deslocado; e quando falamos em cheio, tampouco queremos dizer que a força está no máximo, senão que a força vital deve encher regularmente o corpo e ser movida em revolução entre o peito e a cintura, e não no exterior. A força muscular é tomada de empréstimo à outra. Emite-se o sopro a partir do eixo espinhal. Como emitir o sopro do eixo espinhal? Fazendo-o descer a partir dos ombros, reunindo-o na coluna vertebral e fixando-o na cintura; quando o sopro se desloca de cima para baixo, falamos em fechamento. Quando, desde a cintura, ele assume forma nos braços e vai de baixo para cima, falamos em abertura. Fechar é acumular; abrir é soltar. Quem compreende o que são a abertura e o fechamento conhece o Yin e o Yang. Chegado a esse estádio, o trabalho melhora e se afina, dia após dia, até podermos agir progressivamente de acordo com os nossos desejos."

Princípios concernentes ao modo de executar o encadeamento e de combater (no Taiji quan) [1]
De Li Yixu

"Diziam os antigos mestres: se pudermos atrair, fazer avançar o adversário e fazer cair a sua força no vazio [2], 'quatro onças podem valer mais do que mil libras'. Caso contrário, quatro onças não podem valer mais do que mil libras. Essas palavras têm um sentido profundo. Mas como os principiantes ainda não compreendem o princípio, acrescentarei algumas explicações, a fim de que os desejosos de desvendar os segredos dessa técnica adquiram uma boa base e possam, a cada dia, progredir e obter o resultado desejado.

A fim de atrair o adversário e fazer-lhe cair a força no vazio, a fim de que quatro onças valham mais do que mil libras, precisamos, primeiro, conhecer-nos a nós mesmos e conhecer o adversário. Para isso, esqueçamo-nos de nós e sigamos o outro. Para nos esquecermos de nós e seguir o outro, convém encontrar, antes de tudo, uma ocasião propícia no desenrolar dos movimentos. Para isso, o corpo deve formar um todo. Para que o corpo forme um todo, cumpre que ele seja inteiramente sem falha. Para que ele seja sem falha, é necessário, primeiro, estimular o sopro e a energia espiritual. A fim de consegui-lo, comecemos pondo em movimento a força

---

[1] *"Zoujia"* é o termo técnico que designa, no Taiji quan, o encadeamento dos movimentos executados sem interrupção; *"da shou"* designa os exercícios a dois.
[2] O trecho de frase *"atrair, fazer avançar o adversário e fazer cair a sua força no vazio"* corresponde, com efeito, a quatro caracteres chineses que designam quatro fases do combate comparadas às quatro fases de um dia ou de um ano. Veja o capítulo *"Taiji quan, arte marcial"*.

vital e não deixemos que a energia espiritual se disperse no exterior. A energia espiritual não se dispersará no exterior se o sopro e a energia espiritual, reunidos, penetrarem os ossos. Para que isso aconteça, é preciso primeiro que as articulações anteriores dos braços tenham força, que os ombros estejam relaxados e que o sopro se concentre embaixo. A energia parte dos calcanhares, transforma-se e passa para as pernas, reúne-se no peito, circula nos ombros, é comandada pela cintura; em cima, liga os ombros, embaixo, segue as pernas; transforma-se no interior. Acumular é fechar; soltar é abrir. No repouso, não há nada que não esteja em repouso. O repouso é fechamento, mas o fechamento já subentende a abertura. No movimento, não há nada que não esteja em movimento. O movimento é abertura, mas a abertura já subentende o fechamento. Se tivermos consciência disso, poderemos mover-nos à vontade em movimentos circulares. Nenhum lugar do corpo deixará de obter a força. Só então poderemos atrair o adversário e fazer cair-lhe a força no vazio, e quatro onças valerão mais do que mil libras. O adestramento cotidiano no encadeamento dos movimentos é um exercício por si mesmo. Desde a execução do movimento, convém perguntar-nos a nós mesmos se o corpo se desloca de acordo com os princípios acima enunciados. À menor falta de harmonia, devemos corrigir-nos prontamente, e é por essa razão que o encadeamento se executa lenta e não rapidamente. O treinamento a dois nos serve para conhecer o outro. Seja em movimento, seja em repouso, procuremos conhecê-lo, ao mesmo tempo que nos perguntamos se é justa a nossa atitude. Desde que o adversário se nos oponha, não façamos o mínimo movimento, mas aproveitemos o vazio que ele cria a fim de aí penetrar, utilizar-lhe a força para fazê-lo cair por si mesmo. Se em certos lugares não obtivermos a força, a razão é porque ainda não corrigimos o defeito que consiste em repartir em duas partes iguais o peso do corpo. Busquemos o remédio no seio (da alternância) do Yin e do Yang, da abertura e do fechamento. Diz-se que aquele que se conhece a si mesmo e conhece o adversário alcança cem vitórias em cem combates."

Os treze movimentos do boxe longo
De Wu Yuxiang

"O boxe longo é semelhante às ondas de um longo rio [1] ou do mar, que se movem continuamente e sem fim. Os treze movimentos

---

[1] "Changjiang" *designa um rio longo ou talvez o rio Azul.*

são: aparar, puxar para trás, empurrar para a frente, repelir, torcer, torcer para baixo, dar uma cotovelada, dar um golpe de ombro, oito movimentos que correspondem aos oito trigramas; e avançar, recuar, deslocar-se para a esquerda, deslocar-se para a direita, ficar no meio, cinco movimentos que correspondem aos cinco elementos. Os quatro movimentos, aparar, puxar para trás, empurrar para a frente e repelir, correspondem respectivamente aos trigramas Qian, Kun, Kan e Li, e aos pontos cardeais. Os quatro movimentos, torcer, torcer para baixo, dar uma cotovelada, dar um golpe de ombro, correspondem respectivamente aos trigramas Xun, Zhen, Dui, Gen, e aos quatro pontos colaterais. Os movimentos, avançar, recuar, deslocar-se para a esquerda, deslocar-se para a direita, ficar no meio, correspondem, respectivamente, ao metal, à madeira, à água, ao fogo e à terra."

Fórmulas secretas dos quatro caracteres
de Wu Yuxiang

"1) Espalhar *(fu):* significa fazermos circular o sopro pelo nosso próprio corpo e espalhá-lo sobre a energia do adversário, a fim de que ele não possa mover-se.

2) Cobrir *(gai):* significa cobrir com o sopro o lugar para onde vem o adversário.

3) Opor-se *(dui):* significa opor-se com o sopro ao lugar para onde vem o adversário e conhecer precisamente a finalidade que deve ser atingida.

4) Engolir *(dun):* significa absorver inteiramente com o próprio sopro a energia do adversário, fazê-la penetrar em nós e transformá-la.

O que é designado por esses caracteres não tem forma nem som. Aquele que não compreendeu o significado da energia e não a afinou até tirar-lhe a quintessência não pode conhecer o segredo dos quatro caracteres. Tudo reside unicamente no sopro. Só aquele que pode alimentá-lo pela retidão e não o deteriorar [1] pode distribuí-lo pelos quatro membros, e é inútil explicar-me melhor a esse respeito."

---

[1] *Citação do* Mengzi, *livro 2, parte I, j. 2.*

A canção dos oito caracteres
de Song Shuming

"Aparar, puxar para trás, empurrar para a frente e repelir,
poucas pessoas no mundo (conhecem essas técnicas).
Em dez expertos, dez não as conhecem.
Se pudermos ser leves, ágeis, duros e firmes,
Poderemos sem problema aderir, ligar, colar e seguir.
Os (movimentos) torcer, torcer para baixo, dar uma cotovelada,
dar um golpe de ombro são ainda mais maravilhosos.
Para executá-los, nenhuma necessidade de cansar o espírito.
Quem puder aderir, ligar, colar e seguir,
Conquistou o centro verdadeiro e não o deixa."

Tratado da compreensão do espírito
de Song Shuming

"A cintura e a coluna vertebral são os primeiros mestres.
A garganta é o segundo mestre.
A terra e o espírito [1] constituem o terceiro mestre.
O campo de cinábrio é o primeiro ajudante.
A palma e os dedos da mão formam o segundo ajudante.
Os pés e os artelhos constituem o terceiro ajudante."

A canção do verdadeiro significado
de Song Shuming

"Nem som nem forma (esquecimento do próprio ser)
Todo o corpo é transparente (interior e exterior são apenas um).
A reação às coisas é espontânea (seguimos as intenções de nosso
 [espírito).
A montanha do oeste semelha uma pedra musical suspensa (vasto
 [é o mar, vazio o céu.)
O tigre ruge, grita o macaco (afinar a essência Yin).
A fonte é pura, o rio pacífico (o espírito está morto, a energia
 [espiritual é vivaz).

---

[1] O Taiji quan dao jian gun san shou daquan *não registra* dixin, *"terra e espírito"*, *senão* xindi, *"terra do espírito"*, termo do budismo e notadamente do chan *(Zen)* que designa o estado mental do adepto.

Virar o rio e derrubar o mar (o sopro original move-se e circula)[1]. Desenvolver completamente a sua natureza e ser senhor do seu [destino (a energia espiritual está fixada, o sopro é em quantidade suficiente)."

---

[1] *"Virar o rio e derrubar o mar"* é uma expressão técnica de alquimia interior, que designa o fato de fazer circular a energia, o sopro, nos dois canais de controle e de função, desde o cóccix até o coruto da cabeça, para voltar pela parte dianteira do corpo até o sexo.

VI. PRINCÍPIOS BÁSICOS DA PRÁTICA DO TAIJI QUAN

A prática compõe-se essencialmente de duas partes: a aprendizagem de um encadeamento de movimentos executados com o aprendiz em pé; esse encadeamento pode variar segundo as escolas e até segundo o ensino de cada mestre. Denominado *zoujia*, "o encadeamento é um exercício destinado a aprimorar o autoconhecimento", diz Li Yixu [1]. O principiante aplica-se, portanto, intensa e regularmente, uma ou várias vezes por dia, à prática do encadeamento e de diversos exercícios complementares, em que se dá destaque, primeiro, à execução da forma exterior do movimento. Assim que se tornar capaz de respeitar uma forma de execução perfeita, o discípulo poderá começar a alimentar o sopro, a cultivar o espírito e a passar para a segunda parte da prática: exercícios a dois, em que ele se prepara mais particularmente para o combate, chamados "pressão das mãos" *(tui shou)*, "grande deslocamento" *(da lü)* e "dispersão das mãos" *(san shou)*.

Os movimentos básicos e os princípios que se devem observar na execução dos movimentos são os mesmos nas diferentes escolas.

1. ONDE E QUANDO PRATICAR

Consoante o pensamento chinês, o homem é um microcosmo, reflexo fiel do macrocosmo, e a harmonia se realiza quando os dois mundos funcionam segundo as grandes leis universais. A relação microcosmo—macrocosmo tem duplo sentido: não somente o homem estabelece a ordem e a harmonia no corpo e na personalidade, conformando-se às leis e ao ritmo do macrocosmo, mas também sua

---

[1] Extraído de "Princípios relativos ao modo de executar o encadeamento e de combater no Taiji quan".

conduta participa do futuro e das transformações do universo e exerce ação organizadora sobre este último, no espaço e no tempo. Não nos esqueçamos de que os atos do imperador da China obedeciam a ritos, de forma que correspondessem à marcha do universo: desse modo, ele se demorava, conforme as estações, em diversos lugares do *mingtang*, palácio dividido em nove regiões. Esse ato devia auxiliar o curso natural das coisas. Se sobreviessem calamidades, logo suspeitavam que o imperador se conduzira desordenadamente. Em menor escala, o adepto do Taiji quan desempenha papel semelhante: se lhe cumpre conformar-se com as leis da natureza em benefício próprio, pode-se dizer também que, pela prática ajustada aos ritmos naturais, ele exerce uma influência e uma virtude irradiantes. Praticar o Taiji quan é um ato quase ritual.

Para colocar-se em harmonia com o macrocosmo, o praticante do Taiji quan prefere exercitar-se num ambiente natural, como parque, floresta, montanha, etc. O mesmo acontece em relação a qualquer outra prática da escola esotérica. Com efeito, o adepto recebe, ao ar livre, a energia da terra pelos pés e a energia do céu pela cabeça. Por outro lado, vimos que a respiração representa um papel considerável nessa técnica corporal, motivo pelo qual é preferível escolher um local de ar puro. Por fim, outra razão da escolha é a importância do ambiente: o praticante impregna-se da essência da vegetação que o cerca, o que constitui até um exercício independente da prática do Taiji quan.

Nascido nas milícias camponesas, o Taiji quan era praticado ao ar livre ou, com maior freqüência, defronte do templo da aldeia, área consagrada pelos ritos por ocasião das festas. Podem-se ver ainda, em Taiwan, mestres praticarem diante de um templo.

Escolhido o local, o adepto se orientará no espaço. Durante a prática do encadeamento, ele se tornará um Taiji, "pivô supremo", em torno do qual as coisas se ordenarão. Constituirá um centro sobre a terra e deverá, portanto, pôr-se em correspondência com o centro do céu, que é, para os chineses, a estrela Polar e o sete-estrelo. A maioria dos livros recomenda, com efeito, que se comece o encadeamento com o rosto voltado para o norte, local em que se encontra o sopro original do céu e da terra. Alguns livros aconselham o praticante a principiar com o rosto voltado para o sul, outros precisam que a recomendação de começar com o olhar voltado para o norte tem apenas valor simbólico e permite, de modo prático, orientar em seguida os diferentes movimentos do encadeamento. Não resta dúvida, porém, de que originariamente o encadeamento principiava, de fato, diante do norte, que representa um papel preponderante nos rituais taoístas, notadamente em todo deslocamento de passos. Escreve Chen Pinsan [1]: "A estrela Polar e o sete-estrelo estão no norte. Convém que os adeptos do Taiji quan voltem o espírito para essas estrelas e sejam receptivos ao mecanismo celeste; se assim fizerem, o sopro central do homem possuirá um verdadeiro guia".

No entender dos mestres, o norte tem também a virtude de acalmar o espírito e ajudar o adepto a expulsar seus pensamentos; a meditação taoísta efetua-se, em geral, com o meditador voltado para o norte. De mais a mais, como já o observara Granet, o norte se associa aos rins e aos gestos. Escreve ele: "A vista e a palavra ocupam o leste e o sul no Hongfan, que destina o norte ao gesto. O norte é o oriente dos rins, os quais, como se verá, presidem à dança e à gesticulação". A relação entre os rins e os gestos é também ilustrada no *Liezi* (obra taoísta do século II, aproximadamente), que traz a história de um autômato desmontado pelo rei [2]: "O rei arrancou-lhe os rins, e os pés se recusaram a andar".

Nessas circunstâncias, voltado para o norte, o praticante transforma-se num eixo ao redor do qual girará o mundo, enquanto sua imobilidade interior preside aos movimentos exteriores.

A hora da prática também não deixa de ter influência, a partir do momento em que se impõe a conformação aos ritmos da natureza. De modo que Shao Yong, e alguns confucionistas depois dele, disseram: "O universo é um Taiji, o corpo humano é um Taiji"[3]. O praticante deve colocar-se em harmonia com o ritmo das subidas sucessivas do Yin e do Yang do universo. O momento mais propício é o do nascimento dos sopros Yin e Yang, seja de manhãzinha no período *mao* (das cinco às sete horas) seja à noite, no período *hai* (das nove às onze horas). Pelas mesmas razões de concordância rítmica, a estação mais benéfica é a primavera, quando nasce e se desenvolve a nova energia Yang do ano. Todavia, isso não significa que o praticante deva restringir suas atividades a esses períodos, e é mais do que evidente que os mestres, que faziam parte das milícias e cujo mister era representado pelas diversas artes marciais, praticavam o dia inteiro e até boa parte da noite. Parece, de fato, que os membros da família Chen praticavam amiúde durante a noite, visto que Yang Luchan, à noite, escondido, lhes acompanhava a prática. O ensino noturno era uma das características das sociedades secretas.

---

[1] Taiji quan tushuo, *pág. 198*.
[2] Liezi, *j. 5, cap. "Tangwen"*.
[3] Huangji jing shishu, *j. 9*.

2. MÉTODO CHINÊS DE ENSINO DO TAIJI QUAN

No princípio, o ocidental sente-se um tanto quanto desconcertado pelo método de ensino do Taiji quan. Em seu jardim ou num parque, o mestre reúne, todos os dias, uma ou duas vezes por dia, os alunos de todos os níveis e todo mundo efetua conjuntamente, sob sua direção, o encadeamento dos movimentos, seja ele desconhecido ou não; os que ainda não o conhecem procuram imitar os movimentos do mestre. A seguir, ele explica a cada aluno, de acordo com seu nível, um exercício ou um aspecto particular e obriga-o a repeti-lo durante uma hora inteira. Nunca se deve esperar uma explicação, e menos ainda uma descrição pormenorizada do modo de executar o movimento; o mestre mostra o modelo ideal e o aluno o imita.

A base da pedagogia asiática é o exercício cotidiano e repetido, pois a uniformidade, segundo os mestres, é apenas aparente e se deve à precariedade de nossas percepções e sensações. Assim, a imobilidade perfeita do corpo só apresenta a aparência da imobilidade, visto que os cabelos continuam a crescer, o sangue circula no corpo e os músculos se movimentam imperceptivelmente.

Ora, a repetição de um movimento milhares de vezes ajuda o executante a tomar consciência dos menores movimentos de seu corpo. Os mestres de Taiji quan referem com freqüência a seguinte história: um dia, um mestre deu como exercício a um aluno de natureza colérica a tarefa de bater todos os dias numa pedra; o aluno fez o exercício regularmente durante dez anos. Um dia, em presença de um inimigo, deu-lhe um ligeiro pontapé e, para sua grande surpresa, atirou-o a vários metros de distância.

Na prática, o aluno, portanto, repetirá, com variações centimétricas, os mesmos movimentos durante meses e meses. A aprendizagem do encadeamento dos movimentos pode durar de alguns meses a um ano para as pessoas que se exercitam todos os dias. Assim que esses movimentos estiverem bem conhecidos e forem reproduzidos fielmente depois das numerosas correções do mestre, o aluno pode começar a trabalhar pontos precisos. Esforçar-se-á, por exemplo, por sentir o ar com maior acuidade, como se nadasse na água; essa impressão surge, aliás, muito naturalmente, a partir do momento em que os movimentos executados são cada vez mais relaxados. Em Taiwan, encontrei um chinês que chegara a tal grau de distensão, de atonia dos músculos, que o menor movimento, como o de erguer uma caixa de fósforos, lhe custava esforços. Assustadíssimo, falou sobre isso a seu mestre de Taiji quan, o qual, ao contrário do que ele esperava, lhe assegurou ser esse um elemento positivo, e aconselhou-o, sobretudo, a não lutar contra a indolência, mas, ao contrário, pedir alguns dias de licença a fim de deixar as coisas evoluírem naturalmente. Lembrou-lhe o mestre, incontinenti, a teoria segundo a qual o Yin, ao atingir o apogeu, gera o Yang; em outras palavras, a flexibilidade, ao atingir o apogeu, gera a firmeza. Com efeito, alguns dias mais tarde, aqueles sintomas desapareceram.

Nessa repetição infatigável do encadeamento dos movimentos, o mestre aconselha o discípulo a efetuar, por exemplo, uma ou várias vezes o encadeamento, procurando sentir onde se encontra o ponto de partida, o ponto central de cada movimento; em seguida, a executar os movimentos procurando sentir todos os músculos que trabalham em cada um deles, os que estão contraídos e os que estão distendidos; ou a efetuar os movimentos observando as relações das diferentes partes do corpo com a coluna vertebral; cada mestre dará um tema particular em função da personalidade do aluno, de seus defeitos e qualidades, dos aspectos que ele precisa trabalhar mais, e em função da própria experiência e da riqueza de sua imaginação na criação de meios pedagógicos.

Todos os temas que acabamos de expor destinam-se, principalmente, a ajudar o executante a observar-se a si mesmo. Ora, um trabalho dessa natureza seria bem mais árduo se o executante devesse fazer, a cada vez, um movimento diferente e tivesse a atenção presa à execução exterior do movimento.

De modo geral, as explicações racionais são raras. Em lugar de dizer: "Avance a mão direita e recue o pé esquerdo", o mestre preferirá executar o movimento.

Outro elemento capaz de desarvorar o principiante é a ausência de resultados tangíveis imediatos, pois trata-se de um exercício de muito fôlego, que exige anos para ser bem sucedido. E o ocidental se sente desalentado no princípio pelo esforço de memorização, pois não compreende que o mais importante não é o resultado, mas o gesto em si mesmo, a atenção que ele lhe confere. Essa atenção não deve ser um esforço, mas uma abertura para uma percepção diferente das coisas. Assim, o encadeamento não é mais do que o suporte de um trabalho de profundidade sobre o corpo e o espírito.

3. MOVIMENTOS BÁSICOS NO TAIJI QUAN

A) *As mãos*

Há três utilizações fundamentais das mãos: a mão fechada em punho *(quan)*, a palma da mão *(zhang)* e a mão em gancho *(gou shou)*.

1) O punho: os quatro dedos são dobrados e o polegar cobre a segunda falange do dedo indicador e do médio. Quando praticamos o Taiji quan como disciplina psicossomática, devemos manter o punho solto, a fim de não perturbar a circulação do sopro e do sangue. Durante os exercícios de emissão de força interior, o punho estará ora solto, ora contraído: quando a força emitida chega ao punho, é preciso apertá-lo rapidamente e com toda a força por breve instante e, em seguida, relaxá-lo rapidamente.

Um soco dá-se de três modos:

a) Soco horizontal *(ping quan)*. O espaço entre o polegar e o dedo indicador, denominado em chinês "boca do tigre" *(hu kou)*, está dirigido para cima. Emprega-se esse golpe notadamente na postura da escola Yang intitulada "golpear a região pubiana do adversário".

b) Soco de cima para baixo *(pie quan)*. Dirige-se o punho obliquamente para baixo. A "boca do tigre" está voltada para o exterior e os dedos para cima. Esse golpe é empregado no movimento "virar-se e golpear o adversário".

c) Soco oblíquo *(chou quan)*. Dá-se o golpe obliquamente, para cima ou para baixo. Emprega-se no movimento intitulado "o vento duplo atravessa as orelhas".

2) A palma da mão: nas escolas Yang, Wu e Sun, a palma fica naturalmente aberta e estendida, sem que se empregue a força para contrair ou, pelo contrário, para distender os dedos. Na escola Chen, a palma da mão é plana, a reentrância praticamente inexiste e os dedos são ligeiramente encurvados para trás.

Ao término de certo tempo de prática, depois de compreendida a distinção entre o cheio e o vazio, ela deve manifestar-se também na palma da mão. Assim, quando começamos a estender a mão para a frente, a palma comporta ligeira reentrância, está "vazia". Se continuarmos a estender a mão para a frente, a recntrância da mão diminuirá e quase desaparecerá no fim do movimento, de sorte que a força interior e o pensamento criador chegarão até a ponta dos dedos: a palma, então, estará "cheia".

Como o movimento da palma participa do movimento geral de todo o corpo, a diferença entre o cheio e o vazio da palma deve estar em harmonia com a diferença entre o cheio e o vazio do corpo inteiro, da cintura, das pernas, etc.

No combate, o ataque se efetua com a palma da mão, com o dorso da mão, com a ponta dos dedos ou com a borda da mão; a força interior é emitida pela palma ou pela ponta dos dedos. Distinguem-se quatro tipos de ataques com a mão aberta:

a) Repelir com a palma *(an zhang)*. Concentra-se a atenção no centro da palma com a qual atacamos. Esse ataque é empregado nos movimentos "repelir" e "passo para a frente com roçadura do joelho e torção do tronco".

b) Ataque com a borda da mão *(qie zhang)*. Emprega-se essa forma de ataque no movimento "a serpente que rasteja".

c) Ataque com o dorso da mão *(shuai zhang)*. Emprega-se no movimento "recuar e repelir o macaco".

d) Ataque com a ponta dos dedos *(chuan zhang)*. Concentra-se a atenção na ponta dos dedos. Esse ataque é empregado no movimento "o faisão dourado mantém-se sobre uma pata".

3) A mão em gancho *(gou shou)*. Utiliza-se essa posição da mão num único movimento: "o chicote simples". O punho está completamente relaxado e a mão pende para baixo, em posição natural, com os dedos juntos. Com a mão em forma de gancho, golpeamos o adversário nos pontos vulneráveis do corpo, notadamente o pescoço ou a base do nariz. A força interior é emitida pelo punho.

B) *Os pés*

Distinguem-se cinco posições fundamentais dos membros inferiores, designadas pelos seguintes termos: "posição em forma de arco *(gong bu)*, "posição do cavaleiro na sela" *(ma bu)*, "posição dos pés em forma de caráter *ding* (no esquadro)" *(ding bu)*, "posição acocorada sobre uma perna" *(pu bu)*, "posição sobre uma perna" *(jinji bu)*.

a) Posição em forma de arco *(gong bu)*. A perna dianteira está dobrada e a traseira, quase esticada. Embora também seja utilizada na técnica Shaolin e nas outras técnicas de combate da escola exotérica, essa posição das pernas difere das demais em dois aspectos: em primeiro lugar, na escola exotérica, o centro de gravidade do corpo situa-se sobre a perna que se mantém à frente e o joelho fletido ultrapassa amiúde a ponta do pé; nessa posição, podemos ostentar uma grande força física, mas somos facilmente desequilibrados pelo adversário. No Taiji quan, o centro de gravidade do corpo situa-se nos três quintos da linha formada pelos dois pés. Em segundo lugar, a perna traseira mantém-se esticada na escola exotérica, ao passo que, no Taiji quan, é ligeiramente dobrada, numa posição que proporciona maior estabilidade e é empregada na maioria dos movimentos.

b) Posição do cavaleiro na sela *(ma bu)*. A distância entre os pés, plantados paralelamente um em relação ao outro, é igual à largura dos ombros, os joelhos dobrados não ultrapassam a ponta dos pés. O centro de gravidade do corpo passa pelo meio da distância que separa os pés. A coluna vertebral mantém-se vertical, os ombros, descaídos, a cintura, relaxada. Trata-se de uma posição fundamental do Taiji quan para o praticamente aprender a manter-se solidamente sobre as pernas, abaixar o centro de gravidade e desbloquear os trajetos do sopro. A manutenção dessa posição durante um período de tempo mais ou menos longo serve amiúde como exercício preliminar para o encadeamento. Todavia, só se emprega em três movimentos do encadeamento da escola Yang, o "começo", o "cruzamento das mãos" e o "fechamento do Taiji", ou seja, nas posturas do início e do fim do encadeamento e numa postura de passagem entre dois movimentos, isto é, em posturas que não se utilizam no combate. O nome dessa posição deve-se à semelhança com a posição do cavaleiro sobre a montaria.

c) Posição dos pés em forma do caráter *ding* 丁 *(ding bu)* ou "não-vazio" *(xu bu)*. O peso do corpo repousa apenas numa perna, situada ligeiramente atrás, ao passo que o outro pé só toca o chão com os dedos e com o calcanhar. Às vezes, podemos fazer incidir sessenta por cento do peso do corpo sobre a perna que se mantém ligeiramente para trás e quarenta sobre a que permanece à frente. Essa posição facilita a passagem de um movimento para outro. Emprega-se no movimento "levantar as mãos".

d) Posição acocorada sobre uma perna *(pu bu)*. Utilizada num único movimento da escola Yang, o da "serpente que rasteja". Com uma perna esticada, apóia-se, de cócoras, na outra, totalmente dobrada.

e) Posição sobre uma perna *(jinji bu)*. O praticante equilibra-se sobre uma perna, visto que a outra não toca o chão. Empregada no movimento "o faisão dourado mantém-se sobre uma pata".

Principais utilizações dos pés e das pernas

 a) Golpe de calcanhar *(deng bu)*. Concentrando-se a força na planta dos pés, desfere-se o golpe de calcanhar na horizontal, de frente ou de lado. Emprega-se o golpe no movimento "cruzamento das pernas" ou no "virar-se e desferir um golpe com o calcanhar".
 b) Golpe com a ponta do pé *(ti)*. Lança-se a ponta do pé para a frente e para cima, a fim de golpear o adversário na tíbia, no joelho ou nos órgãos genitais. Emprega-se o golpe no movimento "afastar os pés golpeando com o pé esquerdo ou com o pé direito".
 c) Pontapé horizontal *(bai)*. A perna, na horizontal, desfere um golpe sobre o lado. Emprega-se o golpe no movimento "varrer o lótus".
 d) Golpe com o joelho *(xi chuang)*. Golpeia-se com o joelho de baixo para cima, ou sobre o lado. Golpe empregado nos movimentos "o faisão dourado mantém-se sobre uma pata" e "o vento duplo atravessa as orelhas".

4. PRINCÍPIOS A SEREM OBSERVADOS NA EXECUÇÃO DOS MOVIMENTOS

 Ao iniciar os exercícios, a principal preocupação do principiante consiste em adquirir uma forma perfeita dos movimentos. O mestre corrige, em cada movimento, centimetricamente, a posição do corpo. Cada parte do corpo deve conservar uma curva natural e estar o mais distendida possível. As articulações, assim como o peito, a coluna vertebral, a cintura e o abdômen, são pontos naturais de tensão do corpo, partes em que as tensões incidem primeiro, e é portanto para elas que o principiante dirigirá sua atenção. Alguns princípios, aliás, estão resumidos em fórmulas de quatro caracteres, como os provérbios chineses, e são amiúde recordados pelo mestre durante ou no princípio da execução do encadeamento.

 1) A cabeça. Durante a execução dos movimentos, talvez convenha imaginar que a cabeça esteja suspensa por um fio, a fim de mantê-la bem ereta, sem, todavia, enrijecê-la por um esforço voluntário. Essa posição da cabeça dá ao resto do corpo, e mais particularmente ao tronco, a liberdade de adotar igualmente uma postura ereta, evitando o arqueamento das costas, liberando a caixa

torácica e melhorando, por conseguinte, a respiração do praticante. Segundo os mestres, isso permite ao sopro colar-se às costas e à coluna vertebral, condição que proporciona o máximo de eficácia na emissão da força interior. Podemos observar que o arqueamento das costas e a inclinação da cabeça são, de hábito, sinais de senilidade; a correção desses defeitos libera a circulação sanguínea e melhora, portanto, a saúde. Por outro lado, pelo mesmo motivo, o sistema nervoso central verá sua atividade aumentada, e o corpo, já relaxado e ereto, terá mais liberdade de movimentos e maior agilidade. Nos tratados sobre o Taiji quan, tais princípios se resumem na expressão "esvaziar a nuca e manter a força no sincipúcio". Esta última acompanha sempre a fórmula "enfiar o sopro no campo de cinábrio", o que significa que o corpo deve estar esticado por dois pontos de concentração, um na cabeça, outro no baixo-ventre, com o vazio entre os dois, o que dá azo às transformações. Pois tal atitude desperta a vitalidade, a vivacidade do espírito, a lucidez, e confere ao corpo grande estabilidade. Nessa postura vertical, entre o céu e a terra, as percepções são de melhor qualidade e a sensação de limite ou de constrangimento, criada pelo corpo, se esfuma até desaparecer, às vezes, momentaneamente.

    Todas as partes da cabeça devem estar, sem dúvida, distendidas, nomeadamente os músculos do rosto, da mandíbula, etc. O rosto é uma das partes do corpo mais difíceis de distender; se a distensão for efetiva e profunda, o praticante sentirá formigamentos no rosto, sobretudo ao redor dos lábios, a ponto de querer fazer caretas, processo efetivamente recomendado pelos mestres para auxiliar a distensão ou, segundo a expressão deles, o desbloqueio do sopro, mas esse procedimento só deve ser adotado se tivermos aquela sensação de formigamento; não se trata de fazer caretas fortuitamente. A boca fica levemente aberta, sem forçar, a ponta da língua ligeiramente virada e colada ao palato duro, o que estimula as glândulas salivares e o funcionamento das glândulas endócrinas. Com o espírito pacificado, os ouvidos atentos ouvem também para trás; seja através do órgão da audição, seja através do órgão da vista, é indispensável desenvolver essa sensação para trás, ampliar o campo de percepção e tomar consciência não só da parte posterior do corpo, mas também do espaço que o circunda: cada indivíduo não está, com efeito, no centro de um espaço que o envolve de todos os lados?

    Sendo os olhos o órgão de transmissão do espírito, o menor movimento deste último neles se reflete. Diz-se, aliás, literalmente, nos textos de Taiji quan, que o olhar é a "energia espiritual dos olhos". O olhar, que dirige os movimentos, incide sobre a mão que preside a eles: a relação entre os olhos e as mãos deve ser constante. O olhar é primordial, reflete o estado da alma; inversamente, o modo de olhar influi no estado interior de todo indivíduo. É assim que os mestres de Taiji quan fazem amiúde trabalhar o olhar fora do encadeamento por exercícios simples, porém eficazes, pois se no encadeamento o olhar pousa num ponto, no combate isso não pode acontecer, visto que trairia as nossas intenções; dirigimo-lo, portanto, para a frente, mas sem fitar o adversário. Traspassando-o, o olhar vai além do corpo e de todo objeto que aparece no campo de visão, para abarcar o universo. Em resumo, o campo de visão será o mais amplo possível e o olhar não se fixará numa coisa precisa, pois essa coisa absorveria a atenção e atrapalharia a disponibilidade do indivíduo para uma eventual mudança da situação. Podemos, nesse sentido, recordar a máxima do *Dao de jing:* "O sábio vê mas não vê, ouve mas não ouve". Para os taoístas, os olhos, acima de tudo, são uma fonte de luz.

2) Os ombros e os cotovelos. Se não conseguirmos relaxar os ombros, haverá preponderância da caixa torácica, arqueamento das costas, o que acarretará um embaraço na circulação do sangue e do sopro. No alto do corpo há três lugares principais por onde o sopro passa com dificuldade: os ombros, os cotovelos e os pulsos. Dizem os mestres: "Relaxem os ombros e deixem cair os cotovelos". Podemos verificar muito bem o grau de distensão do praticante, por ocasião da primeira postura, quando ele ergue os braços paralelamente para a frente: se os cotovelos estiverem voltados para fora à medida que se processar a elevação dos braços e saírem da linha destes últimos, poderemos estar certos de que os ombros e os cotovelos não estão distendidos.

3) As costas. Dizem os mestres: "Mantenham o cóccix no centro e no eixo". A coluna vertebral comporta naturalmente duas curvas, uma ao nível do pescoço e outra na região das vértebras lombares. Cumpre visar a uma atenuação das duas curvas, esticando a coluna para evitar o amontoamento das vértebras nesses dois níveis (o esticamento faz-se sempre sem o concurso da força). Temos, com efeito, observado uma atenuação notável na curvatura da nuca em alguns mestres do Taiji quan. Por outro lado, o cóccix é o ponto de referência de toda a coluna vertebral e de toda a postura correta do corpo. Para mantê-lo no eixo, alguns mestres preconizam que se retifique, com o pensamento, a curvatura do cóccix empurrado para a frente, pedindo aos discípulos que o imaginem empurrado para trás, com a bacia ligeiramente voltada também para trás.

Outros, ao contrário, recomendam uma introversão da bacia. Seja como for, é fundamental a tomada de consciência da ponta do cóccix, bem como a conscientização de que este é o centro em torno do qual se harmonizam as outras partes do corpo em cada movimento. Enfim, convém distender o eixo espinhal, pois essa distensão é essencial à passagem do sopro pelo canal de controle *(dumai)* situado ao longo da coluna vertebral. E se o esticamento for suscitado no princípio pelo pensamento, torna-se natural desde que o sopro passe a circular pelo canal de controle, mantendo a coluna direita.

4) A cintura. Todos os movimentos do Taiji quan partem da cintura e são dirigidos por ela. O menor movimento da mão é, de fato, um movimento da cintura. "A cintura deve estar relaxada e os quadris, puxados para baixo", a fim de não embaraçar a circulação do sopro nessa região, de "assentar a bacia" e, portanto, de dar grande estabilidade ao corpo. Por outro lado, o relaxamento da cintura favorece a circulação do sopro no meridiano da cintura, um dos oito meridianos extraordinários (curiosos), que os circunda várias vezes, encerrando todos os outros meridianos.

5) As pernas. Nunca estão completamente estendidas nem completamente dobradas; em geral, os joelhos não ultrapassam a ponta dos pés. Entretanto, as pernas são mais ou menos fletidas segundo as escolas e segundo a habilidade de cada participante. Quanto mais elas se reforçarem, tanto mais seremos capazes de executar o encadeamento bem embaixo. Os mestres se comprazem em citar o caso de um praticante capaz de manter-se sentado sem precisar de assento.

O relaxamento das pernas, que permite adquirir nova força interior, é o ponto mais importante, pois "a força interior parte dos pés, desenvolve-se nas pernas, é dirigida pela cintura e expande-se nos dedos". Sem esse relaxamento, a força não passa, o corpo não tem raiz e, por conseguinte, desequilibra-se facilmente. Exercícios preparatórios para o Taiji quan, denominados "trabalho em pé" *(zhan gong)*, desenvolvem a força das pernas. No início, os músculos começam a tremer ao fim de alguns minutos, acarretando uma sensação de fadiga dolorosa por vários dias. A pouco e pouco, o executante aprende a relaxar os músculos, que, assim, se cansam menos; só permanecem tensionados os que concorrem para manter a posição ereta, e as dores nas pernas desaparecem. O tempo que a pessoa fica de pé pode então atingir meia hora ou mais. O sopro mau, expulso, foi substituído pelo verdadeiro, dizem os mestres.

Tais são os princípios essenciais que concernem à atitude corporal. A partir do momento em que se adapta a ela, o principiante pode concentrar a atenção em três pontos precisos do corpo: o sincipúcio, as mãos e a língua, denominados "os três cimos" *(san ding)*. Durante toda a prática, a língua virada permanece colada ao palato duro, como na maioria dos exercícios taoístas. Essa atitude liga os canais de controle e de função, favorecendo a circulação anular do sopro nos dois canais, e torna a respiração profunda e regular, pois o sopro é obrigado a passar pelo fundo da garganta. Tal processo acalma igualmente o espírito, visto que, para os chineses, a língua é a raiz do coração.

Postos em prática esses princípios, empreende-se o trabalho da força interior e da sua utilização através das múltiplas transformações.

5. EXERCÍCIOS COMPLEMENTARES DO TAIJI QUAN

Como exercício, isto é, seja o encadeamento, sejam os exercícios a dois, nunca se pratica o Taiji quan exclusivamente. Ou se associa a outras artes marciais de combate à mão desarmada ou à mão armada, ou se acompanha de toda uma série de exercícios preliminares ou complementares, que variam de um mestre para outro.

Os que se entregam ao Taiji quan como arte marcial praticam, não raro, as duas outras disciplinas da escola esotérica: "o boxe dos oito trigramas" *(bagua quan)* e o "boxe do corpo e do pensamento" *(xingyi quan)*. Conhecem igualmente as técnicas da "espada do Taiji" *(Taiji jian)*, do "sabre do Taiji" *(Taiji dao)*, do "bastão do Taiji" *(Taiji gun)* e, às vezes, muitas outras ainda.

Os exercícios complementares podem ser classificados em cinco categorias principais: os movimentos preparatórios e de flexibilização, o trabalho da respiração e do sopro, o trabalho da ligeireza, os exercícios mentais e espirituais e os deslocamentos de passos.

1) Os movimentos preparatórios. Variam de um mestre para outro, e, se fizéssemos uma relação dos exercícios praticados pelos diferentes mestres, encontraríamos os exercícios de flexibilização *(daoyin)* praticados desde milênios e descritos nos textos, cada um dos quais se serviu desse fundo comum de exercícios que distendem as diferentes partes do corpo e favorecem a circulação do sopro.

O exercício mais importante, dado pela quase totalidade dos mestres, é o trabalho em pé *(zhan gong)*, que consiste em assumir a posição inicial, com os pés paralelos e os joelhos ligeiramente dobrados, e ficar nessa posição, imóvel, pelo maior espaço de tempo possível.

O praticante pode realizar os exercícios de flexibilização de pé, sentado ou deitado. Um deles é o seguinte: levante-se e agache, enquanto descreve círculos com os braços. Durante a distensão das pernas, com as mãos afastadas, inspire, de modo que o sopro se cole no eixo espinhal; durante a flexão das pernas, traga de volta os braços, cruzando-os sobre o peito, ao mesmo tempo em que expira. Tais exercícios fazem trabalhar também uma parte bem precisa do corpo, como, por exemplo, as mãos. De manhã, ao despertar, estique com força os dez dedos, os braços, depois feche e abra os dedos dez vezes. Ou sacuda os dez dedos em movimentos rápidos e com toda a força.

2) O trabalho da respiração e do sopro. Engloba o que se entende hoje por *qigong*, exercícios de respiração, igualmente destinados a tratar desta ou daquela afecção ou parte do corpo. Eis aqui um exemplo: de manhã, bem cedo, num lugar calmo, de ar puro, coloque-se, voltado para o leste, na posição inicial, com a língua virada contra o palato duro; durante a expiração, faça incidir o peso do corpo sobre o pé direito, e durante a inspiração, sobre o esquerdo. Esse exercício facilita a descida do sopro para o campo de cinábrio.

3) O trabalho da ligeireza *(qing gong)*. Não nos foi possível obter muitas informações sobre esse trabalho, cujo conhecimento parece, em parte, perdido. Subentendia um desbloqueio dos canais do sopro e, de acordo com Liu Peizhong, os pontos Yinwei e Yangwei deviam ser ligados pelo sopro verdadeiro para que o praticante fosse capaz de dar saltos de vários metros. Mas parece que se desenvolveram também os músculos das pernas por diversos meios. Um deles consistiria em prender às pernas do aluno, desde a mais tenra infância, barras de ferro cujo peso seria aumentado à proporção que o menino crescesse. Depois que os pesos lhe fossem arrancados, o aluno seria capaz de saltar a grande altura.

4) Exercícios mentais e espirituais. O aluno vê oferecer-se-lhe todo um leque de possibilidades, desde as múltiplas técnicas taoístas até as técnicas budistas, notadamente os diferentes modos de contemplação.

Entre os mais freqüentes, cumpre citar os exercícios para

absorver as energias do universo. Assim, colocando-se em disponibilidade mental, pode o adepto absorver a quintessência dos vegetais, encarando-os de maneira receptiva, o que desenvolve a sensibilidade às coisas circunstantes. Na mesma ordem de idéias, e este é um exercício taoísta bastante difundido, encontramos o que consiste em absorver a quintessência da lua e do sol; para absorver a quintessência da lua, o indivíduo se coloca, nos dias 14, 15 e 16 do mês lunar, defronte da lua entre as vinte e três horas e a uma da manhã e fixa-a com receptividade. No dizer dos mestres, a luz, isto é, a energia da lua, desenvolve as faculdades de percepção do invisível.

5) Deslocamento de passos. Exercícios pouco praticados hoje. Zheng Manqing, da escola Yang, ensinava um deslocamento que consistia em refazer o traçado do Taiji, círculo separado em duas partes por uma linha sinuosa. Chen Pinsan dá em sua obra um deslocamento de passos que se deve efetuar com freqüência, e que outro não é senão o passo de Yu descrito nos muitos textos taoístas e ainda utilizado em nossos dias nos rituais. Esse passo também se chama o "passo dos nove palácios" *(jiu gong bu)*, estando os nove palácios em apreço em correspondência com o sete-estrelo [1].

---

[1] *O passo dos nove palácios é dado no* Taiji quan tushuo, *pág. 84. No* Cânon taoísta, *esse deslocamento está explicado principalmente no* Shangqing tianxin zhengfa.

VII. A PRÁTICA DA ESCOLA YANG

1. ENCADEAMENTO DOS MOVIMENTOS

O número dos movimentos do encadeamento varia de um mestre para outro até no seio da mesma escola. Mas a sucessão das diversas seqüências é idêntica, e só varia o número de repetições do movimento. O encadeamento comporta, por conseguinte, de um modo geral, de oitenta e um a cento e oito movimentos.

Na escola Yang, os movimentos são mais concisos e abertos do que na escola Chen. O ritmo de sua execução é regular; tendo sido suprimidos os movimentos difíceis, qualquer um, desde uma criança até um velho, pode dedicar-se a ela. Essa é uma das razões da difusão rápida e extensa da mencionada escola.

Daremos a seguir uma descrição dos movimentos do encadeamento e sua utilização no combate, baseando-nos no livro de Chen Yanlin *(gong)*, do qual tiramos igualmente os esquemas. Pareceu-nos importante juntar a utilização marcial de cada movimento, pois mesmo para os que praticam o Taiji quan com o propósito terapêutico ou outro que não seja o combate, o fato de conhecer a utilização de um movimento pode ser de grande ajuda para captar-lhe o sentido. Além disso, pode facilitar o ensino, mormente em se tratando de crianças. O encadeamento dado por Chen Yanlin é constituído de uma seqüência de cento e cinco movimentos.

Até no seio de uma mesma escola existem pequenas diferenças na execução dos movimentos. É assim que Yang Banhou fazia movimentos menos abertos e alternava lentidão com rapidez, como na escola Chen. Quando perguntaram a Yang Chengfu o motivo das diferenças, ele declarou que isso correspondia a duas etapas da aprendizagem: no princípio, convém mostrar os movimentos a fim de distender os músculos e facilitar a circulação do sangue e da energia. A seguir, uma vez que obtivemos certa mestria, os movimentos se tornam, por si mesmos, menores. Embora a característica da escola Yang fosse a flexibilidade extrema e a ausência de rigidez, diz-se que Yang Luchan teria também praticado uma técnica mais dura, que só teria ensinado aos filhos.

A maioria dos movimentos tem uma terminologia que se refere ao combate, seja na posição do corpo, seja na utilização do movimento no combate. Assim, o movimento "passo para a frente com roçadura do joelho e torção do tronco" descreve o modo como é preciso executar o movimento, ao passo que "o chicote simples" extrai o nome de sua utilização, com o braço distendido como um chicote para golpear o adversário. Da mesma forma, o movimento "a agulha no fundo do mar" tem esse nome porque o adepto aponta com o dedo, comparado a uma agulha, o ponto "fundo do mar", situado no baixo-ventre do adversário. Por fim, alguns movimentos evocam narrativas populares célebres. Os movimentos "levar o tigre para a montanha" e "atirar no tigre com o arco" são uma alusão ao herói do romance *À beira d'água*, Wu Song, que se tornou chefe de milícia depois de vencer um tigre e sair montado nele.

Certos nomes de movimentos da escola Yang e da escola Chen pronunciam-se de maneira semelhante, mas se escrevem de maneira diferente e têm, portanto, sentidos diferentes. Assim, o movimento "agarrar a cauda do pássaro" da escola Yang corresponde homofonicamente ao movimento "agarrar a cauda do vestido" da escola Chen: o termo da escola Yang seria, portanto, uma deformação do termo antigo.

Os termos da escola Chen parecem, não raro, mais justificados. Assim o movimento denominado na escola Yang "como um leque" *(shan tong bei)* tem por nome, na escola Chen, "o raio atravessa as costas" *(shan tong bei)*. Os mestres da escola Chen justificam essa terminologia do seguinte modo: por ocasião do emprego desse movimento, o sopro central desce do coração ao campo de cinábrio, de lá torna a subir pelo canal de função e volta a descer pelo canal de controle, atravessando as costas como um raio.

Preparação

Com os pés paralelos, separados um do outro por uma distância igual à largura dos ombros, os braços caídos ao longo do corço, as palmas dirigidas para trás, olhe diretamente à sua frente.

Antes de começar os movimentos propriamente ditos, convém efetuar uma preparação ou colocação em disponibilidade, harmonização do interior com o exterior, da pessoa com o meio.

Relaxe-se, expulse do espírito todo e qualquer pensamento e regularize a respiração. Durante essa preparação, esforce-se por realizar os seguintes princípios básicos, que deverão ser mantidos durante todo o encadeamento dos movimentos:

1) Faça descer o sopro ao campo de cinábrio e conserve o espírito em repouso, visando atingir o relaxamento do corpo e do espírito.

2) Cuide para que o tronco, da ponta do cóccix à nuca, forme uma linha quase vertical.

3) Conserve a cabeça ereta, no prolongamento do tronco, como se ela estivesse suspensa por um fio.

4) Relaxe os ombros, que devem cair naturalmente.

5) Encolha ligeiramente o peito e estique as costas.

6) Cole a ponta da língua no palato duro.

1) Início (qishi)

Como todos os movimentos do Taiji quan devem ser curvilíneos, os membros nunca devem estar completamente esticados. Os movimentos devem ser leves, lentos, circulares e encadeados sem interrupção, como um círculo sem começo nem fim.

Lentamente, erga os punhos para a frente até a altura dos ombros, com os braços paralelos e os cotovelos puxados para baixo. Recolha os pulsos para o peito, com as palmas viradas para o chão e os braços sempre paralelos. Em seguida, abaixe devagar as mãos até voltarem à posição inicial.

Durante o deslocamento dos braços, os joelhos devem ser ligeiramente fletidos e o olhar sempre fito à sua frente.

Ao elevar e abaixar os pulsos, imagine que eles são movidos por barbantes.

2) Agarrar a cauda do pássaro à direita (you lan quewei)

Apoiando o peso do corpo sobre o pé esquerdo, coloque as mãos de modo que pareçam segurar uma bola perto do corpo, com a mão esquerda por cima, com a palma dirigida para baixo, e a mão direita por baixo, com a palma dirigida para cima. Avance o pé direito para o leste, faça recair o peso do corpo sobre ele, ao passo

que o braço direito, partindo da posição inicial, se eleva para proteger o peito, e o braço esquerdo desce para colocar-se ao lado da perna esquerda, com a palma dirigida para trás.

Na posição final do movimento, as pernas também devem ficar na posição em arco, com o antebraço paralelo ao peito e o lado externo voltado para o exterior, ou seja, a palma da mão direita voltada para o peito.

Utilização desse movimento no combate

Segure com a mão esquerda o pulso esquerdo do adversário. Se sua mão direita estiver sob o braço esquerdo dele, pressione-lhe o braço e as axilas para aparar o golpe. Se sua mão direita estiver sobre o braço do adversário, exerça a pressão ao nível do braço e da parte superior de seu peito. Enquanto exerce a pressão, avance o pé direito.

3) *Agarrar a cauda do pássaro à esquerda (zuo lan quewei)*

Partindo da postura precedente, coloque a mão direita diante do peito, com a palma virada para baixo e a mão esquerda à frente da entreperna, com a palma virada para cima, de sorte que as duas mãos simulem segurar uma bola junto ao corpo. Avance o pé esquerdo para o norte, ao mesmo tempo em que separa as mãos uma da outra, colocando o antebraço esquerdo paralelamente ao peito, com a palma virada para o interior, e o braço direito junto à coxa direita.

No fim da postura, as pernas se encontram na posição em arco e o olhar fito na mão esquerda.

Utilização

Segure, com a mão direita, o punho direito do adversário. Avance o pé esquerdo e apare o golpe com o antebraço esquerdo.

4) Aparar (peng)

Imprima um quarto de volta à palma esquerda a fim de dirigi-la para baixo, coloque-a diante da parte direita do peito, enquanto descreve, com a mão direita, um semicírculo para colocá-la diante da entreperna, com a palma virada para cima, de modo que as duas mãos pareçam estar segurando uma bola junto ao corpo.

Enquanto o peso do corpo recai sobre o pé esquerdo, avance o pé direito para leste; simultaneamente, apare o golpe do adversário a leste do braço direito, cuja face interna está paralela ao peito. Com a palma dirigida para baixo e a mão esquerda defronte do estômago, o executante não se desequilibra, em virtude da pressão para a frente do antebraço direito.

Utilização

Se o adversário o atacar de frente, apare-lhe os golpes com as mãos. Alguns mestres utilizam esse movimento não só para defender-se, mas também para atacar.

5) Puxar para trás (lü)

Vire levemente o peito para sudeste, ao mesmo tempo em que os braços seguem o movimento giratório. Em seguida, efetue, a partir da cintura, um movimento de recuo e de torção do corpo para noroeste, de modo que o peso do corpo incida progressivamente sobre a perna esquerda, com o joelho dobrado. Simultaneamente, os braços puxam para trás com a palma direita virada para cima e a esquerda para baixo.

141

Utilização

O adversário prepara-se para golpeá-lo, com o punho esquerdo, no ventre ou no flanco. Cole o antebraço direito ao cotovelo esquerdo do adversário, puxe-lhe, com a mão esquerda, o punho para baixo e, a seguir, exerça com os dois braços uma força de tração para trás e para a esquerda.

6) *Pressionar para a frente (ji)*

Traga de volta a mão direita ao peito, com a palma virada para dentro, enquanto a mão esquerda descreve um círculo para trás e vem colocar-se novamente no interior do antebraço direito, perto do punho. Vire a parte superior do tronco para leste e exerça pressão para a frente; o movimento de pressão deverá partir da cintura e das pernas. Faça recair o peso do corpo sobre a perna direita, que terá o joelho fletido.

Utilização

Se, depois de haver puxado o adversário, este reagir, tentando trazer de novo as mãos para junto do corpo, siga-lhe o movimento dobrando o joelho direito e exercendo pressão para a frente.

7) *Repelir (an)*

Efetue um movimento de recuo do corpo e "sente-se" sobre a perna esquerda. Ao mesmo tempo, afaste as mãos para fora, passando a esquerda por cima da direita, e traga-as de volta ao peito, com as palmas viradas para fora, e depois apare o golpe com as duas mãos para a frente. Esforce-se para que o movimento de pressão não parta das mãos, mas da cintura e das pernas; deslocando o peso do corpo da perna esquerda para a direita, exercemos a pressão para leste. Em todos os movimentos do

Taiji quan, as mãos nunca se movem independentemente do corpo.

Utilização

1) Se o adversário pressionar-lhe o braço com as mãos, afaste-as, à direita e à esquerda, para trás, a fim de permitir-lhe avançar, ao mesmo tempo em que você recua a parte superior do corpo; surpreendido pelo vazio que se apresenta diante de si, ele perde momentaneamente a força e você se aproveita disso para avançar de novo e repeli-lo com ambas as mãos.

2) Se, depois de sua pressão para a frente, o adversário se esquivar e o pressionar do lado esquerdo, erga as mãos à direita e à esquerda para fugir-lhe à pressão e repila-o rapidamente.

8) O chicote simples (danbian)

Após a postura precedente, os braços paralelos, afastados um do outro a uma distância equivalente à largura dos ombros, estão estendidos horizontalmente ao nível do peito, com as palmas viradas para baixo. Efetue na direção do nordeste um movimento giratório a partir da cintura, erguendo, ao mesmo tempo, a ponta do pé direito a fim de virá-la para o norte; os braços, ainda em posição horizontal, giram com o corpo, cujo peso recai então sobre a perna esquerda. Execute, sempre a partir da cintura, um movimento de recuo sobre a perna direita, enquanto os braços acompanham o movimento. Quando os braços chegarem ao nível do peito, estenda o direito para nordeste, à altura do ombro, e dê à mão a forma de gancho (vire a palma para baixo e junte os dedos). Simultaneamente, vire a mão esquerda até a cintura, com a palma voltada para o alto. A seguir, erga o pé esquerdo e dê um passo para sudoeste, enquanto a mão esquerda torna a subir, da parte direita do peito, com a palma virada para dentro, passa perto do rosto e se estica para sudoeste, com a palma virada para a frente. O peso do corpo foi progressivamente trazido para a perna esquerda. O olhar fixa-se na mão esquerda.

Utilização

1) Se o adversário atacar, com o punho esquerdo, a parte esquerda de seu peito, estenda a mão esquerda e repila-o empurrando-lhe o ombro esquerdo.

2) Se o adversário atacar, com o punho direito, a parte direita de seu peito, estenda o braço direito, com a mão em gancho, e golpeie, com as costas do punho direito, o queixo ou o peito do adversário.

3) Se o adversário o atacar com o braço direito, desvie o golpe estendendo o braço direito para trás e, ao mesmo tempo, avance o pé esquerdo para golpear a axila direita do adversário com a sua palma esquerda, que se desdobra como uma chicotada.

9) Erguer as mãos (tishou shangshi)

Coloque de novo o peso do corpo sobre o pé direito e volte o peito para o norte, enquanto a ponta do pé esquerdo também se volta para o norte. Faça recair o peso do corpo sobre a perna esquerda, depois coloque o pé direito um pouco à frente do esquerdo, tocando o chão apenas com o calcanhar. Relaxe os braços ao longo do corpo e faça-os subir novamente ao nível do peito, com os braços paralelos e as palmas viradas uma para a outra. O braço direito está no plano da perna direita, o braço esquerdo lhe é paralelo um pouco para trás, de sorte que a mão esquerda se opõe ao cotovelo direito.

Entre essa postura e a seguinte existe um movimento intermediário intitulado "dar um golpe com o ombro" *(kao)*.

Utilização

1) Se o adversário atacar seu peito com a mão esquerda, segure-lhe o pulso esquerdo com a mão esquerda, coloque a mão direita sobre o cotovelo dele e pressione as duas mãos em sentido contrário, a fim de aplicar-lhe um chave de braço.

2) Para o mesmo ataque, você pode igualmente puxar para baixo a mão esquerda do adversário e, ao mesmo tempo, golpear-lhe o rosto com a palma direita. Você também pode ajuntar ao golpe no rosto um pontapé direto na tíbia do adversário.

10) A cegonha abre as asas (bai-e liang chi)

Gire sobre o calcanhar direito a fim de virar a ponta e o peito do pé para oeste. Ao mesmo tempo, leve a mão direita ao nível do cotovelo esquerdo e a esquerda acima do cotovelo direito. O peso do corpo recai sobre a perna direita, enquanto você dá meio passo com o pé esquerdo, do qual só a ponta, virada para noroeste, toca o chão. Simultaneamente, separe as mãos, de modo que a direita venha colocar-se próximo à têmpora direita, com a palma virada para fora, e a esquerda abaixada, perto do quadril esquerdo, com a palma virada para baixo.

Utilização

O adversário prepara-se para atingir sua têmpora direita com a mão esquerda. Afaste-lhe a mão erguendo sua mão direita. Se ele atacar de novo, visando seu ventre com o punho direito, agarre-lhe o punho, puxe-o com a mão esquerda para baixo e para a esquerda, e desfira-lhe, ao mesmo tempo, um pontapé com o pé esquerdo no baixo-ventre.

11) Passo para a frente com roçadura do joelho e torção do tronco (lou xi ao bu)

O peso do corpo continua repousando sobre a perna direita. Volte a palma da mão direita para diante do rosto e descreva um círculo para baixo e para trás, trazendo a mão direita para perto da orelha direita, a ponta dos dedos para cima e a palma para a frente. Ao mesmo tempo, a mão esquerda efetua um movimento giratório em sentido contrário para a esquerda e para trás, a fim de ser trazida de volta ao nível do peito, com a palma virada para baixo. Durante esses movimentos giratórios dos braços, o peito deu um quarto de volta para o norte. Adiante o pé esquerdo para oeste e faça recair sobre ele o peso do corpo. Simultaneamente, roce com a mão esquerda o joelho esquerdo e estenda a mão direita para a frente, ao mesmo tempo em que efetua, de novo, um quarto de volta do peito para oeste, de sorte que ele fique no mesmo plano dos pés. O olhar fixa-se na mão direita.

Utilização

1) Se o adversário atacar com os pés ou as mãos a parte central ou inferior de seu corpo, roce com a mão esquerda o joelho esquerdo para desviar-lhe o golpe e atinja-o no peito com a mão esquerda.

2) Se o adversário se preparar para atacar sua têmpora direita com a mão esquerda, antecipe-se a ele e golpeie-lhe a têmpora com a mão direita. Se ele avançar então a mão direita, puxe-lhe o braço direito para baixo e para a esquerda, enganche-lhe o pé direito com o pé esquerdo e desfira-lhe um golpe no peito com a mão direita.

12) Tocar a "pipa" (shou hui pipa)

Após a postura precedente, dê meio passo para a frente com o pé direito e faça incidir o peso do corpo sobre ele, dobrando o joelho. Adiante o pé esquerdo meio passo, tocando o chão apenas com o calcanhar. É o que se denomina "posição dos pés em forma de caráter *ding*". Simultaneamente, erga os dois braços à altura do peito, com as palmas voltadas uma para a outra, e o braço direito ligeiramente para trás, de sorte que a palma da mão direita fique voltada para o cotovelo esquerdo. Essa postura imita a atitude do músico que toca *pipa*. É semelhante à postura cognominada "a cegonha abre as asas", mas efetua-se à esquerda.

Utilização

Se o adversário atacar seu peito com a mão direita, deixe-o avançar, retraia o peito, cole a mão direita ao pulso direito dele e a esquerda ao cotovelo direito dele. Em seguida, empurrando as mãos em sentido contrário, aplique-lhe uma chave de braço.

13) *Passo para a frente com roçadura do joelho e torção do tronco (lou xi ao bu)*

Id. número 11.

14) *Passo para a frente com roçadura do joelho e torção do tronco executada à esquerda (zuo lou xi ao bu)*

O movimento é idêntico ao precedente, porém efetuado à esquerda.

15) *Passo para a frente com roçadura do joelho e torção do tronco executada à direita (you lou xi ao bu)*

Id. número 11.

16) *Tocar "pipa" (shou hui pipa)*

Id. número 12.

17) *Passo para a frente com roçadura do joelho e torção do tronco à esquerda (zuo lou xi ao bu)*

Id. número 14.

18) *Golpear com o punho à direita (pie shen chui)*

Desloque o peso do corpo para o calcanhar esquerdo e vire a ponta do pé esquerdo para o sul: abaixe a mão direita para a parte inferior esquerda do corpo e feche-a. Em seguida, erga o punho direito para a frente e para a direita, descrevendo um círculo, dando o golpe de cima para baixo, e detenha o punho à altura da fronte; ao mesmo tempo, erga ligeiramente a mão esquerda para trás.

Utilização

O adversário o ataca do lado direito. Você antecipa-se a ele e aplica-lhe uma cotovelada com o cotovelo direito ou um golpe direto com o punho direito.

19) Avançar um passo, desviar para baixo, aparar e dar um soco (jin bu ban lan chui)

Essa postura compõe-se de vários movimentos.

1) Com o peso do corpo apoiado sobre o pé esquerdo, adiante o pé direito e efetue, com o braço direito, um gesto circular de modo a colocar o punho próximo ao quadril direito, com os dedos recurvados voltados para cima. Isso corresponde ao tempo "avançar um passo".

2) Descreva com a mão esquerda um círculo horizontal a fim de colocá-la à frente da parte direita do peito. Isso corresponde ao tempo "desviar para baixo".

3) Como o peso do corpo recai sobre a perna direita, adiante o pé esquerdo e transfira gradualmente o peso do corpo sobre ele. Enquanto desloca o pé esquerdo, estenda a palma da mão esquerda para a frente, a fim de proteger-se de um ataque do adversário, e para apará-lo coloque o antebraço esquerdo paralelamente ao peito. Num movimento de torção a partir da cintura, estenda o punho direito para a frente, com os dedos dobrados voltados para a esquerda. Mova o braço esquerdo ao encontro do punho, até acima do cotovelo direito. Esse tempo do movimento corresponde a "aparar e dar um soco".

Utilização

Com o pé direito, dê um golpe de calcanhar na tíbia do adversário. Se este último desfechar-lhe um soco direto, desvie-o para baixo com a mão esquerda. Se ele conseguir desvencilhar-se e tentar golpear o seu peito, apare o golpe com a mão esquerda, avance o pé esquerdo e desfira-lhe um soco no peito.

20) *Fechamento aparente (ru feng si bi)*

Efetue, a partir da cintura, um movimento de recuo e apóie o peso do corpo na perna direita. Coloque a palma da mão esquerda debaixo do cotovelo direito e afrouxe o punho direito. Em seguida, repila para a frente com todo o corpo, os braços afastados um do outro a uma distância igual à largura dos ombros, com as palmas viradas para fora e transferindo o peso do corpo para a perna esquerda. A última parte dessa postura semelha o movimento "repelir" *(an)*.

Utilização

A partir da postura precedente, se o adversário prender-lhe o punho direito com as mãos, coloque a mão esquerda sob o antebraço direito e ataque o pulso do adversário; a seguir, efetue um movimento de recuo para livrar-se do domínio dele e repila-o com as duas palmas. A impulsão faz-se principalmente de dois modos: empurre-lhe o peito, se o adversário empregou a mão direita para segurar seu punho; e, se ele empregou a mão esquerda, repila-o empurrando-lhe o braço e o ombro.

21) *Levar novamente o tigre para a montanha (bao hu gui shan)*

Essa postura faz-se em três tempos.
1) Partindo da postura precedente, gire o corpo um quarto de volta para a direita (na direção do norte) e, ao mesmo tempo, estenda o braço direito para o alto e para a direita. Recoloque o pé

esquerdo paralelamente ao direito a uma distância igual à da largura dos ombros. Descreva com os braços um círculo para cima e para fora, abaixe-se, sem inclinar o corpo, para a frente e traga os braços cruzados de volta à frente do peito, com as palmas voltadas para dentro. As pernas ficam então na posição chamada "do cavaleiro na sela".

2) Vire o corpo para leste e gire a ponta do pé esquerdo na mesma direção. Apóie o peso do corpo sobre o pé esquerdo e dê um grande passo para trás, na direção sudeste, girando sobre o calcanhar de modo que fique com o pé direito à frente.

3) Transferindo gradualmente o peso do corpo para o pé direito, roce o joelho direito com a mão direita voltada para cima, para colocá-la perto da coxa direita, com a palma virada para baixo, enquanto descreve, com o braço esquerdo, que acompanha o movimento giratório do corpo, um círculo de trás para diante, passando perto do olho, até vir estender-se à sua frente. O olhar permanece fito na mão esquerda.

Utilização

A primeira parte do movimento tem a mesma utilização que a postura "fechamento aparente". Se outro adversário se aproximar por trás e atacar-lhe o lado direito com o punho direito, coloque o pé direito para trás, efetuando ao mesmo tempo, a partir da cintura, um movimento giratório para a direita, afastando-lhe o punho com o braço direito; a seguir, desfeche-lhe um golpe no rosto com a palma esquerda.

22) *Aparar o golpe, puxar para trás, empurrar para a frente, repelir (peng, lü, ji, an)*

Id. números 4, 5, 6 e 7.

23) *O chicote simples em sentido oblíquo (xie danbian)*

Essa postura efetua-se como o chicote simples (número 8), mas com os pés colocados numa posição mais oblíqua em relação aos pontos cardeais. Aqui, os pés devem se voltar para nordeste.

24) *O punho sob o cotovelo (zhoudi chui)*

A partir da postura precedente, o "chicote simples em sentido oblíquo", gire a ponta do pé esquerdo na direção oeste, ao passo que a mão direita e a esquerda acompanham o movimento geral do corpo, que também se volta para oeste. Assim que o peito estiver virado para oeste, coloque o pé direito paralelamente ao esquerdo e apóie o peso do corpo sobre ele. A palma da mão direita, voltada para baixo, efetua um movimento giratório para vir colocar-se diante do peito. Simultaneamente, a palma da mão esquerda vira para trás, a fim de colocar-se próximo ao flanco esquerdo, continua para a frente, passa acima da mão direita e detém-se no alto, com os dedos voltados para cima e a borda da mão para fora. Nesse momento, a mão direita fecha-se em punho, com o espaço entre o polegar e o indicador virado para cima, e vem colocar-se abaixo do cotovelo esquerdo. Ao mesmo tempo, levante o pé esquerdo e adiante-o ligeiramente para a direita, com o calcanhar no chão. Os pés estão na posição do caráter *ding*. O cotovelo deverá estar situado no mesmo plano do joelho.

Utilização

1) O adversário ataca-o com a mão direita. Com o pulso esquerdo, detenha-lhe o pulso direito e afaste-o para a direita. Ao mesmo tempo, com os dedos da mão esquerda voltados para baixo, agarre-lhe, com a ajuda dos dedos, o pulso direito. Se ele atacar de novo com a mão esquerda, procure livrar-se, encostando nele a mão direita a fim de abaixar-lhe a mão esquerda para a esquerda e poder segurar-lhe as duas mãos com a mão direita. Com a mão esquerda livre, ataque o adversário com a palma da mão, visando o rosto ou o pescoço, desferindo-lhe um soco direito no peito.

2) Se o adversário o atacar com a mão direita, agarre-lhe, com a mão esquerda, o cotovelo direito e puxe-o para a frente, ao mesmo tempo em que gira e ergue o pulso esquerdo. Depois, com o pulso direito, golpeie-lhe o peito ou os flancos.

3) O adversário prepara-se para dar-lhe um soco, com o punho esquerdo, na têmpora direita. Detenha-o com a mão esquerda e golpeie-lhe a têmpora esquerda com a mão direita.

25) *Recuar e repelir o macaco (dao nian hou) (à direita)*

Afrouxe o punho direito e efetue, a partir da cintura, um movimento giratório para a direita, enquanto o braço direito descreve um círculo para baixo e para trás, a fim de trazer de volta a mão direita, com a palma virada para baixo, para junto da orelha direita; simultaneamente, estenda o braço esquerdo para a frente, com a palma para baixo. Dê um passo para trás com o pé esquerdo e faça recair, progressivamente, o peso do corpo sobre ele: o joelho esquerdo está dobrado e a perna direita, quase estendida. Durante o deslocamento do pé, vire a palma esquerda para cima e recue a mão até junto ao quadril esquerdo, ao passo que o braço direito se distende da orelha para a frente, com a palma virada para baixo.

26) *Recuar e repelir o macaco (à esquerda)*

Efetue, a partir da cintura, um movimento giratório para a esquerda, enquanto o braço esquerdo descreve um círculo, a partir do quadril esquerdo, a fim de trazer de volta a mão esquerda para perto da orelha esquerda, com a palma voltada para baixo. Recue um passo com o pé direito e apóie o peso do corpo sobre ele. Du-

rante o deslocamento do pé, leve a mão direita para junto do quadril direito, com a palma para cima, esticando ao mesmo tempo a mão esquerda, da orelha para a frente, com a palma virada para baixo.

Utilização

1) Serve tanto para o número 25 como para o 26. Se o adversário o atacar violentamente com a mão direita, recue o pé esquerdo, abaixe a mão esquerda para desviar o golpe, e golpeie-lhe o rosto com a direita.

2) Se, a partir da postura precedente, o adversário imobilizou, com a mão esquerda, o seu punho direito sob o cotovelo e, com a mão direita, a sua mão esquerda, estenda a palma esquerda para a frente enquanto recua o pé esquerdo e traga para junto de você o braço esquerdo. Abra o punho direito e, com um movimento giratório da cintura, ataque em direção frontal.

27) O vôo oblíquo (xie fei shi)

Vire a palma da mão direita para cima e traga-a para junto da perna esquerda, enquanto coloca a mão esquerda diante do peito, com a palma voltada para baixo, de modo que as mãos pareçam estar segurando uma bola, com a direita embaixo, com a palma virada para cima, e a esquerda em cima, com a palma virada para baixo. Vire a ponta do pé esquerdo para dentro (norte), apóie o peso do corpo sobre esse pé, dê um passo largo para trás com o pé direito, obliquamente, girando sobre o calcanhar de modo que venha a encontrar-se com o pé direito na frente. Durante o movimento giratório do corpo para nordeste, os braços se separam: o esquerdo desce ao longo da perna esquerda, com a palma voltada para trás, e o direito se estende obliquamente para nordeste, colocando-se à altura do joelho direito, com a mão no nível do queixo, a palma dirigida para cima. O olhar acompanha a mão direita.

Utilização

Se, depois da postura precedente, o adversário afastar a palma direita com a esquerda, ataque-lhe a parte superior do peito com a ponta dos dedos da mão esquerda. Se o adversário segurar-lhe a mão com a esquerda, faça com a direita um movimento de baixo para cima a fim de afastar e transformar o ataque.

28) *Erguer as mãos (ti shou shangshi)*

Id. número 9.

29) *A cegonha abre as asas (bai-e liang chi)*

Id. número 10.

30) *Dar um passo à frente com roçadura do joelho e torção do tronco (lou xi ao bu)*

Id. número 11.

31) *A agulha no fundo do mar (haidi zhen)*

Com o peso do corpo apoiado na perna esquerda, dê meio passo para a frente com o pé direito e traga o pé esquerdo para junto do direito, tocando o chão apenas com a ponta do pé. Abaixe o braço direito, com a palma voltada para a esquerda e a ponta dos dedos nas proximidades do pé esquerdo. A mão esquerda defende o rosto de algum ataque vindo da direita. Os olhos fixam-se à frente.

Utilização

1) O adversário abaixa a mão direita com a esquerda e prepara-se para atacar-lhe a cabeça com a destra. Portanto, proteja a cabeça com o antebraço esquerdo e afaste o braço direito do adversário. Com a destra, agarre-lhe o pulso ou o cotovelo direito e, recuando, puxe-o para baixo. Se ele reagir para cima, acompanhe-lhe a reação, atacando-o com a postura seguinte, "como um leque".

2) O adversário prende seu pulso direito com o pulso direito. Coloque a mão esquerda sobre o dorso da mão direita dele. Vire a palma da mão direita para a esquerda, recue e abaixe-se. Esse movimento desvencilhará com facilidade o pulso direito e, se o adversário o acompanhar, ficará desequilibrado.

32) Como um leque (shan tong bei)

Após a postura "a agulha no fundo do mar", reerga o corpo. Estenda a mão direita para o alto, colocando-a perto da têmpora direita, com a palma virada para fora. Simultaneamente, erga a mão esquerda ao nível do peito e estique-a para a frente, com a palma virada para a direita, enquanto dá um passo para a frente (oeste) com o pé esquerdo, apoiando o peso do corpo sobre ele. Mantenha o olhar fixo na mão esquerda.

Utilização

Você agarrou a mão direita do adversário com a mão direita; se ele reagir para cima e erguer o braço direito, acompanhe-o, pressionando para o alto e para fora, para proteger-se de um ataque da mão esquerda; ao mesmo tempo, adiante o pé e a mão esquerdos e, com um movimento a partir da cintura, ataque-lhe o peito.

33) Voltar-se e dar um soco (zhuan chen pie shen chui)

1) Volte a cintura e as pernas para o norte, enquanto a ponta do pé esquerdo acompanha o movimento giratório. As mãos estão colocadas do lado direito do corpo e a direita fecha-se em punho (o espaço entre o polegar e o indicador está voltado para cima). Si-

multaneamente, a palma esquerda vem colocar-se diante da testa para aparar um eventual golpe contra essa região.

2) A seguir, as duas mãos descrevem um círculo para cima e para a direita, com o pé direito meio passo à frente, na direção do lado direito. Volte, então, o punho direito, com os dedos dobrados para o alto a fim de descarregar um golpe, coloque a mão esquerda sob a face interna do braço direito e recoloque o punho direito junto da cintura à direita, enquanto desfecha um ataque frontal com a palma esquerda.

Utilização

Se o adversário atacar do lado direito, vire-se para a direita, ataque a princípio horizontalmente com o cotovelo direito. A seguir, desfira um soco direto para aparar o golpe do adversário e aproveite a posição para atacar-lhe o rosto com a palma esquerda.

34) *Avançar um passo, desviar para baixo, aparar o golpe e dar um soco (jin bu ban lan chui)*

Id. número 19.

35) *Aparar o golpe, puxar para trás, empurrar para a frente, repelir (peng, lü, ji, an)*

Id. números 4, 5, 6 e 7.

36) *O chicote simples (danbian)*

Id. número 8.

37) Mover as mãos como nuvens (yun shou)

Após a postura intitulada "o chicote simples", descreva com o braço direito um círculo no sentido horário em coordenação com um movimento giratório do peito para a direita, enquanto o braço esquerdo se abaixa lentamente num movimento circular.

Enquanto aproxima o pé direito do esquerdo, o braço direito continua seu movimento circular até se estender para a direita, ao passo que o braço esquerdo é reconduzido à frente do peito.

Afaste o pé esquerdo paralelamente ao direito na direção da esquerda (oeste), até atingir uma distância igual à largura dos ombros. A mão esquerda continua o movimento circular no sentido anti-horário e vem ficar diante do rosto, com a palma voltada para dentro; o braço direito continua o movimento circular no sentido horário, até o nível do abdômen.

Repete-se o movimento em geral três vezes. O ponto importante nessa postura é o movimento giratório da cintura na direção do braço em extensão; a cabeça gira acompanhando o movimento do corpo e os olhos seguem os movimentos circulares dos braços. As pernas ficam na posição do cavaleiro na sela.

Utilização

Esse movimento consiste em aparar e repelir um ataque qualquer do adversário.

38) O chicote simples (danbian)

Id. número 8.

39) Com a mão erguida, acariciar o cavalo (gao tan ma)

Depois da postura chamada "o chicote simples", dê meio passo para a frente com o pé direito. Vire a mão direita, para trás e para cima, com a palma voltada para baixo, a fim de voltar para a frente, ao mesmo tempo em que aproxima o pé esquerdo do direito, tocando o chão somente com a ponta do pé, e abaixe a mão esquerda, com a palma voltada para cima, junto à coxa esquerda. As pernas estão na posição do caráter *ding*.

Utilização

Segure a mão esquerda do adversário com a mão esquerda e ataque-lhe o rosto com a palma direita.

40) Afastar o pé direito (you fen jiao)

Estique o braço para a frente e para a direita, execute o movimento "puxar para trás" e recoloque as mãos cruzadas diante do peito, com as palmas para dentro e a mão esquerda para fora. Dê meio passo para a esquerda com o pé esquerdo e faça o peso do corpo incidir sobre ele. Adiante o pé direito ao nível do pé esquerdo, tocando o chão apenas com a ponta do pé; em seguida, dê um pontapé com o pé direito, erguendo a perna oblíqua e horizontalmente (na direção do noroeste). Durante o pontapé, torne a virar as palmas para fora e afaste os braços à direita e à esquer-

da, até a altura dos ombros. Mantenha o olhar na mão direita.

Utilização

1) O adversário prepara-se para segurar a sua mão direita com a mão esquerda. Segure-lhe, então, o pulso esquerdo com a mão esquerda. Colocando a mão direita sobre o cotovelo esquerdo do adversário, puxe-lhe, com as duas mãos, o braço esquerdo para trás; se ele fizer um movimento de recuo, afaste as mãos à direita e à esquerda e, com a ponta do pé direito, desfira-lhe um pontapé no joelho ou no baixo-ventre.

2) O seu braço esquerdo está seguro pelo adversário. Efetue um movimento giratório da cintura e coloque a mão direita sobre o cotovelo esquerdo dele. Em seguida, com a ponta do pé direito, golpeie-lhe o flanco, puxando-o com ambas as mãos ao mesmo tempo em sua direção.

41) Afastar o pé esquerdo (zuo fen jiao)

Descanse o pé direito, fazendo recair o peso do corpo sobre ele, e puxe os braços para a direita e para trás; a seguir, recoloque as mãos cruzadas diante do peito, com as palmas voltadas para dentro. Aproxime o pé esquerdo do direito, tocando o chão apenas com a ponta do pé; desfeche, em seguida, um pontapé com a ponta do pé esquerdo, levantando a perna oblíqua e horizontalmente (na direção sudoeste). Durante o pontapé, torne a virar as palmas para fora e afaste os braços à direita e à esquerda até a altura dos ombros. Mantenha o olhar na mão esquerda.

Utilização

Id. pontapé com o pé direito.

42) Virar-se e dar um golpe de calcanhar (zhuan sheng deng jiao)

Recoloque o pé esquerdo junto ao direito, mas sem pousá-lo no chão, torne a cruzar as mãos diante do peito, com as palmas voltadas para dentro e o braço direito para fora. Gire sobre o calcanhar direito dando meia-volta para a esquerda, virando-se para o leste. Desfira um golpe de calcanhar com o pé esquerdo obliquamente, para cima e para a esquerda, e afaste os braços à direita e à esquerda até a altura dos ombros. Mantenha o olhar na mão esquerda. Nesse movimento, o golpe atinge mais alto do que nas posturas anteriores.

Utilização

Se o adversário o atacar por trás, vire-se e golpeie-lhe o ventre ou o peito com o pé esquerdo enquanto protege a perna esquerda com a mão esquerda ou golpeia o adversário no rosto.

43) Passo para a frente com roçadura do joelho e torção do tronco (lou xi ao bu)

Id. número 11.

44) Avançar um passo e desferir um soco de cima para baixo (jin bu cai chui)

Jogue o peso do corpo para trás, vire a ponta do pé direito num ângulo de noventa graus para a direita (no rumo do sul), ao mesmo tempo em que a cintura e as pernas executam um movimento giratório para a direita e para trás. A mão direita acompanha o movimento da cintura e descreve um círculo horizontal para fora, enquanto se fecha em punho (com o espaço entre o polegar e o indicador voltado para cima) e detém-se contra o lado direito da cintura. Simultaneamente, a mão esquerda segue o movimento giratório para a direita da cintura e das pernas até ficar diante do peito. Dê, então, um passo à frente com o pé esquerdo (em direção do leste) e faça incidir, progressivamente, o peso do corpo sobre ele, enquanto a mão direita vem roçar o joelho dessa perna e colocar-se ao lado dele; ao mesmo tempo, desfira um soco com o punho direito, de cima para baixo, e estenda progressivamente a perna direita.

Utilização

O adversário desfere-lhe, com o calcanhar do pé esquerdo, um golpe no ventre ou ataca-lhe o peito com o punho direito. Afaste o ataque com um movimento da mão direita, de cima para a esquerda. O adversário se abaixará forçosamente à esquerda, e você aproveitará a situação para avançar o pé esquerdo, roçar o joelho com a mão esquerda e desfechar-lhe um soco, para baixo, com o punho direito.

45) *Voltar-se e dar um soco (zhuan shen pie shen chui)*

Endireitando o corpo e reerguendo as mãos até o nível da cintura, gire, dando meia-volta para a direita, e continue o movimento como na postura precedente.

Utilização

Idêntica à do movimento precedente.

46) *Avançar um passo, desviar para baixo, aparar o golpe e dar um soco (jin bu ban lan chui)*

Id. número 19.

47) *Dar um pontapé para cima com o pé direito (you ti jiao)*

Vire ligeiramente a ponta do pé esquerdo para a esquerda e faça recair o peso do corpo sobre esse pé. As duas mãos, com as palmas abertas, separam-se simultaneamente à direita e à esquerda, descem até abaixo do ventre, tornam a subir, cruzando-se, com as palmas para dentro. Dê meio passo para a frente com o pé direito, tocando o chão apenas com a ponta do pé. Desfira um pontapé com o pé direito na direção do canto oblíquo direito (noroeste) e separe as mãos à direita e à esquerda.

Utilização

Você pode golpear, com o pé direito, o pulso, o cotovelo ou as axilas do adversário.

Nesse ponto do encadeamento, Chen Yanlin diz que havia outrora dois movimentos que foram suprimidos por serem de execução muito difícil, e que se intitulavam "virar-se e dar um salto" e "golpear o tigre à direita".

48) *Golpear o tigre à esquerda (zuo da hu)*

Depois do pontapé desferido com o pé direito, pouse-o no chão, mais ou menos à altura do esquerdo. Avance este último para a esquerda, enquanto a mão direita e a esquerda descrevem simultaneamente um círculo para a esquerda e para trás, até o nível do flanco esquerdo, depois tornam a subir para a direita e fecham o círculo na direção da esquerda. A palma da mão direita detém-se diante do peito, onde se fecha em punho (com o espaço entre o polegar e o indicador voltado para dentro). A palma da mão esquerda continua o círculo e detém-se diante da parte esquerda da testa, onde se fecha em punho. Seguindo o movimento giratório da cintura e das pernas, o corpo gira para a esquerda, ao passo que o punho direito se desloca horizontalmente para a esquerda até ficar diante do flanco esquerdo, e a perna esquerda se dobra progressivamente, recebendo o peso do corpo.

Utilização

1) O adversário ataca seu peito com a mão esquerda. Evite-o, virando o corpo de lado, e, com a mão direita, segure-lhe o pulso direito (ou o cotovelo) e, em seguida, torça-o para a esquerda e para baixo; ataque-o simultaneamente na têmpora direita com o punho esquerdo.

2) O adversário empurra seu cotovelo esquerdo com a mão direita e desfere-lhe um golpe com o ombro direito, no flanco esquerdo. Erguendo a mão direita, agarre-lhe o cotovelo direito, coloque o pé esquerdo atrás do corpo dele e desfira-lhe um soco nas costas com o punho esquerdo.

49) Golpear o tigre à direita (you da hu)

Após a postura precedente, erga o pé direito e dê meio passo para a direita e para trás. Seguindo o movimento giratório da cintura para a direita, com os punhos levemente abertos, as duas mãos descrevem arcos de círculos no sentido anti-horário. A mão esquerda vira até ficar diante do peito, onde se fecha em punho (a "boca do tigre" dirigida para o interior). A mão direita continua a descrever o círculo e se detém defronte do lado direito do rosto, onde se fecha em punho. Seguindo o movimento giratório da cintura e das pernas, o corpo se volta para a direita, ao passo que o punho esquerdo se desloca horizontalmente para a direita, até ficar diante do flanco direito, e a perna direita se dobra progressivamente e o peso do corpo recai sobre ela.

Utilização

Idêntica à do movimento precedente.

50) Desferir um pontapé com o pé direito para o alto (you ti jiao)

Id. número 47.

51) Golpear as orelhas do adversário com os punhos (shuangfeng guan er)

Depois do pontapé com o pé direito, traga de volta esse pé para junto do esquerdo, sem tocar o chão, com o joelho dobrado e a ponta do pé dirigida para baixo. Apóie o peso do corpo sobre a perna esquerda. Os braços devem ficar paralelos, ao nível do joelho, com as palmas para cima. Abaixe-os de cada lado do joelho direito, avance o pé direito e apóie sobre ele o peso do corpo, ao mesmo tempo em que os braços continuam a descrever um círculo para trás e tornam a voltar para a frente. Quando as mãos estiverem no nível do rosto, feche-as em punho, com os dedos dobrados para fora e a "boca do tigre" dirigida para baixo, como para golpear as orelhas do adversário.

Utilização

O adversário ataca seu peito com ambas as mãos. Coloque o dorso das mãos sobre as dele e afaste-as à direita e à esquerda, abaixe-se e golpeie-lhe as orelhas ou as têmporas com as mãos fechadas.

52) Dar um pontapé para cima com o pé esquerdo (zuo ti jiao)

Id. número 47, mas executado à esquerda.

53) Virar-se e desfechar um golpe de calcanhar (zhuan chen deng jiao)

Id. número 42.

54) Golpear com o punho à direita (pie shen chui)

Id. número 18.

55) *Dar um passo à frente, desviar para baixo, aparar o golpe e desferir um soco (jin bu ban lan chui)*

Id. número 19.

56) *Fechamento aparente (ru feng si bi)*

Id. número 20.

57) *Levar de novo o tigre à montanha (bao hu gui shan)*

Id. número 21.

58) *Aparar o golpe, puxar para trás, empurrar para a frente e repelir (peng, lü, ji, an)*

Id. números 4, 5, 6 e 7.

59) *O chicote simples (danbian)*

Id. número 18.

60) *Separar a crina do cavalo selvagem à direita (yema fen zong)*

Após a postura de "o chicote simples", traga de volta o pé direito para junto do esquerdo, coloque a mão esquerda perto da face direita, com a palma voltada para fora, a fim de proteger-se de um golpe dirigido ao rosto. Coloque a mão direita perto do joelho esquerdo, com a palma voltada para a esquerda. Seu olhar estará dirigido para leste. O peso do corpo incide sobre o pé esquerdo. Avance o direito obliquamente para sudeste e transfira o peso do corpo para ele. Durante o deslocamento do corpo, separe os braços, fazendo o braço esquerdo descer ao longo da perna esquerda e o direito estender-se para o alto e para a direita a fim de chegar ao nível da testa, com o braço no plano do joelho direito.

Utilização

O adversário ataca-o com a mão esquerda. Com a mão esquerda, afaste-a para a direita e depois abaixe-a para a esquerda. Enquanto você lhe retém a mão, avance o pé direito para trás do pé esquerdo dele e ataque-lhe a axila esquerda com o braço direito.

61) *Separar a crina do cavalo selvagem à esquerda (yema fen zong)*

Movimento igual ao precedente, porém executado à esquerda.

62) *Separar a crina do cavalo selvagem à direita (yema fen zong)*

Id. número 60.

63) *Agarrar a cauda do pássaro à esquerda (zuo len quewei)*

Id. número 3.

64) *Aparar o golpe, puxar para trás, empurrar para a frente, repelir (peng, lü, ji, an)*

Id. números 4, 5, 6 e 7.

65) *O chicote simples (danbian)*

Id. número 8.

66) *A donzela de jade tece e empurra a naveta (yunü chuan suo)*

Esse movimento será repetido quatro vezes, em cada uma das direções colaterais.

O pé esquerdo gira sobre o calcanhar para a direita, ao passo que a mão esquerda e a direita descem em curva à sua frente. Transfira o peso do corpo para o pé esquerdo, erga o pé direito e aproxime-o meio passo do esquerdo, enquanto a mão direita vem

ficar acima do joelho direito e a esquerda, sob o cotovelo direito. Dê um passo oblíquo para a frente com o pé esquerdo (na direção do nordeste) e faça recair, progressivamente, o peso do corpo sobre ele. Ao mesmo tempo, erga o braço esquerdo acima da cabeça, com a palma voltada para fora, ao passo que a palma da mão direita, colocada sob o antebraço esquerdo, se estende obliquamente para a frente. Os olhos fitam à frente.

Utilização

Ela se segue à da postura anterior, "o chicote simples".
1) O adversário ataca-o por trás e do lado direito com a mão direita. Você evita o ataque voltando-se e avançando a mão direita. Se o adversário erguer o braço, aproveite-se disso para aparar e erguer-lhe o punho direito com a ajuda do antebraço esquerdo, avançando, ao mesmo tempo, o pé direito e depois o esquerdo, que lhe bloqueia o calcanhar direito, e pressionar-lhe o peito com a sua palma direita.
2) O adversário ataca-lhe o peito com a mão direita. Com a destra, torça-lhe o pulso direito desfechando-lhe com o pé direito um pontapé no joelho direito. Se ele recuar o pé direito a fim de evitar o golpe, aproveite a postura para avançar o pé esquerdo, aparar-lhe o braço direito com o braço esquerdo, e atacar-lhe, ao mesmo tempo, o peito com a mão direita.

67) *A donzela de jade tece e empurra a naveta (yunü chuan suo)*

O mesmo movimento, porém executado na direção noroeste.

68) *A donzela de jade tece e empurra a naveta (yunü chuan suo)*

O mesmo movimento, mas executado na direção sudoeste.

69) *A donzela de jade tece e empurra a naveta (yunü chuan suo)*

O mesmo movimento, mas executado na direção sudeste.

70) *Agarrar a cauda do pássaro à esquerda (zuo lan quewei)*

   Id. número 3.

71) *Aparar o golpe, puxar para trás, empurrar para a frente, repelir (peng, lü, ji, an)*

   Id. números 4, 5, 6 e 7.

72) *O chicote simples (danbian)*

   Id. número 8.

73) *Mover as mãos como nuvens (yun shou)*

   Id. número 37.

74) *O chicote simples (danbian)*

   Id. número 8.

75) *A serpente que rasteja (sheshen xia shi)*

Depois da postura "o chicote simples", vire a ponta do pé direito vinte e cinco graus para fora, apóie o peso do corpo sobre esse pé e, com o joelho fletido, agache-se sobre a perna direita, estendendo a esquerda. O braço direito permanece na posição inicial, com a mão em gancho, ao passo que a mão esquerda se abaixa ao longo da perna esquerda, com a palma voltada para fora: o tronco estará voltado para o norte. Erga-se para a frente girando o corpo num ângulo de noventa graus, a fim de colocar o tronco voltado para oeste, ao passo que o braço esquerdo ladeia a perna esquerda e o peso do corpo se transfere progressivamente para o pé esquerdo.

Utilização

O adversário ataca-o com a mão direita. Segure-a com a mão esquerda e puxe-a para baixo. Se ele atacá-lo de novo, golpeando-lhe a têmpora com a mão esquerda, apare-a com a mão direita e mantenha-a embaixo. Estando o adversário com as duas mãos imobilizadas, desfira-lhe um pontapé no baixo-ventre.

76) *O faisão dourado apóia-se em uma pata (jinji du li)*

Este movimento é a continuação do precedente. Ao erguer-se, o peso do corpo recai progressivamente sobre a perna esquerda. Leve então a mão direita para perto da coxa direita, levante o joelho direito, com a coxa na horizontal e a ponta do pé voltada para baixo. Eleve o braço abaixo do joelho, com a extremidade dos dedos voltadas para o alto e a palma, para a esquerda; simultaneamente, abaixe o braço esquerdo próximo da perna esquerda, com a palma voltada para trás. O corpo fica assim equilibrado sobre o pé esquerdo.

Utilização

É consecutiva à da postura precedente, "a serpente que se arrasta". Como você havia dominado as duas mãos do adversário, ele recua e tenta bater de cima para baixo com a mão esquerda. Você a segura ainda mais firmemente e lhe aplica ao mesmo tempo um golpe de joelho no baixo-ventre.

77) *O faisão dourado mantém-se sobre uma pata (à esquerda)*

Movimento igual ao precedente, porém executado à esquerda.

78) *Recuar e repelir o macaco (dao nian hou)*

Id. número 25.

79) *O vôo oblíquo (xie fei shi)*

   Id. número 27.

80) *Erguer as mãos (ti shou shangshi)*

   Id. número 9.

81) *A cegonha abre as asas (bai-e liang chi)*

   Id. número 10.

82) *Passo à frente com roçadura do joelho e torção do tronco (lou xi ao bu)*

   Id. número 11.

83) *A agulha no fundo do mar (haidi zhen)*

   Id. número 31.

84) *Como um leque (shan tong bei)*

   Id. número 32.

85) *A serpente branca dardeja a língua (baishe tu xin)*

Da postura precedente, em que você estava voltado para oeste, gire a ponta do pé esquerdo para dentro e dê meio passo com o pé direito na direção sudeste. Simultaneamente, descreva com a mão direita um círculo da frente para trás, a fim de colocá-la perto do quadril direito, onde ela se fecha em punho, com os dedos dobrados para cima. Seguindo o movimento giratório da cintura, gire a mão esquerda até colocá-la defronte do peito, depois leve-a para a frente, com a palma voltada para fora.

Em seguida, abra a mão direita, com a palma voltada para cima e os dedos para a frente, como a serpente que dardeja a língua.

Utilização

Semelhante à do movimento "golpear e dar um soco", com uma diferença: os dedos, aqui muito flexíveis, atacam o alto do peito ou os flancos do adversário com uma rapidez e uma violência decisivas. Uma das posturas mais ofensivas, podendo ferir seriamente o adversário. Chen Yanlin recomenda aos adeptos que não a utilizem, acrescentando, por outro lado, que os mestres raramente se dispõem a explicar o movimento.

86) *Dar um passo para a frente, desviar para baixo, aparar o golpe e desferir um soco (jin bu ban lan chui)*

Id. número 19.

87) *Aparar o golpe, puxar para trás, empurrar para a frente, repelir (peng, lü, ji, an)*

Id. números 4, 5, 6 e 7.

88) *O chicote simples (danbian)*

Id. número 8.

89) *Mover as mãos como nuvens (yun shou)*

Id. número 37.

90) *O chicote simples (danbian)*

Id. número 8.

91) *Com a mão levantada, acariciar o cavalo (gao tan ma)*

Id. número 39.

92) *Mãos cruzadas (shizi shou)*

Cruze as mãos diante do peito, com as palmas para dentro, a mão direita para fora, enquanto dá meio passo com o pé esquerdo e coloca a mão direita sob o cotovelo esquerdo.

93) *Voltar-se e cruzar as pernas (zhuan shen shizi tui)*

Vire o corpo e a ponta do pé esquerdo para a direita, desfira um golpe com a planta do pé direito, ao mesmo tempo em que separa as mãos à direita e à esquerda até a altura dos ombros.

Utilização

Idêntica à dos outros pontapés. Segundo Chen Yanlin, no antigo encadeamento, esse movimento se efetuava de maneira diferente: no momento de virar para a direita, desfechávamos o pontapé e colocávamos as duas mãos no prolongamento dos ombros.

94) *Roçar o joelho e dar um soco na região púbica do adversário (lou xi zhi dang chui)*

Depois do pontapé desferido com o pé direito, descanse um pouco esse pé à frente do esquerdo. Vire o corpo e a ponta do pé direito para a direita; a destra acompanha e descreve um círculo

horizontal para a direita a fim de vir colocar-se próximo ao quadril direito, onde se fecha em punho (a "boca do tigre" está dirigida para o alto). Simultaneamente, a sinistra vira para a direita até colocar-se diante do peito, com a palma voltada para dentro. Apoiando o peso do corpo sobre o pé direito, avance o esquerdo e transfira para ele, progressivamente, o peso do corpo. Durante o deslocamento do pé esquerdo, a mão esquerda roça o joelho esquerdo e vem colocar-se na parte externa deste último, com a palma voltada para baixo, ao mesmo tempo em que o punho direito se estende para a frente.

A diferença entre essa postura e a de "dar um passo à frente e desferir um soco de cima para baixo" *(jin bu cai chui)* é que, nesta última, o soco é dirigido para baixo, ao passo que, aqui, se aplica pouco abaixo da cintura.

Utilização

Idêntica à do movimento "dar um passo à frente e desferir um soco de cima para baixo".

95) *Aparar o golpe, puxar para trás, empurrar para a frente, repelir (peng, lü, ji, an)*

Id. números 4, 5, 6 e 7.

96) *O chicote simples (danbian)*

Id. número 8.

97) *A serpente que rasteja (sheshen xia shi)*

Id. número 75.

173

98) Dar um passo à frente e formar o sete-estrelo (shangbu qising)

Depois da postura intitulada "a serpente que rasteja", endireite-se progressivamente e apóie o peso do corpo sobre a perna esquerda. Coloque o pé direito um pouco à frente do esquerdo, tocando o chão unicamente com a ponta do pé. Ao mesmo tempo, recoloque os braços defronte do peito e cruze os punhos.

Utilização

O adversário o ataca com a mão direita. Endireite-se e, com os dois punhos, apare e detenha o ataque. Simultaneamente, dê-lhe um pontapé no baixo-ventre. Ou, então, detenha o ataque com o punho esquerdo e execute uma ação ofensiva com o direito.

99) Recuar e cavalgar o tigre (tui bu kua hu)

Recue o pé direito e apóie o peso do corpo sobre ele; em seguida, dê meio passo para trás com o pé esquerdo, tocando o chão apenas com a ponta do pé. Durante o deslocamento do pé esquerdo, abra os punhos, erga a mão direita diante da testa, com a palma voltada para baixo, enquanto a mão esquerda desce para o lado esquerdo, com a palma voltada para trás.

Utilização

Idêntica à do movimento chamado "a cegonha abre as asas".

100) Voltar-se e varrer o lótus (zhuan shen bai lian)

Deixe cair o braço direito para a direita e recoloque-o junto do lado esquerdo da cintura. Enquanto o pé esquerdo descansa sobre os dedos, faça um giro de trezentos e sessenta graus para a direita sobre o pé direito, com os braços estendidos para a frente, no alinhamento dos ombros; coloque o pé esquerdo ao lado do direito e apóie o peso do corpo sobre ele. A seguir, desfira com o pé direito um pontapé horizontal, de modo que a parte superior do pé roce as mãos erguidas no nível da cintura. Não abaixe as mãos na direção do pé, mas erga bem o pé até as mãos.

Utilização

Com a mão direita, torça o pulso direito do adversário e coloque a mão sobre o antebraço direito dele. Se ele avançar, desvie-o para a direita e erga o pé direito para desfechar-lhe um pontapé no flanco direito ou na cintura.

101) Atirar no tigre com o arco (wan gong she hu)

Com o peso do corpo apoiado sobre o pé esquerdo, avance o pé direito e transfira para ele, progressivamente, o peso do corpo. Durante o deslocamento do pé, as mãos viram para a direita e para trás e se detêm, a mão direita perto da têmpora direita, a esquerda, no nível do peito. Feche os punhos, de sorte que as duas "bocas do tigre" fiquem defronte uma da outra, e faça um leve movimento dos punhos para a frente e para a esquerda.

Utilização

Após a postura precedente, o adversário recua. Aplique as duas mãos nas dele e vire-as para a direita; em seguida, ataque com os dois punhos.

102) Dar um soco à direita (pie shen chui)

Id. número 18.

103) Dar um passo à frente, desviar para baixo, aparar o golpe e dar um soco (jin bu ban lan chui)

Id. número 19.

104) Fechamento aparente (ru feng si bi)

Id. número 20.

105) Fechamento do Taiji (he Taiji)

Após a postura "fechamento aparente", abra os braços à direita e à esquerda e dê um quarto de volta para a direita a fim de quedar-se com o olhar fixo na direção norte. Deixe o pé esquerdo paralelo ao direito. Descreva com os braços dois círculos para o alto e para fora; abaixe-se para a frente, sem inclinar o corpo, e coloque, ao mesmo tempo, os braços cruzados defronte do peito, com as palmas voltadas para dentro. A seguir, erga-se devagar, deixe pender os braços ao longo do corpo, com a palma voltada para trás. Enquanto abaixa os braços, erga o pé direito para reaproximá-lo meio passo do esquerdo. A distância entre os dois pés será então igual à largura dos ombros, como na primeira postura, "começo". Finalmente, junte os pés. Teoricamente, você deverá estar na posição em que iniciou os exercícios.

2. A PRESSÃO DAS MÃOS (TUI SHOU)

Estes exercícios a dois destinam-se, particularmente, à aplicação dos movimentos de encadeamento no combate. Entretanto, ainda que não trabalhemos o aspecto marcial do Taiji quan, tais exercícios oferecem múltiplas vantagens. Citemos algumas: permitem-nos adquirir melhor coordenação motora, aprender a perceber melhor o contendor e o modo com que nos colocamos em relação ao mundo exterior, e estimulam o interesse das pessoas que encontram dificuldades no aprendizado de movimentos lentos, notadamente as crianças.

A expressão "pressão das mãos" *(tui shou)* só foi empregada após o desenvolvimento da escola Yang. A escola Chen preferia usar as expressões "esfregar as mãos" *(nie shou)* ou "bater-se com as mãos" *(da shou)*. Por meio desses exercícios, o Taiji quan teria, com efeito, assimilado as técnicas das artes marciais populares praticadas no templo dos Ming, enquanto desenvolvia a idéia de complementaridade dos dois adversários e dos movimentos em espiral.

Todos os exercícios de pressão das mãos têm por base os quatro movimentos principais do Taiji quan, que correspondem aos quatro pontos cardeais e aos quatro trigramas Qian, Kun, Kan e Li. São eles: aparar o golpe *(peng)*, puxar para trás *(lü)*, empurrar para a frente *(ji)* e repelir *(an)*.

1) Pressão das mãos com os pés fixos (ding bu tui shou)

Há duas posições fundamentais dos pés dos dois contendores. A primeira chama-se "posição dos pés reunidos" *(he bu)*: os adversários, frente a frente, avançam o mesmo pé, por exemplo, o direito. A segunda se chama "posição dos pés que se seguem" *(shun bu)*: os adversários avançam o pé contrário; assim, se A avançar o direito, B o fará com o esquerdo, e vice-versa. Antigamente utilizava-se, de preferência, a segunda posição, ao passo que a escola Yang utiliza mais freqüentemente a primeira.

Assumindo uma ou outra posição dos pés, pode o aprendiz, antes de fazer uso dos dois braços, exercitar-se com um braço só. Os adversários encontram-se, então, frente a frente, em contato por um ponto da face externa do antebraço direito. Descrevem com esse ponto de contato um círculo horizontal, aprendendo a colar-se e a seguir um ao outro enquanto procuram desequilibrar-se mutuamente.

O exercício da pressão das mãos efetua-se com as duas mãos. Os dois contendores estão frente a frente, com o pé direito adiantado. A (figura cinza) faz pressão com o antebraço esquerdo sobre as duas mãos de B, que estão na posição de "repelir" *(an)*. A descreve com o antebraço esquerdo um arco de círculo para o alto e para a esquerda, a fim de opor-se ao ataque de B: utiliza, portanto, o movimento "aparar o golpe" *(peng)*.

Após o término do movimento de aparar o golpe, A puxa B para trás *(lü)* colocando a mão esquerda sobre o pulso esquerdo de B e o antebraço direito sobre o braço esquerdo de B; voltando-se para a esquerda, A puxa B para trás.

Mas, no momento em que é puxado, B transforma a posição do antebraço esquerdo e exerce o movimento de empurrar para a frente sobre A. Este último se vê, por seu turno, obrigado a transformar a sua posição, deslocando a pressão de B para a direita.

Depois de haver transformado a sua posição, A repele. Coloca a mão direita sobre o punho direito de B e a esquerda, sobre o cotovelo direito de B, e repele para a frente.

Quando B é repelido por A, puxa para trás o braço de A, o qual, por sua vez, fará pressão para a frente *(ji)*. Os quatro movimentos foram empregados, e agora B fará os movimentos já executados por A.

Na pressão das mãos, a direção do olhar é importante: olhe bem para trás quando puxar para trás e para a frente quando repelir ou empurrar para a frente.

2) Pressão das mãos, com os pés móveis (huo bu tui shou)

Neste exercício, os pés se deslocam, em geral, da frente para trás. Por exemplo, A repele, com as duas mãos, o antebraço direito de B e dá, ao mesmo tempo, meio passo para a frente com o pé direito, enquanto B dá meio passo para trás com o pé direito para transformar o ataque. A avança, então, o pé esquerdo, depois o direito e pressiona ou repele B, que transforma o ataque, dá meio passo para a frente com o pé direito e repele o antebraço direito de A. Chega a vez de este último dar meio passo com o pé esquerdo, e os dois adversários recomeçam. De qualquer maneira, o que avança, avança dois passos e meio, e o que recua, recua outro tanto. A dificuldade do exercício reside na coordenação temporal dos pés e das mãos; o principiante terá, de fato, tendência para deslocar os pés mais rapidamente do que as mãos, ou vice-versa.

3. O GRANDE DESLOCAMENTO (DA LÜ)

Esse exercício também se chama "pressão das mãos nos quatro pontos colaterais". Compreende os quatro movimentos que correspondem aos quatro pontos colaterais e aos quatro trigramas Xun, Gen, Dui, Zhen. São eles: torcer *(cai)*, torcer para baixo *(lie)*, dar uma cotovelada *(zhou)* e dar um golpe com o ombro *(kao)*.

Os movimentos são mais amplos do que na pressão das mãos e maiores os deslocamentos dos pés. Os quatro movimentos se efetuam sucessivamente nas quatro direções colaterais.

1) A e B se acham frente a frente, A olha para o sul, B, para o norte. Os dois adversários estão em contato pelo pulso direito. Se A puxar para trás com torção, B dará um golpe com o ombro; portanto, A recuará, ao passo que B avançará. B repelirá, então, com ambas as mãos, o antebraço direito de A, que aparará o golpe. A recuará o pé direito para noroeste e voltará o corpo para a direita; ao mesmo tempo, virará a mão direita e torcerá o pulso direito de B, ao passo que, com o antebraço esquerdo, colará no cotovelo direito de B e o puxará para trás e para a direita. No momento em que A recua, B avança o pé esquerdo para oeste, acompanhando o recuo e a torção de A; a seguir, insere o pé direito na entreperna de A, coloca-lhe a palma esquerda na face interna do cotovelo direito e desfere-lhe um golpe de ombro no peito.

2) O antebraço esquerdo de A se abaixa para desviar o golpe de ombro de B e, com a mão direita, golpeia, com a velocidade do raio, o rosto de B.

3) Antes de receber o golpe, B alcança, com o pulso direito, o pulso direito de A, cola a mão esquerda no cotovelo direito de A, e os dois adversários se encontram assim na posição inicial, um em frente ao outro, tendo por ponto de contato o pulso direito.

Quando está preso ao pulso direito de A, B avança o pé esquerdo, gira para a direita a fim de dirigir o olhar para leste, coloca o pé direito paralelo ao esquerdo, ao passo que A, de seu lado, reconduz levemente o pé esquerdo à posição anterior, vira-se para a direita e vê-se voltado para oeste.

O mesmo encadeamento se efetua, assim, nas quatro direções colaterais. Como o ponto de partida era aqui o pulso direito, os recuos e os golpes desferidos com o ombro são sempre efetuados à direita. Convém, portanto, fazer o mesmo encadeamento partindo do pulso esquerdo, de modo que se exercitem a direita e a esquerda.

4. DISPERSÃO DAS MÃOS (SAN SHOU)

A escola Yang instaurou um encadeamento a dois, no qual um dos contendores faz um movimento do encadeamento do Taiji quan, ao passo que o outro responde por outro movimento do Taiji quan, que será a defesa, e assim por diante. Desse modo, se A executar o movimento "dar um soco", B se defenderá efetuando o movimento "erguer as mãos".

O encadeamento de movimentos a dois apresentado por Chen Yanlin compreende oitenta e oito movimentos, cujo nome difere amiúde dos que lhes são dados no encadeamento Taiji quan. Em 1979, a Casa Editora da Educação Física do Povo editou em Pequim um livro sobre o encadeamento a dois, organizado por Sha Guozheng. Este último compôs um encadeamento de cento e dois movimentos baseado no de Chen Yanlin, ao qual acrescentou particularidades das escolas Chen, Wu e Sun de Taiji quan.

Nesses movimentos, o ataque se faz com a palma, o punho, o pulso, o cotovelo, o ombro, os joelhos e os pés. A resposta a cada golpe do adversário efetua-se no momento de recepção do golpe, no instante em que o adversário emite sua energia. Nos desenhos que se vêem ao lado das explicações, os movimentos da figura A, cinza, correspondem sempre a um número ímpar na ordem dos movimentos do encadeamento, ao passo que os de B correspondem a um número par.

1) Avançar e dar um soco (shang bu chui)

A avança o pé esquerdo, depois o direito e ataca B desferindo-lhe à altura do coração um soco com o punho direito (a boca do tigre está dirigida para cima).

2) *Erguer as mãos (ti shou shanghsi)*

No momento em que A avança o pé direito para atacar, B recua o esquerdo, depois o direito, meio passo para trás, tocando o chão somente com a ponta do pé, ao mesmo tempo em que gira o braço direito no sentido horário, a fim de colocar a mão direita sobre a parte externa do antebraço direito de A e assim evitar-lhe o golpe.

3) *Dar um passo à frente, aparar o golpe e desfechar um soco (shang bu lan chui)*

Quando B assume a postura "erguer as mãos", A avança o pé esquerdo, depois o direito. Simultaneamente, coloca a mão esquerda sobre a face interna do antebraço direito de B, e lhe desfere um soco na altura do coração com o punho direito.

4) *Desviar para baixo e dar um soco (ban chui)*

No momento preciso em que o punho direito de A vai emitir a força, B executa, a partir da cintura, um movimento de recuo para a esquerda, enquanto agarra, com a mão esquerda, o pulso direito de A; simultaneamente, desloca a mão direita para dentro e para baixo, fecha-a em punho e golpeia A ao nível do coração.

5) *Dar um passo à frente e desferir um golpe com o ombro esquerdo (shang bu zuo kao)*

No momento de receber o soco, A executa, a partir da cintura, um movimento de recuo para a esquerda. Simultaneamente, desvencilhando a mão direita e estendendo-a para trás, recua o pé direito, avança o esquerdo para colocá-lo atrás da perna direita de B e, erguendo com a mão esquerda o cotovelo de B, desfere-lhe um golpe de ombro na axila direita.

6) *Golpear o tigre à direita (you da hu)*

Antes de ser atingido pelo golpe de ombro, B agarra o braço esquerdo de A com a mão esquerda, e torce-o para baixo, ao mesmo tempo em que coloca o pé direito atrás da perna esquerda de A e desfere-lhe um soco nas costas com o punho direito.

7) *Dar uma cotovelada com o cotovelo esquerdo (da zuo zhou)*

A esquiva-se do soco de B, dado com o punho direito, com um movimento giratório da cintura para a esquerda, agarra com a mão direita o pulso esquerdo de B e desfere-lhe uma cotovelada com o cotovelo esquerdo no nível do coração.

8) *Empurrar à direita (you tui)*

Antes que o cotovelo esquerdo de A tenha atingido o alvo, B agarra-lhe a mão direita e o repele. A postura é então invertida.

9) *Romper e dar um soco com o punho esquerdo (zuo pi shen chui)*

Antes de ser repelido, A efetua, a partir da cintura, um movimento giratório para a esquerda a fim de esquivar-se, e ataca B desferindo-lhe, à altura do peito ou do rosto, um soco com o punho esquerdo, de cima para baixo (com os dedos dobrados voltados para cima).

10) *Vibrar um golpe com o ombro direito (you kao)*

B executa, a partir da cintura, um movimento giratório para a esquerda, a fim de esquivar-se do punho de A, desvencilha a mão esquerda da mão direita de A e dá meio passo à frente com o pé esquerdo, que acaba de colocar-se atrás do corpo de A. Simultaneamente, B segura, com a mão direita, o cotovelo esquerdo de A e ergue-o de maneira a poder atacar o adversário com um golpe do ombro direito contra a axila esquerda de A.

11) Deslocar o pé e golpear o tigre à esquerda (che bu zuo da hu)

A esquiva-se, girando o corpo para a esquerda, segura, com a mão direita, o cotovelo de B, coloca o pé esquerdo atrás da perna direita de B e vibra-lhe um soco nas costas com o punho esquerdo.

12) Dar um soco com o punho direito de cima para baixo (you pi shen chui)

Antes que o soco de A atinja o alvo, B gira a cintura para a direita, agarra o pulso direito de A por baixo, com a ajuda da mão esquerda, e golpeia de cima para baixo, com o punho direito (com os dedos dobrados voltados para o alto), o peito ou o rosto de A.

13) Erguer as mãos (ti shou shangshi)

Quando o punho de B se afrouxa, A reaproxima as mãos ao mesmo tempo em que recua ligeiramente o pé esquerdo e avança o direito para colocá-lo atrás do corpo de B. Durante o deslocamento dos pés, A segura, com a mão esquerda, o cotovelo direito de B, ergue a palma da mão direita por um movimento proveniente da cintura e das pernas e torna a abaixá-la para golpear a nuca de B.

14) Voltar-se e repelir (zhuan shen an)

No momento de receber o golpe na nuca, B vira o corpo para a direita, a fim de esquivar-se, e desloca ligeiramente o pé esquerdo, para a esquerda, no sentido oblíquo; em seguida, avança o pé direito e repele, com a mão direita, o cotovelo direito de A e, com a esquerda, o ombro direito.

15) Envolver e dar um soco (zhe die pi shen chui)

A evita o ataque de B recuando para a esquerda; em seguida, executando um movimento giratório da cintura para a direita, encosta a mão esquerda no braço direito de B, e desfere-lhe um soco de cima para baixo, no nível do coração.

16) Desviar para baixo e dar um soco (ban chui)

B esquiva-se, girando a cintura para a esquerda; em seguida, com a sinistra, torce para a esquerda e para baixo o braço direito de A e, agachando-se levemente, golpeia-o, com o punho direito, no nível do coração.

17) Torcer a mão transversalmente (heng lie shou)

A gira a cintura para a esquerda e desvia, com a mão esquerda, o punho direito de B. A seguir, agarra o pulso direito de B e, colocando o braço direito paralelamente ao peito de B, exerce uma força de torção para a esquerda e para a frente.

18) Separar a crina do cavalo selvagem à esquerda (zuo yema fem zong)

No momento em que A vai torcer o braço de B, este último afasta a mão esquerda de A, recua o pé direito e gira o corpo para a direita; avança o pé esquerdo a fim de colocá-lo atrás do corpo de A, segura-lhe o pulso direito e, passando o braço esquerdo sob esse mesmo pulso direito, desfere, com a face externa do braço, um golpe no peito de A.

19) Golpear o tigre à direita (you do hu)

No momento do ataque, utilizando a força das pernas e da cintura, A puxa para trás o braço direito a fim de desvencilhá-lo da mão direita de B. Em seguida, desloca o pé direito para a direita e desfecha, simultaneamente, um soco com o punho direito na axila esquerda de B.

20) *Voltar-se, deslocar o pé, puxar para trás (zhuan shen che bu lü)*

Antes que o punho de A o atinja, B gira o corpo para a esquerda e recua o pé esquerdo; torce, com a mão esquerda, o pulso esquerdo de A e puxa o braço esquerdo de A, com a ajuda do antebraço direito.

21) *Dar um passo à frente e desferir um golpe com o ombro esquerdo (shang bu zuo kao)*

A deixa-se puxar, avança ligeiramente o pé direito para a direita e insere o pé esquerdo na entreperna de B; colocando o braço esquerdo paralelamente ao corpo de B, com a mão direita apoiada na parte interior do cotovelo esquerdo, A desfere em B um golpe com o ombro esquerdo à altura do coração.

22) *Voltar-se e repelir (zhuan shen an)*

No momento de receber o golpe desferido com o ombro, B reaproxima o pé direito, dando meio passo para dentro, e levanta o pé esquerdo para colocá-lo na entreperna de A. Repele com a destra o pulso direito de A e, com a sinistra, o cotovelo direito.

23) *Separar as mãos e vibrar um golpe com o calcanhar direito (shuang fen deng jiao)*

Antes de ser repelido, A retira a mão esquerda e, sem se deter, coloca-a no interior do braço direito de B; com a mão direita, agarra o pulso de B e afasta-lhe, simultaneamente, as duas mãos. Ergue o pé direito e, num impulso instantâneo das pernas, golpeia o baixo-ventre de B com a planta do pé direito.

24) *Desferir um soco na região púbica do adversário (zhi dang chui)*

B recua o pé esquerdo a fim de evitar o pontapé de A. Acompanhando o movimento de recuo, desvencilha a mão direita da mão esquerda de A, descreve um círculo para trás, fecha-se em punho e dá um soco de cima para baixo para atingir a região púbica de A.

25) *Dar um passo à frente, puxar para baixo e torcer (shang bu cai lie)*

No momento de receber o soco, A pousa o pé direito no chão, agarra, com a mão direita, o pulso direito de B e puxa-o para trás e para a direita, num movimento que parte da cintura e das pernas. Em seguida, avança o pé direito e coloca-o atrás do pé direito de B, ao passo que a mão direita, colocada paralelamente ao peito de B, efetua uma torção para a esquerda.

26) *Mudar de pé e executar a postura denominada "empurrar a naveta" (huan bu you chuan suo)*

Quando B é atacado, seu braço direito apara o braço direito de A. Recuando o pé direito, B vira o corpo para a direita, avança o pé esquerdo, depois apara, com a mão esquerda, o braço direito de A, ao mesmo tempo em que pressiona, com a palma da mão direita, a axila direita de A.

27) *Aparar o golpe à esquerda e dar um soco à direita (zuo peng you pi chui)*

Para esquivar-se, A gira a cintura para a direita, agarra, com a mão esquerda, o braço esquerdo de B a fim de aparar o golpe e, simultaneamente, distendendo as pernas, dá um soco no peito de B com o punho direito.

28) *A cegonha abre as asas (bai-e liang chi)*

Para se desviar do golpe de A, B afasta, ao mesmo tempo, as duas mãos, a direita para cima, a esquerda para baixo; agacha-se e vibra, com a planta do pé esquerdo, um golpe na região púbica de A.

29) Desfechar um golpe com o ombro esquerdo (zuo kao)

Para evitar o pontapé de B, A recua, abaixa, com a mão direita, o pé esquerdo de B e afasta-o para a direita. Simultaneamente, avança o pé esquerdo e coloca-o atrás da perna esquerda de B. Com o braço esquerdo paralelo ao corpo de B e com a mão direita sustentando seu próprio cotovelo esquerdo, descarrega em B, com o ombro esquerdo, um golpe à altura do coração.

30) Deslocar o pé e apertar o braço do adversário (che bu jue bi)

B agarra o pulso esquerdo de A com a mão esquerda, dá meio passo para trás, no sentido oblíquo, com o pé esquerdo, enquanto a mão e o antebraço direitos, acompanhando o movimento das pernas de agachamento e flexão para a frente, apertam o braço esquerdo de A.

31) Voltar-se e repelir (zhuan shen an)

Antes que B lhe aperte o braço, A efetua, com a mão esquerda, um movimento de baixo para cima, a fim de virar o antebraço esquerdo de B; a seguir, empurra, com a mão direita, o ombro esquerdo de B e, com a esquerda, o seu cotovelo esquerdo.

32) *Golpear as orelhas do adversário com os dois punhos (shuang-feng guan er)*

Ao ser empurrado, B recua, ao mesmo tempo em que insere a mão direita no interior do antebraço esquerdo de A; com o peso do corpo incidindo sobre a perna de trás, B afasta simultaneamente, para a direita e para a esquerda, com ambas as mãos, as mãos de A; depois, fechando-as em punhos, golpeia-lhe as têmporas com a boca do tigre de cada punho, ao mesmo tempo em que transfere o peso do corpo para a perna da frente.

33) *Repelir com as duas mãos (shuang an)*

A recua o corpo, de modo que a força de ataque de B cai no vazio. Deslocando o pé esquerdo ligeiramente para a esquerda, A avança o pé direito e repele, ao mesmo tempo, com as duas mãos, o peito de B.

34) *Desviar para baixo e desfechar um soco (xiashi ban chui)*

No momento em que é repelido, B recua o corpo para esquivar-se; em seguida, agarrando com a mão esquerda a mão direita de A a fim de aparar o golpe, desvia-a para o alto e para a esquerda; a seguir, segura A pelo antebraço direito e desfere-lhe um soco no coração com o punho direito.

35) Empurrar com um braço o braço direito do adversário (dan tui)

Para se defender do soco de B, A gira a cintura para a direita, a fim de transformar o ataque, e afasta o punho do adversário; simultaneamente, empurra, com a mão esquerda, o cotovelo direito de B para a direita.

36) Torcer entre as mãos o braço direito do adversário (you cuo bi)

Quando A empurra o cotovelo direito de B, este último passa o braço direito por baixo do braço direito do adversário e coloca o pulso esquerdo sobre a face interna do pulso direito de A. Com o pulso direito, B pressiona o braço do adversário e ergue-o com o esquerdo, executando, dessa maneira, uma torção.

37) Seguir o adversário e, em seguida, repelir (shunshi an)

A escapa da torção girando a cintura para a direita e para baixo; a seguir, empurra, com a mão esquerda, o ombro direito de B para a direita.

193

38) *Transformar a força do adversário e golpear com a palma da mão direita (hua da you zhang)*

No momento de ser repelido, B se esquiva por meio de um movimento giratório da cintura para trás e para a esquerda. Ao mesmo tempo, ergue a palma da mão direita e ataca, com a rapidez do raio, o lado esquerdo do rosto de A, enquanto segura, com a mão esquerda, o cotovelo direito de A para transformar-lhe o ataque.

39) *Transformar a força do adversário e empurrar (hua tui)*

Para se defender desse ataque (desferido com a rapidez do raio), A recua o pé direito, abaixa, com a mão esquerda, a mão direita de B até o nível do peito, e depois empurra o braço direito de B.

40) *Transformar a força do adversário e pespegar-lhe uma cotovelada com o cotovelo direito (hua da you zhou)*

Antes que A exerça sua pressão, B recua o braço direito e, quando este se encontra defronte do peito de A, vibra-lhe uma cotovelada à altura do coração.

41) Puxar para baixo e torcer (cai lie)

Antes de receber a cotovelada, A desloca o pé esquerdo, agarra, com a mão direita, o pulso direito de B e torce-o para baixo e para a direita. A seguir, coloca o pé direito atrás do pé direito de B, empurra, com a mão esquerda, o braço direito de B e vira o corpo e o braço direito para a esquerda, a fim de golpear B com o cotovelo direito.

42) Mudar de pé e deter o braço do adversário (huan bu jue)

Antes de receber o golpe, B retira a mão direita e apara, em cima, o ataque do braço direito de A; simultaneamente, B desloca o pé direito, avança o pé esquerdo por trás da perna direita de A, coloca o antebraço esquerdo sobre o braço direito de A, perto do cotovelo, e, num movimento de agachamento, detém o braço de A.

43) Golpear o tigre à direita (you da hu)

Ao ser acuado para baixo, A executa com a mão esquerda um movimento giratório para a direita, acompanhando o movimento da cintura e das pernas, e segura, com o braço direito, o cotovelo esquerdo de B. Simultaneamente, num movimento que parte da cintura, ergue a mão e o pé direitos, vindo este último colocar-se atrás do corpo de B. Com a mão direita fechada em punho, A golpeia as costas de B.

44) *Voltar-se, deslocar o pé, puxar para trás (zhuan shen che bu lü)*

Num movimento que parte da cintura e das pernas, B recua o braço esquerdo para trás, agarra, com a mão esquerda, o pulso esquerdo de A e, ao mesmo tempo, recua o pé direito, gira sobre ele e desloca transversalmente o pé esquerdo. Colando o pulso direito no braço esquerdo de A, B puxa-o, com as duas mãos, para trás e para a esquerda.

45) *Dar um passo à frente e desferir um golpe com o ombro esquerdo (shang bu zuo kao)*

A coloca o pé esquerdo na entreperna de B, tendo o braço esquerdo colocado transversalmente diante de B e a mão direita, no interior de seu próprio braço esquerdo. Com o ombro esquerdo, A golpeia B, no nível do coração.

46) *Empurrar para a frente (hui ji)*

B efetua, para trás e para a esquerda, um movimento de retração da cintura e das pernas: seu antebraço direito coloca-se, então, transversalmente em relação ao braço esquerdo de A, enquanto a mão direita está pousada sobre a face interna de seu antebraço esquerdo. Ao mesmo tempo que avança o pé direito, B pressiona, com o antebraço, o braço esquerdo de A.

47) *Separar as mãos e desfechar um golpe com o ombro direito (shuang fen kao)*

Quando a pressão sobre seu braço esquerdo chega ao máximo, A gira a cintura para a esquerda e leva consigo a mão direita de B; a seguir, agarra, com a mão direita, o pulso esquerdo de B e com a esquerda, o cotovelo direito de B pela face interna. Simultaneamente, desloca o pé esquerdo e insere o direito na entreperna de B; abaixa o corpo e golpeia o adversário com o ombro direito, à altura do coração.

48) *Virar-se e desferir um golpe com o ombro esquerdo (zhuan shen zuo kao)*

B escapa ao golpe recuando o corpo. Desloca o pé direito, livra a mão direita e avança o pé esquerdo, colando o braço esquerdo transversalmente ao braço direito de A. Desviando para trás a própria mão direita, B golpeia, com o ombro esquerdo, a axila direita de A.

49) *Dar uma cotovelada com o cotovelo direito (da you zhou)*

A segura o pulso esquerdo de B com a mão esquerda, ao mesmo tempo em que recua para escapar ao golpe, e abaixa o braço direito num movimento que parte da cintura e das pernas. Dobrando esse mesmo braço direito, A golpeia a axila esquerda de B com o cotovelo direito.

50) *Virar-se e assumir a postura intitulada "o faisão dourado mantém-se sobre uma pata" (jinji du li)*

B furta-se à cotovelada girando o alto do corpo para a esquerda; dá meio passo para a frente com o pé direito e apóia o peso do corpo sobre ele, agachando-se. Agarra, com a mão direita, o cotovelo esquerdo de A por dentro e, afastando simultaneamente a mão esquerda e a direita, torna a erguer-se e golpeia, com o joelho esquerdo, os órgãos genitais de A.

51) *Recuar e transformar a força do adversário (tui bu hua)*

Antes de receber a joelhada, A reconduz simultaneamente as duas mãos para dentro e para baixo, segura os punhos de B e, seguindo o movimento de recuo do pé direito e do corpo, torce os braços de B.

52) *Golpear com o calcanhar (deng jiao)*

Assim que vê seu ataque transformado e antes de ser efetivamente puxado, B afasta, com as mãos, as de A e, simultaneamente, golpeia-lhe o baixo-ventre com a planta do pé esquerdo.

53) *Voltar-se, dar um passo à frente, desferir um golpe com o ombro (zhuan shen shang bu kao)*

Com a destra, A afasta, à direita, a mão esquerda de B, com a sinistra agarra o pé esquerdo de B e puxa-o para baixo, ao mesmo tempo em que adianta o pé direito; nesse momento, B descansa o pé. A avança, então, o pé esquerdo para colocá-lo na entreperna de B, ficando seu braço esquerdo em posição transversal em relação à axila esquerda de B. A ergue a mão direita, segura com ela a mão esquerda de B e golpeia este último com o ombro esquerdo, à altura do coração.

54) *Torcer o braço esquerdo do adversário (jue zuo bi)*

B recua a cintura e as pernas para a esquerda, a fim de esquivar-se. Ao mesmo tempo, agarra, com a mão esquerda, o pulso esquerdo de A, e executa, a partir da cintura e das pernas, um movimento giratório do antebraço direito para a esquerda, a fim de apertar o braço esquerdo de A à altura do cotovelo.

55) *Virar-se e vibrar um pontapé com o pé direito (zhuan shen you fen jiao)*

Para esquivar-se, A recua o pé e o braço esquerdos, ao mesmo tempo em que passa a mão direita sob o próprio braço esquerdo para agarrar o cotovelo direito de B. Em seguida, num movimento do corpo para cima, desfere um pontapé, com o pé direito, na axila direita de B.

56) *Afastar as mãos e roçar o joelho à direita (shuang fen you lou xi)*

B vira a mão esquerda para a direita e segura o pulso direito de A por baixo, ao mesmo tempo em que varre o joelho direito com a mão direita e afasta, assim, o pé direito de A.

57) *Voltar-se e dar um pontapé com o pé esquerdo (zhuan shen zuo fen jiao)*

Vendo que a situação ameaça tornar-se desfavorável para ele, A repousa o pé direito no chão e segura, com a mão esquerda, o cotovelo esquerdo de B, enquanto descreve um movimento giratório para a direita, por meio do qual se insinua debaixo do braço esquerdo de B. Simultaneamente, golpeia a axila esquerda de B com a ponta do pé esquerdo.

58) *Afastar as mãos e roçar o joelho à esquerda (shuang fen zuo lou xi)*

B vira a mão direita para a esquerda a fim de fazê-la passar sob o braço esquerdo de A e agarra-lhe o pulso esquerdo. Simultaneamente, varre com a mão esquerda o próprio joelho esquerdo e afasta, assim, o pé esquerdo de A.

59) *Trocar de mão e desfechar um golpe com o ombro direito (huan shou you kao)*

A apóia o pé esquerdo no chão e desloca-o meio passo para trás, enquanto a mão direita segue o movimento giratório da cintura e das pernas para a esquerda, agarra, em cima, o pulso direito de B e torce-o para trás e para a direita. Avança o pé direito e golpeia a axila direita de B com o ombro direito.

60) *Dar um golpe com o ombro direito (hui you kao)*

B esquiva-se do golpe virando a mão direita para trás e para a esquerda. Simultaneamente, agarra o pulso direito de A, torce-o para baixo, dá meio passo para a frente com o pé direito e ataca, com o ombro direito, a axila direita de A.

61) *Dar um passo à frente e efetuar a postura chamada "agarrar a cauda do pássaro" (shang bu zuo lan quewei)*

No momento em que sofre a torção do pulso e vai receber o golpe desferido com o ombro, A se esquiva executando, com a mão direita, um movimento giratório para trás e para a esquerda. Em seguida torce, com o braço direito, o pulso direito de B, desloca o pé direito levemente para trás e avança o pé esquerdo para colocá-lo atrás da perna direita de B; ao mesmo tempo, passa o braço esquerdo sob o braço direito de B e ataca-lhe o peito com a face externa do antebraço esquerdo.

62) *Mover as mãos como nuvens (yun shou)*

No momento em que vai ser atacado e pela parada de A, B recolhe ligeiramente o peito, esquiva-se girando o corpo para a direita e descansa o corpo sobre as pernas. Ao mesmo tempo, segura, com a mão direita, o pulso direito de A, ergue-o para trás e para a direita e pressiona, com a mão direita, o pulso direito de A e, com a esquerda, o seu ombro direito.

63) *Dar um passo à frente e agarrar a cauda do pássaro (shang bu lan quewei)*

A executa um recuo de esquiva, ao passo que sua mão esquerda, partindo de sob o braço direito, apodera-se do pulso esquerdo de B. Desloca o pé esquerdo ligeiramente para trás e avança o pé direito, ao mesmo tempo em que passa o braço direito sob a axila esquerda de B, a fim de golpeá-lo no peito.

64) *Mover as mãos como nuvens à esquerda (zuo yun shou)*

B recolhe ligeiramente o peito para esquivar-se; a seguir, executa um movimento de recuo do tronco. Simultaneamente, segura o pulso direito de A com a mão esquerda e o empurra, ao passo que, com a direita, lhe empurra o ombro esquerdo.

65) *Afastar à direita (aparar) (you kai, peng shi)*

A esquiva-se, com uma retração do tronco para trás e para a esquerda, ao mesmo tempo em que afasta as mãos para agarrar, com a esquerda, o pulso direito de B e atacá-lo, com o braço direito, ao nível do coração.

66) *Inclinar o corpo e desfechar um soco de cima para baixo (ce shen pie shen chui)*

B recua o pé esquerdo e a parte superior do corpo para se esquivar do golpe. Afasta, com a mão direita, a mão esquerda de A e pousa a mão direita sobre o antebraço esquerdo de A, enquanto desloca o pé direito de modo que o coloca do lado direito de A. Com a mão esquerda, empurra o cotovelo de A e, com o punho direito, num movimento de cima para baixo, golpeia o peito de A.

67) *Com a mão levantada, acariciar o cavalo (shang bu gao tan ma)*

A recua ligeiramente o pé direito e evita o soco virando o corpo para a direita e retraindo o peito; em seguida, segura, com a mão direita, o pulso direito de B e ataca-lhe o rosto com a palma da mão esquerda, ao mesmo tempo em que lhe dá um golpe com o calcanhar esquerdo no joelho direito.

68) A cegonha abre as asas (bai-e liang chi)

B vira a mão esquerda para baixo e para dentro, a fim de agarrar o pulso direito de A, e a mão direita para fora e para trás, a fim de afastar a palma direita de A. Em seguida, com a mão direita, golpeia o rosto de A com a rapidez do raio, ao mesmo tempo em que lhe bloqueia o pé esquerdo com a perna direita, pespegando-lhe, por sua vez, um golpe de calcanhar.

69) Virar-se e desferir um pontapé horizontal (zhuan shen bai lian)

A dá uma volta completa sobre si mesmo no sentido horário, a fim de voltar à posição primitiva. Com a mão direita, agarra e torce o pulso direito de B, e desfere-lhe, obliquamente, um pontapé com o pé direito na axila direita.

70) Vôo oblíquo à esquerda (zuo xie fei shi)

B volta-se para a direita e avança o pé esquerdo. Com a mão direita, agarra e torce o pulso direito de A e passa o braço esquerdo por baixo da axila direita de A, a fim de golpear-lhe o peito com a face externa do antebraço.

71) A serpente que rasteja (sheshen xia shi)

A furta-se ao ataque por meio de um movimento de recuo do tronco. A seguir, agarra, com a mão direita, o pulso direito de B e ergue-o para o alto e para trás. Recua ligeiramente o pé direito, avança o esquerdo e ataca a região púbica de B com os dedos e a palma da mão esquerda.

72) Vôo oblíquo à direita (you xie fei shi)

B recua o pé esquerdo, agarra, com a mão esquerda, o pulso esquerdo de A por baixo, avança o pé direito e introduz o braço direito sob a axila esquerda de A, de tal modo que ele fica transversalmente diante do peito de A.

73) Golpear o tigre à esquerda (zuo da hu)

Ao ver-se em posição desfavorável, A esquiva-se, com um movimento de recuo, de modo que sua mão esquerda escape da mão esquerda de B. A coloca o pé esquerdo atrás de B, e prende-lhe o pulso direito com a mão direita, torcendo-o para a direita e para baixo. Simultaneamente golpeia as costas de B com o punho esquerdo.

74) *Voltar-se e desfechar um soco (zhuan shen pie shen chui)*

B esquiva-se com um movimento de recuo da cintura para a direita. Ao mesmo tempo, agarra, com a mão esquerda, que estava virada para baixo, o pulso direito de A, e ataca-lhe o rosto e o peito com um soco desferido de cima para baixo.

75) *Recuar e repelir o macaco (dao nian hou)*

A recolhe o peito e apóia o peso do corpo sobre a perna direita para esquivar-se do ataque. Em seguida, com a mão esquerda, desvia o golpe de B por um movimento para a direita e para baixo, enquanto, com a direita, afasta a esquerda de B, a partir de um movimento giratório da cintura e das pernas.

76) *O raio à esquerda (zuo shan)*

B acompanha o sentido do movimento de ataque de A; avança o pé esquerdo, enquanto a mão direita, seguindo o movimento giratório da cintura e das pernas, transforma o ataque, afastando a mão direita de A; ao mesmo tempo, golpeia o rosto de A com a palma da mão esquerda, com um golpe transversal dirigido para a direita (como para dar uma bofetada na face esquerda).

77) *Recuar e repelir o macaco (dao nian hou)*

Pouco antes de ser atingido pelo golpe da mão esquerda de B, A esquiva-se, recuando o pé esquerdo e recolhendo o peito. Simultaneamente, com a mão direita, afasta a mão esquerda de B por um movimento para baixo e, com a mão esquerda, afasta, num movimento giratório, a mão direita de B.

78) *O raio à direita (you shan)*

A mão direita de B acompanha o movimento da mão esquerda de A, o que quer dizer que ela recua para a esquerda, voltando, em seguida, para golpear transversalmente a face esquerda de A, ao passo que a mão esquerda afasta a mão direita de A.

79) *Recuar e repelir o macaco (dao nian hou)*

A esquiva-se recuando o pé direito e recolhendo o peito. Em seguida, afasta com a mão esquerda a mão direita de B executando um movimento giratório para trás e, com a mão direita, que acompanha o sentido geral do movimento, golpeia a mão esquerda e, a seguir, o rosto de B.

80) Dar um passo à frente e formar o sete-estrelo (shang bu qixing)

B cruza a mão direita e o pulso esquerdo diante do peito, aparando dessa maneira a mão direita de A e fazendo-a subir. Simultaneamente, ergue a perna direita e desfere um pontapé nos órgãos genitais de A.

81) A agulha no fundo do mar (haidi zhen)

A retrai ligeiramente o peito e apóia o peso do corpo sobre as pernas; com a mão direita, segura o pulso direito de B, coloca a mão esquerda sobre este último e puxa o corpo de B para baixo e para trás, com a ajuda das duas mãos, que seguem o movimento de recuo.

82) Como um leque (shan tong bei)

B recua ligeiramente a mão direita para atenuar a pressão e a torção de A, a seguir apara a mão direita de A levando-a para cima, ao mesmo tempo em que avança o pé esquerdo e lhe golpeia o peito com a palma da mão esquerda.

83) Tocar "pipa" (shou hui pipa)

A vira a parte superior do corpo para a direita, evitando assim a mão de B. Com a mão direita, segura-lhe o pulso direito e torce-o para o alto e para trás, ao passo que, com o antebraço esquerdo, golpeia-lhe o cotovelo direito. Executa esse movimento jogando o peso do corpo para trás, sobre as pernas, e retraindo o peito. As duas mãos agem ao mesmo tempo.

84) Atirar no tigre com o arco (wan gong she hu)

B afasta o braço direito para trás e para baixo e avança o pé direito; com a mão direita, agarra o pulso direito de A a fim de levantá-lo, ao mesmo tempo em que lhe pressiona o braço esquerdo com a mão esquerda. As duas mãos atacam ao mesmo tempo para a frente.

85) Voltar-se e executar a postura cognominada "o chicote simples" (zhuan shen danbian)

A faz um movimento de recuo para esquivar-se, de modo que sua mão esquerda escapa da mão direita de B. Recua o pé esquerdo e avança o pé direito; em seguida, ataca B no nível do coração, utilizando-se, para isso, do dorso do pulso direito.

209

86) O punho sob o cotovelo (zhoudi chui)

B retrai a parte superior do corpo para a direita e para trás, enquanto com a mão esquerda ergue o braço esquerdo de A, avança o pé esquerdo e atinge-lhe a axila direita com o punho direito.

87) Cruzar as mãos (shizi shou)

A recua para a direita e para trás, por um movimento giratório da cintura e das pernas, enquanto pressiona o braço direito sobre o punho direito de B, avança o pé esquerdo e, com os cinco dedos da mão esquerda, desfere um golpe na garganta de B.

88) Reconduzir o tigre à montanha (bao hu gui shan)

B transforma o ataque recuando ligeiramente o corpo para trás, afasta a mão esquerda de A com um movimento da mão direita para cima e para a direita; em seguida, com as duas mãos, num movimento simultâneo de cima para baixo e de fora para dentro, envolve os dois braços de A e empurra as duas palmas para a frente.

VIII. A PRÁTICA DA ESCOLA CHEN

A escola Chen divide-se em duas correntes: o estilo antigo, cujo representante mais célebre foi Chen Changxing (1771-1853), e o estilo novo, representado essencialmente por Chen Youben, Chen Qingpin (1795-1868) e Chen Pinsan (1849-1929). Estamos muito bem informados a respeito deste último estilo graças ao livro escrito por Chen Pinsan em 1919: o *Taiji quan tushuo*, obra que fornece um número apreciável de informações sobre a família Chen e que apresenta, aqui e ali, além dos movimentos do estilo novo, uma ou duas informações sobre o modo de executar este ou aquele movimento no estilo antigo.

Vimos, no capítulo sobre a história do Taiji quan, que Chen Wangting teria incorporado ao Taiji quan a maioria dos movimentos descritos no *Quan jing*, do célebre general dos Ming, Qi Jiguang. Essa obra fornece uma lista de vinte e quatro movimentos ilustrados e comentados, cuja maioria encontramos, do ponto de vista formal, no encadeamento de Chen Pinsan, ao passo que seis dentre eles têm o mesmo nome.

Numa obra publicada em 1968, o *Chenjia Taiji quan*, encontramos dois encadeamentos da escola Chen praticados por Chen Fake, sobrinho de Chen Pinsan. O número dos movimentos e sua execução diferem ligeiramente dos dados por Chen Pinsan.

Não descreveremos os movimentos da escola Chen, pois, não os tendo praticado pessoalmente, ser-nos-ia difícil reconstituir, a partir de esquemas simples, o dinamismo dos movimentos; essa escola, aliás, tende a desaparecer, visto que só é praticada por alguns indivíduos na China Popular.

Pareceu-nos, contudo, interessante resumir alguns comentários de Chen Pinsan relativos a esses movimentos, notadamente a correspondência que ele estabelece entre os movimentos e os trigramas ou hexagramas do *Livro das mutações (Yijing)*. Tais correspondências são um modo de exprimir, a partir de imagens, de emblemas que servem de referência, as características principais dos movimentos. Temos aí um exemplo concreto do modo chinês de agir, que consiste em aplicar os conceitos fundamentais do pensamento chinês a qualquer domínio, seja ele qual for. Os trigramas ou hexagramas dados resumem, de certo modo, a quintessência do movimento, quanto ao modo de executá-lo ou à sua utilização marcial. Depreende-se claramente da obra de Chen Pinsan que o Taiji quan não é uma simples ginástica, nem uma arte marcial, senão a sustentação de uma pesquisa mais aprofundada da vida, pesquisa da qual o autor nos deixa alguns fragmentos nas páginas de seu livro.

Certos movimentos da escola Chen encontram correspondência na escola Yang, a despeito de algumas divergências formais. Daí que os resumos que daremos dos movimentos da escola Chen também sejam aplicáveis aos da escola Yang.

A fim de impedir que o leitor não familiarizado com o *Yijing* se perca nas explicações de Chen Pinsan, relembraremos abaixo as principais correspondências dos oito trigramas com as direções, e as principais imagens que lhes são associadas.

1) Existem duas configurações dos oito trigramas: a chamada do céu anterior, ou de Fuxi, e a chamada do céu posterior, ou de Wenwang. Na primeira, os trigramas se correspondem de dois em dois e são encarados em sua imobilidade. Os trigramas *qian* (Yang puro) e *kun* (Yin puro) estão frente a frente, respectivamente ao sul e ao norte (não nos esqueçamos de que o sul e o norte eram invertidos nas representações chinesas).

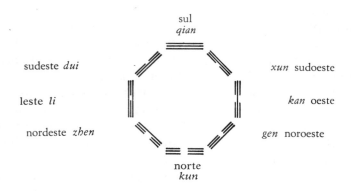

Disposição do céu anterior de Fuxi.

A configuração de Wenwang representa o sopro das mutações, a saber, a passagem incessante de um estado a outro, assim como a evolução dos trigramas de acordo com as estações: *zhen* a leste corresponde à primavera, *li* ao sul ao verão, *dui* a oeste ao metal, *kan* ao norte ao inverno.

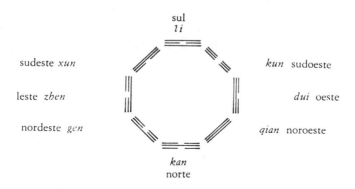

Disposição do céu posterior de Wenwang.

2) Principais imagens associadas aos oito trigramas

Qian ≡ : três traços Yang.
O céu, o pai, o vigor, a firmeza, a cabeça, o cavalo, o soberano, o jade.

Kun ≡≡ : três traços Yin.
A terra, a mãe, a obediência, a flexibilidade, o ventre, o búfalo, a distribuição, a igualdade.

Zhen ≡≡ : um traço Yang e dois traços Yin.
O trovão, o filho mais velho, o movimento, os pés, o dragão, o princípio do movimento.

Xun ≡ : um traço Yin e dois traços Yang.
A madeira, o vento, a filha mais velha, a penetração, as coxas, o galo, o alto.

Kan ≡ : um traço Yang entre dois traços Yin.
A água, o filho caçula, o perigo, o insondável, as orelhas, o porco, as regueiras.

213

Li ☲ : um traço Yin entre dois traços Yang.
O fogo, a filha caçula, a luz, o sol, os olhos, o faisão, o exército.

Gen ☶ : dois traços Yin e um traço Yang.
A montanha, a imobilidade, a parada, o mocinho, as mãos, o cachorro, os atalhozinhos.

Dui ☱ : dois traços Yang e um traço Yin.
O pântano, o lago, a mocinha, a alegria, a boca, o carneiro, os xamãs.

O encadeamento de Chen Pinsan

O número total dos movimentos é sessenta e quatro, número que recorda os sessenta e quatro hexagramas do *Livro das mutações*, ainda que os sessenta e quatro movimentos não sejam postos em correspondência com nenhum dos sessenta e quatro hexagramas: é o número 64, que tem valor simbólico e representa o desenvolvimento completo das diversas transformações a partir da unidade.

O encadeamento é dividido em treze "posturas" ou seções formadas de um número desigual de movimentos, em que o número 13 simboliza os cinco elementos e os oito trigramas.

Nós nos perguntamos se esse simbolismo elaborado existia desde o princípio na prática do Taiji quan pela família Chen, ou se é preciso ver nele uma iniciativa de Chen Pinsan, um dos membros mais letrados da família, que se teria empenhado em valorizar as relações entre o Taiji, o *Yijing* e o Taiji quan. Ela parece, às vezes, artificial, já que o número de movimentos dado na divisão em treze posturas e na descrição dos movimentos não é concorde. Na lista das treze posturas que damos abaixo, restabelecemos a concordância.

1) As treze posturas

Primeira postura
  1) O raio pulveriza *(jingang daocui)*
  "Essa postura compreende apenas um movimento, que representa a unidade perfeita do Taiji formado do Yin e do Yang."

Segunda postura
  2) Segurou a aba do vestido *(lan tuo yi)*

3) O chicote simples *(danbian)*
4) O raio pulveriza *(jingand daocui)*
"Essa postura compreende três movimentos, pois o Taiji engendra os dois princípios primários (Yin e Yang). O movimento denominado 'o raio pulveriza' é aqui repetido para que se compreenda que não existe separação do princípio supremo."

Terceira postura
5) A cegonha abre as asas *(bai-e liang chi)*
6) Dar um passo à frente com roçadura do joelho e torção do tronco *(lou xi ao bu)*
"Essa postura compreende dois movimentos: os dois princípios primários engendram os dois princípios secundários. O último movimento corresponde aos quatro trigramas das direções cardeais: *qian, kun, kan* e *li.*"

Quarta postura
7) Primeiro recolhimento *(chu shou)*
8) Dar um passo à frente e imprimir uma torção oblíqua ao tronco *(xie xing ao bu)*
"Esses dois movimentos simbolizam os quatro princípios secundários que engendram os oito trigramas: o último movimento corresponde aos quatro trigramas das direções colaterais, *dui, zhen, xun* e *gen.*"

Quinta postura
9) Segundo recolhimento
10) Avançar defronte do altar, mas sem torção do tronco *(qian tang ao bu)*
11) Mover as mãos e abater o punho *(yan shou hong chui)*
12) O raio pulveriza *(jingang daocui)*
"Essa postura compreende quatro movimentos. No princípio, a essência vital é reunida, depois é emitida e, finalmente, retorna à imagem original do Taiji."

Sexta postura
13) Dar um soco *(pi shen chui)*
14) Desferir um golpe com o ombro e um soco no púbis *(zhi shen kaoa, zhi dang chui)*
15) Olhar para o punho sob o cotovelo *(zhoudi kan quan)*
16) Estender o antebraço para trás *(dao juan hong)*
17) A cegonha abre as asas *(bai-e liang chi)*

18) Dar um passo à frente com roçadura do joelho e torção do tronco *(lou xi ao bu)*

Sétima postura
19) O raio atravessa as costas *(shan tong bei)*
20) Mover as mãos em círculos *(yan shou)*
21) Segurar a aba do vestido *(lan tuo yi)*
22) O chicote simples *(danbian)*
"São quatro movimentos em cujo desenvolvimento giramos o corpo de modo que o recolocamos no sentido das direções cardeais."

Oitava postura
23) Mover as mãos em círculos *(yun shou)*
24) Com a mão erguida, acariciar o cavalo *(gao tan ma)*
25) Dar um pontapé à direita *(you cha jiao)*
26) Dar um pontapé à esquerda *(zuo cha jiao)*
27) O chicote simples *(danbian)*
28) Dar um soco em terra *(chui di jin)*
29) Segundo levantamento do pé *(er qi jiao)*
30) Postura da cabeça de animal selvagem *(shou tou shi)*
31) Desferir um golpe com o calcanhar *(ti yi jiao)*
32) Desferir um golpe com a planta do pé *(deng yi gen)*
33) Mover as mãos e abater o punho *(yan shou chui)*
34) Pequena captura *(xiao qinna)*
35) Envolver a cabeça e repelir a montanha *(bao tou tui shan)*
36) O chicote simples *(danbian)*
"Essa postura comporta treze movimentos, representa um grande combate com o inimigo e deve ser executada sem interrupção nem parada."

Nona postura
37) Desdobrar-se para a frente *(qian zhao)*
38) Desdobrar-se para trás *(hou zhao)*
39) Separar a crina do cavalo selvagem *(yema fen zong)*
40) O chicote simples *(danbian)*
41) A donzela de jade tece e empurra a naveta *(yunü chuan suo)*
42) Segurar a aba do vestido *(lan tuo yi)*
43) O chicote simples *(danbian)*
"Essa postura compõe-se de sete movimentos. Pelo movimento intitulado 'a donzela de jade tece e empurra a naveta', o praticante aprende a virar o corpo para a direita e a deslocar-se horizontalmente. No movimento intitulado 'o chicote simples', verifica-se o retorno do sopro ao campo de cinábrio."

Décima postura
44) Mover as mãos em círculos *(yun shou)*
45) Varrer o pé *(bai jiao)*
46) Agachar-se sobre uma perna *(die cha)*
47) O faisão dourado mantém-se sobre uma pata *(jinji du li)*
48) Dar um pontapé e estender a mão para o céu *(zhao tian deng)*
49) Estender o antebraço para trás *(dao juan hong)*
50) A cegonha abre as asas *(bai-e liang chi)*
51) Dar um passo à frente com roçadura do joelho e torção do tronco *(lou xi ao bu)*
52) O raio atravessa as costas *(shan tong bei)*
53) Mover as mãos e abater o punho *(yan shou chui)*
54) Segurar a aba do vestido *(lan tuo yi)*
55) O chicote simples *(danbian)*
"Essa postura se compõe de doze movimentos, que devem ser ligados e executados sem interrupção."

Décima primeira postura
56) Mover as mãos em círculos *(yun shou)*
57) Com a mão erguida, acariciar o cavalo *(gao tan ma)*
58) Pontapé com as mãos cruzadas *(shizi jiao)*
59) Dar um soco no púbis *(zhi dang chui)*
60) O dragão azul emerge da onda *(qinglong chu shui)*
61) O chicote simples *(danbian)*
"Por meio do movimento intitulado 'o dragão azul emerge da onda', o iniciante aprende a pular e a saltar."

Décima segunda postura
61) O galo rasteja no chão e formar o sete-estrelo *(fu di jin shangbu qixing)*
62) Recuar e montar no tigre *(xia bu kua hu)*

Décima terceira postura
63) Varrer o pé *(bai jiao)*
64) A cabeça como um canhão (dang tou pao)

Os movimentos

Antes de efetuar o primeiro movimento propriamente dito, o adepto parte do Wuji, ou seja, do estado numênico, e começa a dobrar levemente as pernas, tornando-se um Taiji, unidade primordial

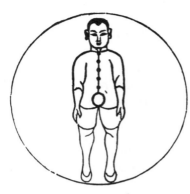

无极象图　　　　　　　大极象图

O Wuji.　　　　　　　O Taiji.

第一势金刚揭碓一名护心拳

左手腕朝上与身准上下相照
左肘沉下须得轻轻挈住意
心贵和平心平则气静心平则气和
自肩醫下不可上架
自不努视旁视则分心乱志
周身转神金係于顶故顶劲
倾起來是在似有似無之間
耳不可有所聽勿聽則心專

項須端直
右肩鬆下
右肘沉下不可稍有上架意
右拳落左掌中去胸五六寸

氣皆歸于丹田

腰劲贵下去贵坚实

右膝微屈不屈則膁不開
腎囊兩旁謂之膁貴圓貴虛不可夾住
立僕卷大領隱白大致平
左足與右足北齊將正平
微用力踏地
左膝微屈不屈則膁不開

平素打拳因地就勢不必拘定方向而守一定之位置但北辰北斗皆在北方學者宜心向之仰承天機人之中氣乃有真宰故畫圖以面北背南右東左西定為準繩以示規矩

Primeiro movimento: o raio pulveriza.

composta do Yin e do Yang, primeiro eixo do movimento ininterrupto que fará o adepto mover-se numa infinidade de posturas até a volta à imobilidade final.

Primeiro movimento: o raio pulveriza

Esse movimento é repetido três vezes no encadeamento (primeiro, quarto e décimo segundo movimentos). Aqui, executa-se na direção do norte; na quarta postura, será executado na direção do oeste. Pouquíssimos movimentos do encadeamento se efetuam nas direções cardeais. São, além deste, os movimentos intitulados "o chicote simples", "passo à frente com torção do tronco", "separar a crina do cavalo selvagem", "estender o antebraço para trás" e "formar o sete-estrelo".

O raio *(vajra)* é o nome de uma série de divindades budistas guardiãs da doutrina, domadoras dos demônios e das influências maléficas, que desempenham um papel essencialmente protetor. *Daocui* significa "moer os cereais num morteiro com um pilão". Ora, nesse movimento a mão direita se abate como o bastão dos *vajra* domadores de demônios, ao passo que o braço esquerdo, levemente dobrado, evoca a forma do morteiro. Como as duas mãos, reunidas, protegem a região do coração, esse movimento é também chamado "o punho que protege o coração".

Imagem. É a imagem do Taiji, formado do Yin e do Yang. No peito encontra-se um círculo, sopro original da harmonia suprema, que de lá penetra os quatro membros. Esse movimento corresponde, portanto, a *qian* (Yang) e *kun* (Yin).

Segundo movimento: segurar a aba do vestido

No *Quan jing*, do general Qi Jiguang, encontra-se um movimento que tem o mesmo título, mas é executado, a julgarmos pelo desenho, de maneira diferente.

Nesse movimento, o mais importante é a força do dedo médio da mão direita. Repete-se quatro vezes no decorrer do encadeamento (números 2, 21, 42 e 54).

Imagem. Hexagrama *tai* ☰☰ "paz, estabilidade", formado do trigrama *kun*, "a terra", em cima, e do trigrama *qian*, "o céu", embaixo.

A esquerda é Yang e a direita, Yin; nesse movimento, porém, estando estendido, o braço direito também é Yang, e o braço esquer-

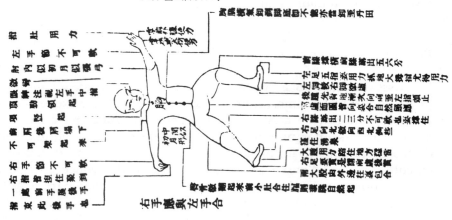

Terceiro movimento: o chicote simples.

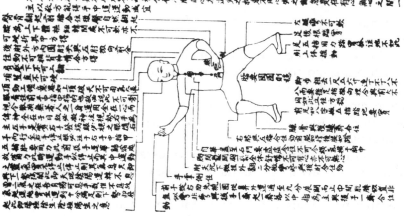

Segundo movimento: segurar a aba do vestido.

do, dobrado, Yin: há, portanto, Yin no seio do Yang e vice-versa, sendo cada braço, ao mesmo tempo, Yin e Yang. Estável e bem enraizado nos dois pés, o adepto está firme no interior e é flexível no exterior. O sopro central, que chega até o alto da cabeça, lembra um eixo a cuja volta se ordenam as transformações.

Terceiro movimento: o chicote simples

Esse movimento repete-se sete vezes no encadeamento, como os dias da semana. Intitula-se "o chicote simples", pois os antebraços que estão na sua origem, perto dos flancos, agem como um chicote, enquanto parecem desdobrar-se delicadamente na horizontal.

A agilidade nasce do espírito unificado. Assim que o coração emite um pensamento, a vontade o acompanha e faz que se movam os quatro membros, de sorte que o sopro circula pelo corpo todo, dando ao combatente a capacidade de reagir imediatamente segundo as circunstâncias e de colar-se ao adversário, que é como que enviscado. Diz Chen Pinsan que são necessários de sete a nove anos de treinamento para que o adepto execute esse movimento de maneira eficaz.

A força nele utilizada é a força que circula no sentido normal, a saber, a que vai do interior para o exterior.

Imagem. Como o movimento precedente, este se acha sob o signo do hexagrama, *tai*, "a paz" ☷ . Está também sob o signo do hexagrama *bi*, "a imobilidade" ☰ , formado em cima pelo trigrama *qian*, "o céu", e, embaixo, pelo trigrama *kun*, "a terra". No *Livro das mutações*, *bi* segue o hexagrama *tai*, do qual é o contrário, pois *tai*, chegado ao apogeu, transforma-se no seu contrário.

Nesse movimento, o adepto tem o espírito vazio e a imensidade do peito contém todas as coisas. No exterior, o espaço infinito, no interior a luminosidade; no exterior, flexibilidade e conformidade, no interior a imagem do fogo, isto é, vazio no meio e claridade irradiante. O alto do corpo está vazio, a parte de baixo, cheia, o sopro central circula de maneira harmoniosa nesse corpo de membros abertos: a estabilidade chegou aqui ao auge, pois os pés se encontram numa posição em que tudo indica que é difícil movê-los ou mudar de postura; daí a idéia de estagnação, de imobilidade, representada pelo hexagrama *bi*.

O movimento precedente, cognominado "segurar a aba do vestido", representa, com este, os dois princípios primários (o Yin e o Yang). Desde o início do encadeamento, o mecanismo celeste foi posto em revolução e os acréscimos e diminuições do Yin e do Yang

221

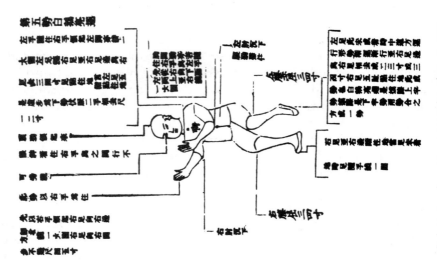

Sexto movimento: dar um passo à frente com roçadura do joelho e torção do tronco.

Quinto movimento: a cegonha abre as asas.

vão suceder-se naturalmente numa evolução, que nunca deve ser forçada. Destarte, os dois princípios primários gerarão os quatro princípios secundários, e as evoluções multiplicar-se-ão.

Quarto movimento: o raio pulveriza

Cf. número 1. Enquanto o primeiro movimento se efetua na direção do norte, este é executado na direção do oeste.

Chen Pinsan não nos fornece nenhuma imagem correspondente a esse movimento.

Quinto movimento: a cegonha abre as asas

Esse movimento é assim intitulado porque sua forma exterior evoca um pássaro abrindo as asas. Além disso, a cegonha é um animal que se dobra sobre si mesmo e permanece imóvel para cultivar a energia. Da mesma forma, neste movimento, o executante recolhe e mantém a energia original.

Repete-se o movimento três vezes (números 5, 17 e 50). No instante da execução, a força interior redemoinha no peito, e o movimento cessa com a imobilização dos pés e das mãos.

Imagem. Hexagrama *bi*, "a solidariedade" ☷☵, formado embaixo por *kun* (o Yin) e em cima por *kan*, "a água". Nesse movimento a mão esquerda move-se circularmente, acompanhando a direita; a esquerda segue a direita, o topo segue a base, há solidariedade entre todas as partes do corpo. Além disso, atraímos o adversário sem atacá-lo; a parte inferior do corpo caracteriza-se então pela flexibilidade, a conformidade *(kun)* e a parte alta por *kan*.

Sexto movimento: passo à frente com roçadura do joelho e torção do tronco

Efetuado em direção ao oeste, esse movimento simboliza o sopro original da harmonia suprema. Os elementos do corpo estão dispostos nas quatro direções cardeais, lugar dos quatro trigramas principais segundo a ordem de Fuxi: *qian*, *kun*, *kan* e *li*.

O movimento corresponde a um fechamento, a uma reunião da força interior. Convém, portanto, utilizar a força enrolada em sentido inverso, a fim de que o sopro retorne ao campo de cinábrio.

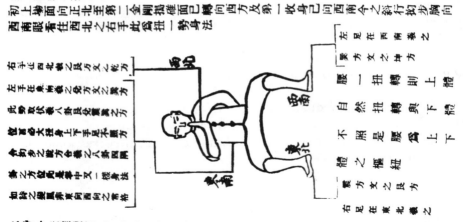

Oitavo movimento: passo à frente com torção oblíqua do tronco.

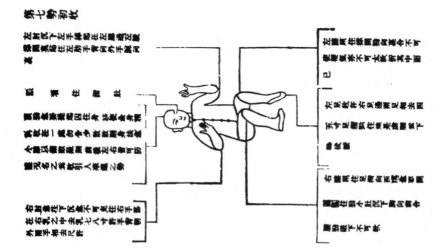

Sétimo movimento: primeiro recolhimento.

Imagem. O sopro central dos trigramas *qian*, ☰ e *kun* ☷ troca-se e dá os trigramas *kan* ☵ e *li* ☲. Quando há uma nova troca entre os trigramas *kan* e *li* (isto é, entre a energia-fogo do coração e a energia-água dos rins), há retorno à origem.

Sétimo movimento: primeiro recolhimento

Esse movimento é assim intitulado porque todo o corpo está reunido, a vitalidade, concentrada: o praticante assemelha-se ao gato que eriça os pêlos antes de atacar o camundongo. O sopro concentra-se no campo de cinábrio inferior; rodopia e circula com impetuosidade no interior do corpo, mola comprimida que guarda o Yang no seio do Yin. Esse movimento é tremendo e mortal.

Imagem: Hexagrama *guan*, "a contemplação" ䷓, composto de *kun*, "a terra", embaixo, e *xun*, "o vento", em cima. Toda a parte inferior do corpo é Yin, a imagem, portanto, de *kun;* as duas mãos em cima são dois Yang acima do Yin, a imagem de *xun*. O adepto observa o adversário na imobilidade; e contempla-lhe a mobilidade para saber como responder a ela.

Oitavo movimento: passo à frente com torção oblíqua do tronco

Esse movimento semelha o intitulado "passo à frente com torção do tronco", mas aqui pés e mãos estão voltados para as direções colaterais.

Imagem. Esse movimento corresponde aos trigramas *gen, dui, zhen* e *xun*, situados nas direções colaterais. *Gen* corresponde às mãos; a mão direita está dirigida para o noroeste, direção que corresponde ao trigrama *qian*, de acordo com a disposição de Wenwang. A mão esquerda, dirigida para o sudeste, local do trigrama *dui*, é a imagem da donzela; o que significa que, à semelhança de uma donzela arrebatada, essa mão é capaz de aniquilar todas as coisas, e o adversário não se atreve a avançar, com medo de ferir-se. Segundo a disposição de Wenwang, o trigrama *xun* corresponde ao sudeste, e pode-se dizer também que a mão direita, atrás, se move à velocidade do vento.

O pé esquerdo está dirigido para o sudoeste, local de *xun*, ou de *kun*, conforme a disposição de Wenwang. O pé direito está a nordeste, local de *zhen*, "o trovão", pois esse pé golpeia o inimigo com a velocidade do raio.

Décimo movimento: adiantar-se diante do altar, mas sem torção do tronco.

Nono movimento: segundo recolhimento.

Nono movimento: segundo recolhimento

Nesse movimento, convém fazer círculos cada vez menores, até parecer que já não existe círculo nenhum; o executante está unido ao Taiji, cujas transformações maravilhosas domina. Chen Pinsan diz: "Tendo-se exercitado todos os dias na alternância do Yin e do Yang, da abertura e do fechamento, coisa acessível a todos aqueles que têm constância, o adepto é então capaz, ao cabo de certo tempo, de sentir os perfumes celestes e ver constantemente diante de si o círculo de luz".

Imagem. Hexagrama *bo*, "o estouro" ☷☶ , composto embaixo de *kun*, "a terra", em cima de *gen*, "a montanha, a imobilização". Nesse hexagrama, a montanha apóia-se na terra; em outras palavras, se o praticante tiver uma base sólida, não terá nada a temer, apesar do perigo da postura, que lhe é desfavorável.

Décimo movimento: adiantar-se defronte do altar, sem torção do tronco

Esse movimento e o intitulado "o raio pulveriza" fazem trabalhar essencialmente a força interior enrolada. O sopro circula por todo o corpo sem se esgotar, e a energia de movimento deve estar ligada à do movimento seguinte e desenrolar-se sem estagnação nem interrupção, como o fio de seda que se desenrola de um casulo.

Imagem. Hexagrama *fu*, "a volta" ☷☳ composto, embaixo, de *zhen*, "o trovão", e, em cima, de *kun*, "a terra". Chegado ao apogeu, o Yin transmuda-se em Yang, que aparece no primeiro traço inferior. Aliás, o trovão está sob a terra: a mão esquerda e a direita ainda não atacaram, preparam-se para fazê-lo, como o trovão que sai da terra (segundo os chineses, o raio saía da terra).

Décimo primeiro movimento: mover as mãos e abater o punho

Os pés devem estar bem enraizados e estáveis, como as montanhas. A força interior parte do calcanhar direito, sobe ao longo da barriga da perna, da coluna vertebral, do ombro e circula pela face externa do braço, até o dorso da mão. Ao mesmo tempo, sob a influência do pensamento emitido pelo coração, o sopro sai do campo de cinábrio inferior e se dirige aos ombros e ao braço, até o dorso do punho.

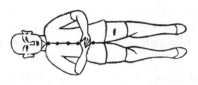

Décimo segundo movimento: o raio pulveriza.

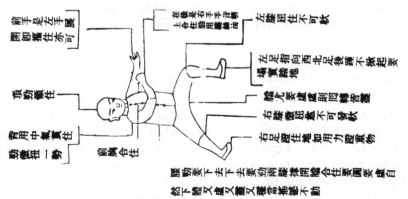

Décimo primeiro movimento: mover as mãos e abater o punho.

Imagem. O movimento precedente correspondia ao hexagrama *fu*, o início do nascimento de Yang e também o trovão escondido sob a terra. Esse movimento corresponde ao hexagrama *zhen*, "o trovão", o qual, escondido sob a terra na postura precedente, se exteriorizou neste movimento: desde o alto até embaixo, o nosso corpo é semelhante ao trovão, e ninguém pode aproximar-se de nós; de mais a mais, o ataque, rápido como o raio, cria o pavor à nossa volta. É quando detemos essa força, emitida com a velocidade do raio, diz-nos Chen Pinsan, que podemos guardar os templos, os altares cultuais do deus do solo e dos cereais, e ser o chefe de cerimônia dos sacrifícios.

Décimo segundo movimento: o raio pulveriza

Cf. números 1 e 4; é a terceira repetição desse movimento no encadeamento. Por ocasião do movimento anterior, toda a energia espiritual e o sopro foram dispersados para o exterior; daí a necessidade de recolhê-lo e reunir a essência vital durante um tempo bastante longo. É a aplicação do princípio natural de evolução do Yin e do Yang: a abertura para o exterior deve ser seguida de um fechamento.

Imagem. Hexagrama *yu*, "o entusiasmo" ☷, composto no alto de *zhen*, "o trovão", e embaixo de *kun*, "a terra". O trovão saiu de baixo da terra, o adepto alcançou a grande harmonia e logrou o êxito sem procurá-lo. Seguindo o movimento natural sem se agitar levianamente, reside de contínuo na felicidade. Quando não lhe é preciso combater, o adepto mantém a perfeição inata; esse movimento, por conseguinte, é também a imagem do Taiji, do retorno à origem.

Décimo terceiro movimento: dar um soco

Nesse movimento, aprendemos a olhar para trás: se o corpo estiver voltado para o oeste, o olhar será dirigido para leste; se a cabeça estiver voltada para o alto, o olhar estará dirigido para baixo, etc.

Imagem. Hexagrama *li*, "o fogo, a luz" ☲. De alto a baixo, o corpo está firme no exterior (Yang) e vazio no interior (Yin); o coração, vazio e luminoso, ilumina o corpo inteiro.

Décimo terceiro movimento: dar um soco.

Décimo quarto movimento: desferir um golpe com o ombro e um soco no púbis.

Décimo quinto movimento: olhar para o punho sob o cotovelo.

Décimo quarto movimento: desferir um golpe com o ombro e um soco no púbis

Esse movimento constitui a seqüência do precedente.
Imagem. Hexagrama *li*, "o fogo", como o movimento anterior.

Décimo quinto movimento: olhar para o punho sob o cotovelo

Nessa postura, o executante ouve tudo à sua volta e desenvolve a percepção para apreender o que acontece às suas costas, a fim de prevenir um eventual ataque.
Imagem. Hexagrama *kan* ☵. O executante desafia o perigo sem perder a confiança, como a água que flui e penetra em toda parte sem descanso.

Décimo sexto movimento: estender o antebraço para trás

Chen Pinsan dá aqui a antiga forma, na qual o peito ficava a cerca de sessenta centímetros do chão, e precisa que, já em seu tempo, ninguém era capaz de executá-lo dessa maneira; daí a necessidade de simplificá-lo.

Nesse movimento, os braços descrevem círculos tais como a revolução do Sol e da Lua, e a força utilizada é a força enrolada em sentido inverso, ou seja, a que parte da face interna dos dedos rumo ao tronco.
Imagem. Hexagrama *kun*, "o Yin" ☷. Nessa postura, o movimento preponderante é o recuo de todas as partes do corpo (o recuo é Yin). Além disso, o ventre e o peito, que correspondem ao trigrama *kun*, estão na frente, de modo que a imagem de *kun* está em cima e embaixo. É o único movimento do encadeamento em que há recuo.

Décimo sétimo movimento: a cegonha abre as asas

Cf. número 5; é a segunda repetição desse movimento no encadeamento.
Imagem. Hexagrama *dui*, "o lago" ☱. Como o lago que acolhe as águas, o executante aqui acolhe e atrai o adversário com flexibilidade.

第十六勢倒捲紅

此老式也胸去地二尺今人皆不能故稍變其勢避難就易然其活動處較勝老式故特圖之以示老式之原樣恐失傳也

右手涉到上面肘微彎指微屈

此大鋪身法頂精愈得領好眼神看住左足不然恐履非所履以致立不穩當故眼神住此

左手在後肐膊微屈一二分指微搖如拾物

退行法脚往後倒退行開大步

倒捲紅從肘底看拳地位退行自前向後至白鵝亮翅止必待左脚在後方止此是倒捲與下勢

脊骨領住身鋪下去又得往上領住大彎腰往後退行

左足前掌著地用力

右足平踏

Décimo sexto movimento: estender o antebraço para trás.

Décimo oitavo movimento: passo à frente com torção do tronco

Cf. número 6; é a segunda repetição desse movimento no encadeamento.

Imagem. A execução precedente desse movimento simbolizava os quatro trigramas dos pontos cardeais: *qian, kun, kan* e *li*. Nunca devemos, todavia, evitar a repetição e acreditar que esgotamos imediatamente o sentido de um movimento; daí a necessidade de sermos modestos e humildes, signo que rege esse movimento. O hexagrama *qian*, "modéstia" ☷ compõe-se de *gen*, "a montanha", embaixo, e de *kun*, "a terra", em cima. Nesse movimento, convém que o praticante esteja interiormente imóvel, que se concentre, que siga os outros, colocando-se sob eles com humildade.

Décimo nono movimento: o raio atravessa as costas

Esse movimento é executado para o oeste. Quando o corpo está curvado para baixo, o sopro central parte de baixo da vigésima primeira vértebra e sobe, ao longo das costas, até o cocuruto, para tornar a descer pela frente, até o campo de cinábrio inferior: o sopro circula, portanto, do canal de controle para o canal de função. Quando o corpo se endireita, o sopro parte do campo de cinábrio inferior, atravessa o peito, até o cocuruto da cabeça, e torna a descer ao longo da coluna vertebral, até a vigésima primeira vértebra; quando o corpo se endireita, o sopro atravessa as costas como um raio; daí o nome do movimento. No fim do endireitamento do corpo, convém contrair o ânus para cima e fazer uma violenta introversão da bacia, imprimindo, ao mesmo tempo, à cabeça e aos ombros, um movimento para baixo.

Imagem. Hexagrama *daguo*, "preponderância do grande" ☱, composto, embaixo de *xun*, "o vento", e, em cima de *du*, "o lago". O primeiro e o sexto traços desse hexagrama são Yin, do mesmo modo que os pés e a cabeça seguem as ordens com flexibilidade e são, por conseguinte, Yin. Os demais traços são Yang, do mesmo modo que o coração e os quatro membros são firmes.

Vigésimo movimento: mover as mãos e abater o punho

Cf. número 11.

Imagem. Hexagrama *cui*, "a reunião, o recolhimento" ☷, composto de *kun*, "a terra", embaixo, e *dui*, "o lago", em cima. O

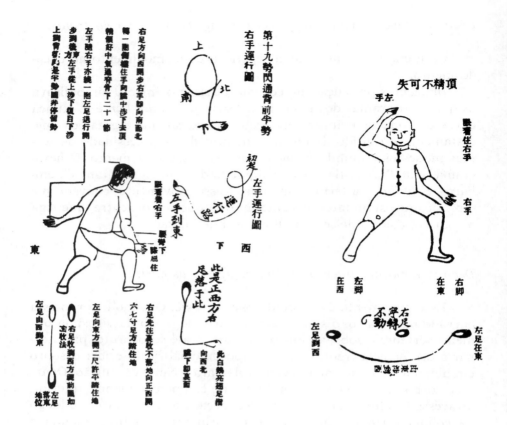
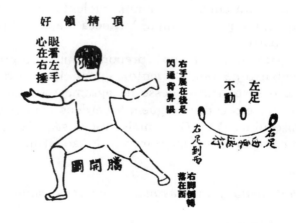

Décimo nono movimento: o raio atravessa as costas.

lago é um lugar de reunião das águas; nesse movimento, toda a força está reunida no punho direito; daí a imagem escolhida.

É também a imagem de *xiaoguo*, "a preponderância do pequeno" ☳☶ , composta de *gen*, "a montanha", embaixo, e de *zhen*, "o trovão", em cima: o trovão está na montanha. Da mesma forma, nesse movimento, o punho direito se abate de trás para diante como a tempestade de montanha.

É também a imagem de *dazhuang*, "o poder do grande" ☳☰ , composta de *qian*, "o céu", embaixo, e de *zhen*, "o trovão", em cima; o trovão está no céu, assim como o punho atravessa o céu com a velocidade do raio.

Vigésimo primeiro movimento: segurar a aba do vestido

Cf. número 2; é a segunda repetição desse movimento.
Imagem. Hexagrama *xiaochou*, "domesticação do pequeno" ☴☰ , composto de *qian*, "o céu", embaixo, e de *xun*, "o vento", em cima. Nessa postura, o flexível conseguiu sua posição, a parte superior e a inferior do corpo estão em correspondência mútua, assim como o traço Yin, na boa posição, estabelece a harmonia entre a parte superior e a inferior do hexagrama.

Vigésimo segundo movimento: o chicote simples

Cf. número 3.
Imagem. Idêntica à do número 3.

Vigésimo terceiro movimento: mover as mãos em círculos

O nome do movimento é também apresentado por Chen Pinsan como "mover as mãos como nuvens". É a primeira execução desse movimento, repetido três vezes no encadeamento. Utiliza-se, alternadamente, a força enrolada no sentido normal e a força enrolada no sentido inverso. Dessa forma, quando o pé direito faz um quarto de círculo lateral, a força parte da entreperna e enrola-se para fora até os dedos dos pés, para voltar em sentido contrário. No que diz respeito às mãos, o sopro (ou a força interior) parte do campo de cinábrio, sobe ao longo dos flancos e enrola-se em torno dos braços na direção do exterior até os dedos.

Imagem. Hexagrama *hen*, "a duração" ☳☴ , composto, embai-

235

雲手左手運行圖　　　雲手右手運行圖

此左手輕鬆胸前用纏絲精向上往左足運行至此不停右手胸向前該左手運行時眼看住左手手要靈活
兩要鬆下左手轉
圖周家圈住轉圓
眼宜看住左手
耳宜高住後面
左手轉上圓圈右手自下漸漸收到胸前五指束住不停暫留胸上行向左運轉去更迭運轉不息
左足向左開步須小約尺許此步
漸漸向左去右足自謂相讓散寸
右足向右開步頂大約尺五寸
左足隨左手運如右手足法

跟隨右手運行右手
到何處眼亦到何處
左面亦然以中指為
的都肚用力
頂稍側好
耳聽左面
右手轉一圈至上則往上傾之左手圈住右手向
右運行亦運胸前乘左手自上收到此已轉半
圈矣手亦不停即往上向前運行
此是右手收到身胸自上圓下面圓上行用
開步足踏著地不停
右足隨住右手收到左
足邊不停向外慢彎勢
纏絲精細一大圈至底不停

Vigésimo terceiro movimento: mover as mãos em círculos.

xo, de *xun*, "o vento", e, em cima, de *zhen*, "o trovão". As mãos, símbolos da Lua e do Sol, descrevem círculos ininterruptos, iluminando, por esse movimento circular, o corpo inteiro de modo durável e constante. De mais a mais, movem-se as mãos como o trovão e o vento; daí a imagem do hexagrama *heng*.

Vigésimo quarto movimento: com a mão erguida, acariciar o cavalo

Chen Pinsan dá a nova postura e a antiga, na qual a mão esquerda está mais perto do quadril. Um movimento que tem o mesmo título e se executa como a antiga forma encontra-se no *Quan jing*, de Qi Jiguang. Essa postura evoca uma pessoa que, antes de montar num cavalo alto, pousa a mão sobre seu pescoço e acaricia-o suavemente.

Imagem. Hexagrama *shihe*, "morder de lado a lado" ☰, composto, embaixo, de *zhen*, "o trovão", e, no alto, de *li*, "o fogo". O executante está numa situação em que não pode deixar de atacar sem se colocar em perigo. Além disso, os pés são como o trovão, ao passo que o coração, vazio de todo e qualquer pensamento, ilumina o corpo antes de emitir ordens (imagem de *li*, "o fogo, a luz").

Vigésimo quinto movimento: dar um pontapé à direita

No combate, golpeia-se para o alto com o pé, para baixo com a mão.

Imagem. Hexagrama *yi*, "o aumento" ☰, composto, embaixo, de *zhen*, "o trovão", e, em cima, de *xun*, "o vento". Nesse movimento, a mão *(gen)* ajuda o pé *(zhen)*.

Vigésimo sexto movimento: dar um pontapé à esquerda

Imagem. Hexagrama *gu*, "a corrupção" ☰, composto, embaixo, de *xun*, "o vento", e, em cima, de *gen*, "a montanha". O pé direito, sobre o qual repousa o peso do corpo, é Yin, como o trigrama *xun;* é o único ponto de apoio, menos seguro que o esquerdo, do que decorre a idéia de situação pouco estável e corrupção.

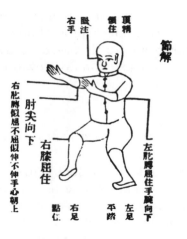

Nova postura.   *Antiga postura.*

Vigésimo quarto movimento: com a mão erguida, acariciar o cavalo.

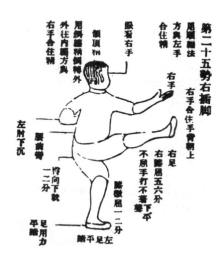

Vigésimo quinto movimento: dar um pontapé à direita.   *Vigésimo sexto movimento: dar um pontapé à esquerda.*

Vigésimo sétimo movimento: o chicote simples

Cf. números 3 e 33. Esse movimento também se chama "o vento duplo atravessa as orelhas", pois, quando os dois braços se afastam para a direita e para a esquerda, a rapidez do movimento provoca um silvo do ar.

Imagem. Hexagrama *wuwang,* "a inocência, o inesperado" ☰☳, composto, embaixo de *zhen,* "o trovão", e, em cima, de *qian,* "o céu". Nesse movimento, a energia se concentra no cocuruto (que corresponde a *qian*), ao passo que o pé esquerdo se move com a rapidez do raio *(zhen).* Obtém-se, dessa maneira, a imagem do hexagrama *wuwang,* que exprime, ao mesmo tempo, a firmeza e a rapidez do movimento.

Vigésimo oitavo movimento: dar um soco em terra

Imagem. Hexagrama *gen,* "a montanha, a imobilidade" ☶. Nesse movimento, todo o corpo é orientado para baixo, na imobilidade; após o movimento vem o repouso, que engendrará novamente o movimento.

Vigésimo nono movimento: segundo levantamento do pé

O executante salta a uma altura de um metro e cinqüenta e um metro e oitenta do chão. É um dos movimentos mais difíceis do encadeamento; exige longo tempo de exercício, começando por pequenos saltos. Foi, aliás, suprimido na escola Yang.

Imagem. Hexagrama *zhen,* "o trovão" ☳. *Zhen* corresponde aos pés, que desempenham parte importante no movimento. É também a imagem de *qian,* "o céu", pois o executante salta muito alto no céu, como está dito no *Yijing,* no quinto traço do hexagrama *qian:* "o dragão voador aparece no céu".

Trigésimo movimento: postura da cabeça de animal selvagem

O executante tem o ar feroz de um animal selvagem; assim se explica o nome do movimento.

Imagem. Hexagrama *guan,* "a contemplação" ☴☷, composto, embaixo, de *kun* "o Yin", e, em cima, de *xun* "o vento". Nesse movimento, toda a energia se concentra no olhar; convém observar as

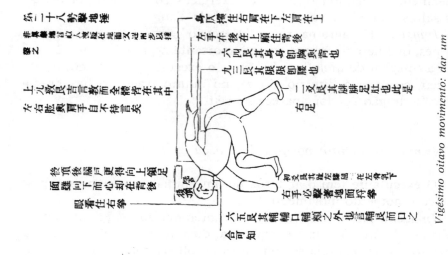

Vigésimo nono movimento: segundo levantamento do pé.

Vigésimo oitavo movimento: dar um soco em terra.

alterações emotivas do adversário e observar-lhe a forma exterior, a fim de conhecer-lhe as intenções; trata-se, por conseqüência, da imagem da observação. Em cima, por outro lado, as coisas seguem o curso normal, é a imagem de *xun*, "o vento, a doçura", ao passo que, embaixo, a parte preponderante do corpo, nesse movimento, é o ventre, que corresponde ao trigrama *kun;* reencontramos aqui, portanto, a imagem de *guan*.

A propósito da observação, Chen Pinsan alude a uma técnica de adivinhação que consiste em examinar as cores e a configuração dos sopros que emanam de diferentes partes do corpo do indivíduo (em geral, a cabeça) a fim de deduzir delas o fasto e o nefasto. Diz ele: "Os que se esmeram em observar as cores são capazes de dominar o adversário e até o salteador de estrada".

Trigésimo primeiro movimento: dar um golpe de calcanhar

O golpe com o pé é dado muito alto.
Imagem. Hexagrama *dazhuang*, "poder do grande" ☰☰, composto, embaixo, de *qian*, "o céu", e em cima, de *zhen*, "o trovão". Nesse movimento, toda a força se concentra na ponta do pé (imagem de *zhen)*, erguido bem alto no céu *(qian)*, de onde a imagem de *dazhuang*.

Trigésimo segundo movimento: desferir um golpe com a planta do pé

Quando, na postura precedente, o executante desfecha um pontapé, o adversário segura-lhe o pé e puxa-o com toda a força, a fim de desequilibrá-lo; nesse momento preciso, o combatente desfere o golpe com a planta do pé, a fim de desvencilhar-se do adversário. Chen Pinsan dá, ao lado da nova, muito mais fácil de executar, a forma antiga do movimento.
Imagem. Hexagrama *kan*, "a água, o perigo" ☵☵. O combatente está em grande perigo.

Trigésimo terceiro movimento: mover as mãos e abater o punho

Cf. número 11.
Imagem. Nas cinco posturas precedentes do encadeamento, a noção dominante era a de perigo, de estagnação. Aqui, a estagnação

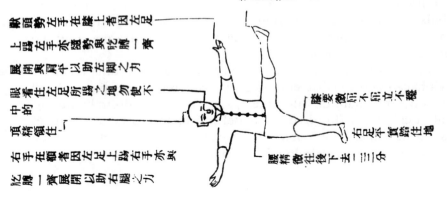

Trigésimo primeiro movimento: dar um golpe de calcanhar.

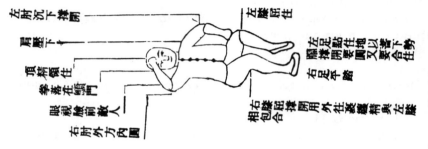

Trigésimo movimento: postura da cabeça de animal feroz.

atinge o apogeu e transforma-se no seu contrário, a paz, a estabilidade, representada pelo hexagrama *tai* ☷☰, que é o contrário do hexagrama *bi*, "a estagnação" ☰☷. Encontra-se, igualmente, a idéia de progresso, avanço.

Trigésimo quarto movimento: pequena captura

Imagem. Desenvolve-se a idéia de progresso, latente no movimento anterior, e convém aumentar-lhe a vantagem até a vitória completa. É, portanto, a imagem do hexagrama *jin*, "o progresso" ☲☷ que Chen Pinsan emprega para esse movimento.

Trigésimo quinto movimento: rodear a cabeça e repelir a montanha

Quanto mais próximo estiver o inimigo, tanto mais rápidos precisamos ser, utilizando, para os braços e pernas, a força enrolada de fora para dentro.
Imagem. Hexagrama *xian*, "a influência" ☱☶, composto de *gen*, "a montanha", embaixo, e de *dui* "o lago", em cima. Em comunicação com os sopros do céu e da terra, o executante repele o adversário com todas as forças, exercendo sua influência.

Trigésimo sexto movimento: o chicote simples

Cf. números 3, 22 e 27; é a quarta repetição desse movimento.
Imagem. A mesma que as desses números.

Trigésimo sétimo movimento: estender-se para a frente

Penetrante e rápido, o olhar ilumina à sua frente. Toda a arte marcial depende do olhar, do coração e das mãos. Percebendo o olhar do adversário, notadamente o local em que ele pousa, podemos adivinhar-lhe o ataque, saber se ele vai avançar ou recuar e, assim, antecipar-nos a ele ou reagir da maneira correta.
Imagem. Hexagrama *xun*, "a diminuição" ☶☱.

243

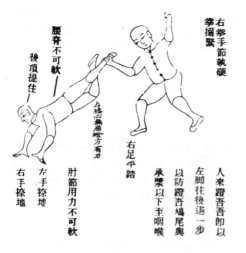

Forma antiga.

Trigésimo segundo movimento: desferir um golpe com a planta do pé

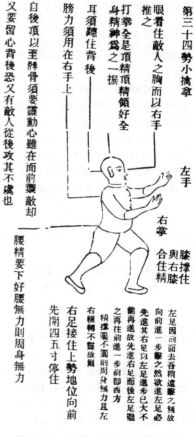

第三十四勢小擒拿

Trigésimo quarto movimento: pequena captura.

Forma nova.

Trigésimo oitavo movimento: esticar-se para trás

Esse movimento é considerado uma postura intermediária, mais utilizada no treinamento individual do que durante o combate. Apesar disso, corresponde à seguinte situação: se o adversário atacar por trás, viramo-nos bruscamente e acolhemo-lo com o antebraço direito, agarrando-lhe a mão e fazendo-a descrever um círculo.
Imagem. Hexagrama *xiaoguo*, "pequena ultrapassagem" ☳☶ , composto de *gen*, "a montanha", embaixo, e de *zhen*, "o trovão", em cima. Nesse movimento, não é necessário fazer o corpo mexer-se muito; só importam a agilidade e a perspicácia; daí a idéia de pequena ultrapassagem.

Trigésimo nono movimento: separar a crina do cavalo selvagem

Chama-se assim o movimento porque as duas mãos são como a crina de um cavalo selvagem repartida de um lado e de outro do pescoço quando ele galopa pelos descampados selvagens. Esse movimento e os intitulados "o raio atravessa as costas", "segundo levantamento do pé", "estender o braço para trás" são os mais eficazes no combate. Nesse movimento, é a energia do alto da cabeça que dirige todo o corpo.
Imagem: Hexagrama *qian*, "o Yang" ☰ . Nesse movimento, tudo é força e firmeza. Ademais, todo obstáculo é eliminado à medida que aparece, pois o sopro central circula sem interrupção, de modo que aos adversários só é dado recuar. A energia vai do cóccix ao alto da cabeça, enquanto os braços descrevem molinetes, formando ao redor do corpo um círculo completo, que protege o combatente e impede a aproximação dos adversários. Os molinetes são tão rápidos que se ouve o silvo provocado pelo deslocamento de ar. O hexagrama *qian* é também a imagem do movimento perpétuo; aqui, o combatente faz molinetes sem parar, afastando os obstáculos à esquerda, à direita, atrás, etc. Quando estamos sós diante de vários inimigos, a única solução é sermos rápidos como o vento.

Quadragésimo movimento: o chicote simples

Cf. números 3, 22, 27 e 36.
Imagem. A mesma que as desses números.

Trigésimo quinto movimento: rodear a cabeça e repelir a montanha.

第三十五勢抱頭推山

Trigésimo oitavo movimento: esticar-se para trás.

第三十八勢後照

Trigésimo sétimo movimento: estender-se para a frente.

第三十七勢前照

Quadragésimo primeiro movimento: a donzela de jade tece e empurra a naveta

Esse movimento, na realidade, compreende quatro, executados nos pontos cardeais: o leste, o sul, o oeste e o norte. O executante exercita-se, dessa maneira, em girar o corpo com facilidade, acompanhado pelas mãos, a fim de aparar um eventual ataque. Aqui, portanto, é essencial ser muito rápido, ter o ar feroz e mobilizar toda a energia. Só uma pessoa com longa prática e grande domínio do Taiji quan será capaz de juntar, por meio do sopro central, a parte superior e a inferior do corpo e, assim, levar a bom termo o movimento.
Imagem. Hexagrama *li*, "o fogo" ☲ . O trigrama dobrado se compõe de um traço vazio no meio (Yin) e dois traços cheios (Yang). Outrossim, nesse movimento, o espírito se acha inteiramente vazio, a fim de poder reagir ao adversário sem dificuldade. É também a imagem de *xun*, "o vento", pois o movimento deve ser levado a cabo com a rapidez do vento.

Quadragésimo segundo movimento: segurar a aba do vestido

Cf. números 2 e 21.
Imagem. Depois do movimento intitulado "a donzela de jade tece e empurra a naveta", inimigos voltam a atacar, colocando em perigo e em dificuldades o combatente, que os detém com a mão direita. Trata-se, portanto, da imagem de *kan*, "o perigo", e de *gen*, "a mão", ou seja, o hexagrama *meng* ☶ , "a loucura juvenil".

Quadragésimo terceiro movimento: o chicote simples

Cf. números 3, 22, 27, 36 e 40.
Imagem. Idêntica às desses números.

Quadragésimo quarto movimento: mover as mãos em círculos

Cf. número 23.
Imagem. Hexagrama *li*, "o fogo, a luz" ☲ . Quando o coração está apaziguado e aberto, brilha constantemente com a sua luz e ilumina todo o espaço. A luz contribui com a agilidade sobrenatural e pode, sozinha, vencer todos os acontecimentos exteriores. Nesse mo-

第三十九勢野馬分鬃 閃通背二起倒捲肱乃拳中大作用之身法此勢亦是拳中大作用

野馬分鬃圖

身法

腰精愈要下去

左手在下五指手背肘亦要用精
耳要聽其身後
頂精領好則全身精神皆振
眼睛顧視左右
要快
右手直符右手五指手背俱
要用精左手直符亦然

胸合住精

右肘尖沉下用精

左脚有欲往前進之勢
左膝微屈腿彎不可軟
膈精愈下愈好
左手腕朝下指頭上握
右足踏得十分穩當

Trigésimo nono movimento: separar a crina do cavalo selvagem.

vimento, as mãos, como o Sol e a Lua, movem-se em círculos e clareiam à direita e à esquerda, de acordo com as circunstâncias.

Quadragésimo quinto movimento: varrer o pé

O pé é varrido horizontalmente.
Imagem. Hexagrama *gen*, "a imobilidade" ☷. *Gen* corresponde às mãos, que, nesse movimento, imobilizam os adversários à direita e à esquerda, ao mesmo tempo em que os dedos do pé têm a imobilidade das montanhas, a fim de não ser desequilibrado; o pé esquerdo está bem enraizado, ao passo que o direito varre horizontalmente.

É também a imagem do hexagrama *lü*, "o viajante" ☶, composto, embaixo, de *gen*, "a montanha", e, em cima, de *li*, "o fogo". Nesse movimento, o pé desloca-se para o lado, enquanto os braços vão da esquerda para a direita e, a seguir, da direita para a esquerda, evocando as idas e vindas do viajante.

Quadragésimo sexto movimento: agachar-se sobre uma perna

O combatente abaixa-se muito rapidamente sobre uma perna, enquanto a outra permanece estendida. Esse movimento é o inverso do movimento intitulado "segundo levantamento do pé".
Imagem. Hexagrama *jian*, "o obstáculo" ☷, composto, embaixo, de *gen*, "a montanha", e, em cima, de *kan*, "o perigo". O perigo está na direção nordeste, que é a do trigrama *kan* segundo a disposição de Wenwang; por essa razão, o pé está dirigido, nesse movimento, para o sudoeste, direção auspiciosa. Não obstante, imobilizamo-nos embaixo por causa do perigo (imagem de *gen*, a imobilidade). É também a imagem do hexagrama *mingyi*, "o obscurecimento da luz" ☷, composto embaixo de *li*, "o fogo", e, em cima, de *kun*, "a terra": o combatente dissimula sua luz a fim de disfarçar suas intenções.

Quadragésimo sétimo movimento: o faisão dourado mantém-se sobre uma pata

Nesse movimento, a direita é móvel, a esquerda, imóvel. A energia sobe da perna direita, passa pelo flanco direito, pelo braço direito, e chega à palma da mão direita; daí, passa pelos cinco dedos

玉女穿梭左足進圖

此玉女穿梭第二步左足進步姿勢面已轉過向南身已轉過一半矣此不算成勢是中間運行之形亦是方轉不停莫誤看

左足進步足趾向東者亦隨右足趾向西切莫停留手法步法轉法愈快愈好

Inicio do movimento.

此圖玉女穿梭勢已成之式

身方倒轉右足隨住身倒轉過來面仍向北右足再向東開一大步似停不停

喚起下勢起勢之脈本勢似與攬擦衣大同小異然其實大不相同彼則身不轉動專心運其右手其氣恬其神靜茲則連轉身帶運手足以防身禦敵

Fim do movimento.
Quadragésimo primeiro movimento: a donzela de jade tece e empurra a naveta.

e torna a partir, passando pelo dorso da mão, pelo cotovelo, pelo ombro, para voltar a descer até o calcanhar direito. Ao mesmo tempo, o sopro central sobe do campo de cinábrio até o alto da cabeça e desce de novo, ao longo da coluna vertebral, até o cóccix.

Imagem. Hexagrama *jin*, "o progresso" ☷☲, composto, embaixo, de *kun*, "a terra", e, em cima, de *li*, "o fogo". O trigrama *kun* corresponde ao ventre; a mão direita passa diante do ventre e ergue-se mais alto do que a cabeça, como o fogo que se eleva. É também a imagem de *fu*, "o retorno" ☷☳, composto, embaixo, de *zhen*, "o trovão", e, em cima, de *kun*, "a terra". Com efeito, o pé direito move-se como o trovão *(zhen)*, ao passo que o joelho se detém diante do ventre *(kun)*. O retorno, aliás, simboliza também o retorno à estabilidade e a condições melhores do que nos movimentos precedentes.

Quadragésimo oitavo movimento: desferir um pontapé e erguer a mão para o céu

Esse movimento é idêntico ao precedente, porém efetuado à esquerda. Trata-se, portanto, de um movimento mais difícil de executar, pois a maioria das pessoas é destra.

Imagem. Hexagrama *tai*, "a paz, a estabilidade" ☷☰. Retorno à serenidade.

Quadragésimo nono movimento: estender o antebraço para trás

Cf. número 16.
Imagem. Idêntica à desse número.

Qüinquagésimo movimento: a cegonha abre as asas

Cf. números 5 e 17; é a terceira repetição desse movimento no encadeamento.

Imagem. No movimento precedente, nós nos encontrávamos numa postura difícil. Com este movimento, saímos do perigo; trata-se, portanto, do hexagrama *jie*, "a libertação" ☵☳ , composto, embaixo, de *kan*, "o perigo", e, em cima, de *zhen*, "o trovão". Emitido do coração, o sopro rodopia e derrota o adversário.

第四十五勢撩腳

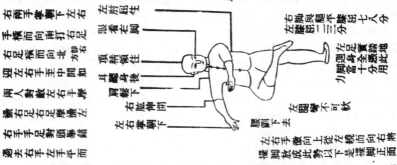

Quadragésimo sexto movimento: agachar-se sobre uma perna.

第四十六勢跌岔

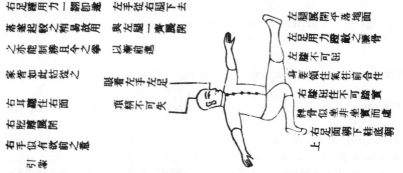

Quadragésimo quinto movimento: varrer o pé.

Qüinquagésimo primeiro movimento: passo à frente com torção do tronco

    Cf. números 6 e 18.
    Imagem. Idêntica às desses números.

Qüinquagésimo segundo movimento: o raio atravessa as costas

    Cf. número 19.
    Chen Pinsan não dá imagem alguma desse movimento.

Qüinquagésimo terceiro movimento: mover as mãos e abater o punho

    Cf. números 13 e 33.
    Imagem. Idêntica às desses números.

Qüinquagésimo quarto movimento: segurar a aba do vestido

    Cf. números 2, 21 e 42.
    Imagem. A primeira execução desse movimento correspondia ao Taiji formado de Yin e Yang; a segunda (número 21) tinha por imagem "a domesticação do filhote"; a terceira (número 42), "a loucura juvenil". Essa execução tem por imagem *qian*, símbolo do Yang puro e do "caminho das mudanças infinitas".

Qüinquagésimo quinto movimento: o chicote simples

    Cf. números 3, 22, 27, 36, 40 e 43; é a sétima repetição desse movimento no encadeamento.
    Imagem. Imagem de *qian* e *kun*, pois o movimento é ágil no exterior e firme no interior. *Qian* e *kun* são pai e mãe dos seis filhos (dos seis outros trigramas que deles decorrem); da mesma forma, este movimento é pai e mãe dos seis movimentos "chicote simples" anteriores.

Qüinquagésimo sexto movimento: mover as mãos em círculo

    Cf. números 20, 23 e 44.
    Imagem. A mesma que as desses números.

第四十八勢朝天樣

何謂朝天樣左手擎上如之朝天樣形也此勢退廠前之右搧腳
入之一身以膝為中界右手右膝在上行左手左膝在下行中間以腰為分界

左膝蓋在上項
肉要含蓄
左手掌朝上
耳聽精神領起
右肩墜身下垂

右膝屈三分
右足用力平塔
一身全惡一隻右腳
戴身故不可軟

Quadragésimo oitavo movimento:
desferir um pontapé e erguer a mão para o céu.

第四十七勢金雞獨立

何謂金雞獨立一腿獨立如雞之腿獨立一腿翹起象形也此勢應已前之右搧腳
附詠者周身骨節面解之也
右膝猛抬黃右掌齊用力往上項
右手向上
頂中氣一齊上行
頂須領住
身後眼不能視
眼視後
肩鬆下
左手下垂如椎

右足帶有上踢意
左足平踏

Quadragésimo sétimo movimento:
o faisão dourado mantém-se sobre uma pata.

Qüinquagésimo sétimo movimento: com a mão erguida, acariciar o cavalo

Cf. número 24.

Imagem. A imagem da execução anterior desse movimento (número 24) era o hexagrama "morder de lado a lado". Este movimento tem por imagem o hexagrama *sui*, "seguir" ☱☳, composto, embaixo, de *zhen*, "o trovão", e, em cima, de *dui*, "o lago". Nesse movimento, todas as partes do corpo se seguem e se harmonizam.

Qüinquagésimo oitavo movimento: desferir um pontapé mantendo as mãos cruzadas

Esse movimento é semelhante aos dois intitulados "dar um pontapé à direita e à esquerda"; a diferença é que, aqui, as mãos cruzadas batem no pé.

Imagem. Hexagrama *jian*, "o obstáculo" ☵☶, formado, embaixo, de *gen*, "a montanha", e, em cima, de *kan*, "o insondável". As duas mãos do combatente foram seguras pelo adversário. No comentário a respeito do hexagrama *jian*, está escrito no *Yijing*: "É vantajoso rumar para o sudoeste". O pé esquerdo dá, portanto, um passo na direção do sudoeste, na esperança de um socorro externo. Mas Chen Pinsan acrescenta que, se o corpo estiver unificado, não haverá nada que temer, visto que o sopro original encerra em si mesmo uma fórmula maravilhosa e fará evoluir a situação para a vitória.

Qüinquagésimo nono movimento: dar um soco no púbis

Cf. número 14.

Imagem. Hexagrama *bo*, "o estouro" ☶☷, composto, embaixo, de *kun* e, em cima de *gen*, "a montanha". É também a imagem da libertação (hexagrama *jie*), pois o perigo anterior foi afastado.

Sexagésimo movimento: o dragão azul emerge da onda

Chen Pinsan diz que esta não é, propriamente dita, uma postura, pois não passa de um movimento intermediário; por isso mesmo se encontram dois números 60 em seu encadeamento.

Qüinquagésimo oitavo movimento: desferir um pontapé mantendo as mãos cruzadas.

第五十八勢十字腳 此勢與前左右插腳相應前之十字腳者以手掉成十字打脚

節解

眼神注于左手 頂精領住 右臁在左臁下 左臁屈住在上 右足蘭平膝微屈 左足平實踏地

身往前合 眼神下去右足抬起與大腿根平

Sexagésimo movimento: o dragão azul emerge da onda.

第六十勢青龍出水 此勢 勢近與玉女穿梭相應其右手順轉同左手倒轉同其牮法但玉女穿梭大轉身此不轉耳遠與七勢九勢兩收相應左右手精省一樣但左右手從遠收到胸前此從近處摟到遠方一收一放遙相應

節解

左肱膊屈住左手落右肘 頂精領足胸向前合右肩輕下 眼神注于右手爪楞住手 此膝屈一二分不可太直亦不可太彎 右手將所摟之捶展開手束住指

左足蹬右足向前 飛縱 膽中會陰長強桃 隨頂精上提前縱 如靈猫撲鼠純是 精神又虛叉靈 此膝是右足向前縱足站落 地故屈膝全身精神皆右手 前去

Sexagésimo movimento: o chicote simples

Diz Chen Pinsan que esta é a sétima repetição do movimento, quando, na verdade, o número 55 já constituía a sétima repetição; logicamente, portanto, esta deveria ser a oitava.
Imagem. A mesma que as anteriores.

Sexagésimo primeiro movimento: o galo rasteja no chão; formar o sete-estrelo

A primeira parte intitula-se "o galo rasteja no chão", porque a forma do movimento evoca o galo que, com a pele esquentada pela agitação, se refresca espojando-se no chão, com uma asa afastada e um pé estendido. A segunda parte se chama "formar o sete-estrelo", pois os pés e as mãos estão dispostos como as sete estrelas das Plêiades.
Imagem. Hexagrama *xun*, que corresponde ao galo e, além disso, corresponde às coxas, que são aqui a parte importante do corpo.

Sexagésimo segundo movimento: recuar e montar no tigre

Esse movimento está em correspondência com o intitulado "passo à frente com torção do tronco", no qual a mão direita se adianta e a esquerda fica para trás. Aqui, a mão direita fica em cima e a esquerda, embaixo.
Imagem. Hexagrama *li*, "o fogo" ☲ . O antebraço direito está erguido acima da cabeça (Yang por cima), o coração, vazio, e os pés, firmados com força (Yang); é, portanto, a imagem de *li*, formado de um traço vazio ladeado de dois traços cheios (Yang).

Sexagésimo terceiro movimento: voltar-se e varrer o pé

Corresponde ao número 45, intitulado "varrer o pé"; só o princípio e o final da execução diferem. Chen Pinsan não nos dá a imagem desse movimento.

Sexagésimo primeiro movimento: o galo rasteja no chão.

第六十一勢鋪地錦上步七星前半勢名鋪地雞後半勢名七星搖勢成如金剛搗碓何謂七星搖以左右手足形象七星故以七星搖名之所以不名金剛搗碓者以左手由下而上行此則以左手屈而在上形如北斗故不名金剛搗碓而名上步七星搖

七星尾前搖牛勢鋪地雞
節解

頂精領足右手搖搖
耳聽身後
右肘屈住如斗
眼注左手左足
腿肚依地
左足僕參依地身將起來時足指前合僕參骨力方能起
骸骨坐下會陰居下而上提
右足平踏待身上挺膝前彎身起來時足跟用力
往上足跟用力
右腿屈住膝朝上

Sexagésimo primeiro movimento: formar o sete-estrelo.

第六十一勢上步七星末尾金剛搗碓
節解

眼平視左手落心胸間手腕朝上右肘沉下
右肩鬆下
頂精領住平心靜氣歸丹田耳聽身後右肩鬆下右手落左手中
右肘沉下
腰精下去
胸向前合右股似直不直膝微屈一二分不然則無蘊精
左右足平踏
左股似直不直

Sexagésimo quarto movimento: a cabeça como um canhão

Este movimento intitula-se também "o punho que protege o coração", como o primeiro do encadeamento.

Imagem. Hexagrama *kan*, "a água" ☵ . Todo o corpo é flexível no exterior, firme no interior, assim como *kan* é formado de traços externos Yin (flexibilidade) e medianos Yang (firmeza).

第六十二勢下步跨虎與摟膝拗步呼應摟膝拗步右手在前左手在後此則右手在上左手在下彼則步寬而拗此則步收以反對相呼

節解

右肘屈住懸於頭上
右肱上挪右手指束住眼神注於右手
左手在後擄住指腕朝上肘彎撐開如跨虎
頂精上領領足
胸向前合右膝屈住右足平踏
腰精下去膝屈住足指點住
臀精股蹤起來

Sexagésimo segundo movimento: recuar e montar no tigre.

第六十三勢前勢午勢轉身擺腳此勢與前之擺腳相呼應但其承上起下處機勢不同中間一樣

節解

右掌朝後臨脖慢彎勢
右肘向外撐住
耳聽身後
頂精領住
眼視胸前
左手落右乳前
右腿抬起在身左足與腿根平
左膝微屈足平踏

Sexagésimo terceiro movimento: voltar-se e varrer o pé.

第六十四勢當頭砲此成勢名以此為主合之擺腳為一勢當頭砲者面前先以捶擊人故名

節解

腰精下去不下腰精足底無力且合不住
兩肘向外兩拳相對一前一後合住精
兩肩鬆下勿上架
頂精領好點精下通長強身圖腰
眼神注於左肘左拳
胸要向前合住空空洞洞萬象皆滿極身
全體節節皆相向合住精
右足鈎住向裏踩
向後蹬指向裏合
右膝微屈屈則膁開
體要大要虛靈要合住
足大拇向裹合五指
與踵背用力抓住地
左膝屈住勿過足指

Sexagésimo quarto movimento: a cabeça como um canhão.

CONCLUSÃO

As publicações recentes chegadas da República Popular da China sobre o Taiji quan empenham-se principalmente em valorizar-lhe a ação terapêutica. Com efeito, se a busca da longevidade, e até da imortalidade, superou, outrora, o interesse pela terapia, este último aspecto nem por isso foi negligenciado. De uns dois anos para cá, a China vem realizando experiências sistemáticas de utilização do Taiji quan ou do *qigong* (trabalho do sopro através de exercícios de flexibilidade e respiração) com finalidades terapêuticas. Um artigo da publicação *Claridade*, de 15 de agosto de 1980, relata que, após a fundação do Centro de Pesquisas sobre o Trabalho do Sopro, em Pequim, foram instalados trinta e três centros de prática, em que participavam mais de três mil pessoas, das quais mais de trezentas eram cancerosas; resultados apreciáveis teriam sido obtidos pela aplicação dessas ginásticas terapêuticas, entre as quais o Taiji quan, em casos crônicos.

Introduziram-se, aliás, o Taiji quan e o *qigong* em meios hospitalares, onde se observou aumento da resistência física à doença, isto é, reforço do sistema de defesa natural do corpo, notadamente entre os cancerosos, sem que se tenha feito menção, todavia, de casos de cura. Infere-se dessas experiências e de depoimentos colhidos junto a doentes cujo estado melhorou com a prática do Taiji quan (ou do *qigong*) que essas técnicas teriam um efeito benéfico sobre o sistema cardiovascular, o sistema pulmonar, o sistema endócrino, as doenças das articulações, as perturbações da vista, as ulcerações, o sistema nervoso e o equilíbrio psíquico, a insônia, o sistema visual-motor e a psicomotricidade.

Por outro lado, convém mencionar estudos empreendidos na França em alguns desses domínios. O dr. Masson, do La Salpêtrière, embora nada tenha publicado ainda, estuda há vários anos o Taiji quan e a psicomotricidade. Aliás, sob a direção pedagógica de mestre Ram, foram levados a cabo dois estudos que deram lugar a teses de mestrado, um no domínio do controle visual-motor, outro no domínio psiquiátrico. Este último verificou-se no Centro Marmotant, dispensário de Armaillé (vigésima nona seção de psiquiatria geral), no serviço do dr. Barte. Depois dessa experiência, S. Soreau escreveu uma tese de mestrado à qual faltam dados referentes às espécies de neurose dos praticantes, mas que nos fornece elementos de reflexão muito instrutivos. Assim menciona ela a dificuldade de interessar os praticantes, em vista da lentidão e da monotonia da prática, num silêncio que pode se revelar angustiante para determinados doentes. Esse inconveniente, a nosso ver, será atenuável se se deixar precisamente de lado por algum tempo a lentidão e o encadeamento dos movimentos, e se se insistir mais sobre outros aspectos, como a evolução no espaço ou a atenção dada à respiração; conviria encontrar outra pedagogia que não a pedagogia tradicional chinesa, já tão desagradável para uma pessoa sã. A mesma observação aplica-se ao ensino das crianças. Pode-se, por exemplo, insistir no mimetismo de certas posturas animais, etc.; é nesse caso que devem intervir todos os exercícios complementares do Taiji quan. Por outro lado, a tese de mestrado de S. Soreau credita ao Taiji quan melhoria, em alguns pacientes, do relacionamento com o mundo circundante e o aparecimento de certo bem-estar.

O segundo estudo foi conduzido com muito rigor, sob a direção de M. Brouchon, por C. Le Boulluec. O autor distingue dois tipos de espaço para o controle visual-motor: o espaço próximo, que põe em ação uma decodificação de ordem proprioceptiva, e o espaço distante, cuja decodificação seria antes de ordem visual. De um modo geral, diz o autor com muita justeza: "A prática do Taiji quan constitui uma espécie de espaço de mudança: o sujeito 'desconstrói' seu modo de investimento relacional no mundo, para elaborar outro a partir da maturação de condutas imitativas". Depois de certos testes efetuados em praticantes principiantes e não-principiantes, o autor conclui que a prática do Taiji quan melhora o controle visual-motor no espaço próximo. A experiência, todavia, foi feita com pessoas que praticavam sobretudo o encadeamento e que estavam pouco adestradas em exercícios a dois. Pergunto-me se esses exercícios a dois não desenvolveriam o controle visual-motor no espaço distante.

Pode-se ver, nesse aspecto terapêutico ou profilático, o Taiji quan ligar-se à tradição chinesa da busca da saúde e da longevidade pela prática do *daoyin* — exercícios de flexibilização — e toda a gama dos exercícios taoístas, prática que complementa diversos tratamentos médicos.

O aspecto marcial, que é, sem dúvida, a função primeira do Taiji quan, reaparece, a pouco e pouco, na China e começa a tornar-se conhecido no Ocidente. Trata-se apenas de uma dessas múltiplas artes marciais praticadas outrora nas diferentes milícias do interior chinês, e deve ao gênio de Yang Luchan e seus filhos, que lhe depuraram o aspecto "popular" e lhe enriqueceram as funções, o haver saído da sombra em que são abandonadas as artes populares chinesas desprovidas de tradição escrita. Parece que o meio imperial também representou a sua parte na notoriedade do Taiji quan.

O Taiji quan distingue-se de outras artes marciais por todo o trabalho psicológico de visualização do sopro, por uma apreensão mais interiorizada do movimento e do indivíduo. Eis aí por que foi possível qualificar o Taiji quan de ioga chinesa, o que se justifica na medida em que a respiração e os exercícios psicofisiológicos ocupam, tanto no Taiji quan como na ioga, lugar preponderante. Entretanto, certas técnicas de corpo chinesas aproximam-se mais da hatha ioga; ao passo que existem diferenças essenciais entre a ioga e o Taiji quan, apesar dos inúmeros pontos em comum.

Com efeito, se a hatha ioga insiste na imobilidade do corpo e do espírito, no Taiji quan cada parte do corpo é sempre móvel no seio de um movimento de conjunto do corpo. Trata-se mais, neste último caso, de uma busca da imobilidade do espírito através do movimento. Pelo ritmo lento de movimentos contínuos instala-se a imobilidade interior do espírito e, logo, apaga-se a distinção imobilidade-mobilidade. Confunde-se o adepto com o eixo da terra, e é ele quem faz girar o mundo, dizem os mestres do Taiji quan.

Na alternância do Yin e do Yang, do movimento e do repouso, o espírito aprende a estar inteiramente presente e a adaptar-se sem cessar às circunstâncias e às mudanças perpétuas. Essa atitude adaptada ao combate não o é menos à vida cotidiana, pela qual o adepto do Taiji quan adapta-se mais facilmente às circunstâncias.

Outra característica do Taiji quan, que não aparece tanto na hatha ioga, é a importância do círculo e da espiral. O encadeamento dos movimentos do Taiji quan faz-se em circuito fechado, os exercícios preliminares são, em grande parte, compostos de deslocamentos circulares e os movimentos do corpo se executam em círculo ou em espiral. O deslocamento em círculo ao redor de um centro representa um papel considerável nas técnicas que buscam provocar o transe, como entre os xamãs da Ásia central. O girar permite ao praticante identificar-se com o cosmo e integrar-se nele. Ora, como já vimos, no Taiji quan o homem se harmoniza com o cosmo.

Por outro lado, praticamos a hatha ioga tão bem de pé quanto sentados ou deitados, ao passo que o Taiji quan só se pratica de pé. A coluna vertebral é um pilar, um eixo ao redor do qual se ordenam as coisas. O homem é, então, o elo entre o céu e a terra. Pelos pés recebe a energia da terra, pela cabeça, a energia do céu. Na China antiga, era sacrilégio jogar a cabeça para baixo, causa possível de alguma perturbação que podia sobrevir ao mundo. Dessa maneira, por sua postura correta, o adepto do Taiji quan concorre para a boa ordem do mundo. Deixa-se impregnar pelas forças sagradas do universo e, por uma série de gestos e deslocamentos quase ritualizados, efetuados nas oito direções, torna-se senhor do tempo e do espaço.

O Taiji quan, portanto, também difere da hatha ioga e das ginásticas taoístas estáticas pelo deslocamento de passos, codificado e determinado de maneira precisa. Por esse lado, ele se aproxima dos rituais taoístas, em que os deslocamentos de passos são também codificados, e das danças rituais.

Na China, os gestos dos pés ou das mãos expressam um sentimento interior e não podem ser executados ao acaso. A dança ali é considerada criadora, organiza o tempo e o espaço, estimulando as energias naturais. O demiurgo Yu, o Grande, pelos seus passos, restabeleceu a ordem e organizou o mundo. Refere um texto taoísta: "Entre o céu e a terra, o homem é o mais inteligente dos seres. Eis por que os movimentos dos pés e das mãos são todos nascidos da harmonia com o método do *bugang!*".

Nos rituais taoístas, os deslocamentos dos passos visam a retraçar no chão o curso dos cinco planetas, o desenho da Ursa Maior (*bugang*) ou das nove estrelas. Da mesma forma, no Taiji quan, os deslocamentos são relacionados com os cinco elementos e, portanto, com os cinco planetas. Um dos exercícios preliminares do Taiji quan é o "passo de nove palácios", deslocamento empregado com freqüência nos rituais taoístas [2].

Nos textos taoístas, os deslocamentos de passos foram, de um lado, ligados à idéia da invulnerabilidade às armas e, de outro, à aquisição da imortalidade. Um desses textos comporta a frase seguinte [3]: "Graças ao deslocamento de passos... ao cabo de um ano são afastadas as influências nefastas, ao cabo de dois se evitam as armas, ao cabo de três se afasta a morte, ao cabo de quatro se obtém a imortalidade terrestre". Ou ainda: "O *bugang* é um método para fortificar o corpo e conservar o princípio vital" [4]. Outro texto sobre os deslocamentos de passos reza [5]: "Se cultivarmos (o Tao) e conseguirmos que um mestre imortal transmita essa carta com o esquema

---

[1] *TT. 102, j. 19.*

[2] *No Jinxiao liuzhu yin (TT. 631, pág. 6) descreve-se a relação entre as nove estrelas e os nove passos.*

[3] *Dongzhen shangqing taiwei dijun bu tiangang fei diji jinjian yuzi shangjing, pág. 8 a-b.*

[4] *TT. 103, j. 25.*

[5] *TT. 631, pág. 1.*

do *bugang*, poderemos também tornar-nos um homem realizado e um imortal divino".

Seja o Taiji quan considerado arte marcial, técnica de longevidade ou encaminhamento espiritual, podemos aplicar-lhe a frase seguinte sobre o *bugang*, segundo a qual todo movimento do corpo é expressão de um movimento interior: "O mais precioso no *bugang* é a concentração... Assim entendiam os antigos ao dizer que os movimentos dos pés não valem os movimentos das mãos e os movimentos das mãos não valem os movimentos do espírito"[1].

---

[1] Idem.

BIBLIOGRAFIA

I. Obras em línguas ocidentais e em japonês

BIERY, James, "Tai-chi for four muscles", in *Popular Mechanics*, n.º 156-157, outubro de 1960.
BROSSE, Thérèse, *Études instrumentales des techniques du yoga*, publicação da E.F.E.O., Paris, 1963.
CHAVANNES, Edouard, *Mission archéologique dans la Chine septentrionale*, Paris, 1900-1915.
CHEN, Yearning (Yanlin), *T'ai-chi ch'uan, its effects and pratical application*, Hong Kong, 1965.
CHOW, Yih-ching, *La philosophie morale dans le néoconfucionisme*, Paris, 1954.
DA, Liu, *Tai-chi ch'uan and I-ching; a choreography of body and mind*, Nova York, 1972.
DE BARY, Théodore, *Self and society in Ming thought*, Columbia University Press, 1970.
DARS, Jacques, *Au bord de l'eau*, Paris, 1978.
DELZA, Sophia, *Body and mind in harmony*, Nova York, 1961. Brochura da Cornestone Library, 1972.
DEMIEVILLE, Paul, "Le bouddhisme et la guerre", in *Mélanges de l'I.H.E.C.*, tomo I, Paris, 1957.
DUDGEON, John, "Kung-fu or medical gymnastics", in *Journal of the Peking Oriental Society*, Pequim, 1895. Republicado em offset por Harrassowitz, Wiesbaden, 1974.
DUMOULIN, Heinrich, *The development of chinese Zen after the sixth patriarch*, Nova York, 1953.
DUNSTHEIMER, G. G. H., "Le mouvement des boxeurs", in *Revue Historique*, fasc. 470, meses de abril e junho de 1964.
Les dances sacrées. Obra coletiva, Le Seuil, Paris, 1963.
EICHHORN, "Die Volkshelden der Han Zeit", in *Studia sino-altaica*, Wiesbaden, 1961.

FILLIOZAT, Jean, *La doctrine classique de la médecine indienne. Ses origines et ses parallèles grecs*, Paris, 1949.
GRANET, Marcel, *La pensée chinoise*, Paris, 1968.
HUARD e WONG, Ming, *Soins et techniques du corps en Chine, au Japon et en Inde*, Paris, 1971.
HUANG, Wen-shan, *Fundamentals of Tai-chi ch'uan*, Hong Kong, 1973.
KALTENMARK, Max, "Chukokuno shukyono shinwatiki ichi kenkyu", in *Annual of the Sanko Research Institute*, n.° 2, Tóquio, 1967 (artigo em japonês).
KOU, James, *Tai chi chuan, harmonie du corps et de l'esprit*, Paris, 1979.
LE BOULLUEC, Chantal, *Les effets du Tai-chi ch'uan sur le contrôle visuo-moteur*, tese de mestrado não publicada da U.E.R. de Psicologia, Universidade de Aix, Marselha, 1980.
LI, Ying-ang, *Lee's modified Tai-chi for health*, Hong Kong, 1968.
LIU, James, *The chinese knight errant*, Chicago, 1967.
LIU, Y. T., *Chinese martial arts and Tai chi ch'uan*, Nova York, 1971.
LU, K'uan-yu, *Taoist yoga, alchemy and immortality*, Londres, 1970.
LU, K'uan-yu, *Ch'an and Zen teachings*, série sem data, Londres, 1960.
MAISEL, Edward, *Tai chi ch'uan, la gymnastique chinoise*, Paris, 1969.
MASPERO, Henri, *Le taoïsme et les religions chinoises*, Paris, 1971.
NEEDHAM, Joseph, *Science and civilization in China*, vols. 1, 2, 3, 4, Cambridge, 1954 e seguintes.
PERROT, Etienne, *Le livre des mutations*, Paris, 1971.
RAGER, G. R., *Hypnose, sophrologie et médecine*, Paris, 1973.
RAWSON, Philip e LEGEZA, Laslo, *Tao, la philosophie chinoise du temps et du changement*, Paris, 1973.
SCHATZ, Jean, "La mécanique respiratoire dans le T'ai-chi ch'uan", in *Nouvelle Revue Internationale d'Acuponcture*, n.° 13, Paris, 1969.
SEIDEL, Anna, "A taoist immortal of the Ming dynasty: Chang San-feng", in *Self and society in Ming thought*, Columbia, 1970.
SEKIGUCHI, Shindai, *Daruma daishino kenkyu*, Tóquio, 1957.
SMITH, Robert, *Secrets of Shaolin temple boxing*, Rutland, Vermont, 1964.
SMITH, Robert, *Pa-kua; chinese boxing*, Tóquio, 1967.

SMITH, Robert e DRAEGER, F. Donn., *Asian fighting arts*, Tóquio, 1968.
TCHENG, Man-t'ing e SMITH, Robert, *T'ai-chi, the supreme ultimate exercise for health, sport and defense*, Vermont, 1967.
WILHELM, Helmut, "Eine Chou Inschrift über Atemtechnik", in *Monumenta Serica*, vol. 13, 1948.
ZHAO, Bichen, *Traité d'alchimie et de physiologie taoïste (weisheng shenglixue mingzhi)*, Paris, 1980.

II. Obras chinesas

TT: abreviação de *Tao-tsang*, o *Cânon taoísta*. Damos os números de acordo com a *Concordance du Tao-tsang* estabelecida pelo professor K. Schipper.
Bagua quan xue, de Suan Lutang, Taipé, 1968.
Chenjia Taiji quan, de Shen Jiazhen e outros, Hong Kong, 1968.
Chenshi Taiji quan tushuo, de Chen Pinsan, 1929; reedição Taipé, 1964.
Chenshi Taiji quan rumen zongjie, de Chen Jifu, Taipé, 1935.
Daode jing.
Daode jing lun bingyao yishu, TT 417 (713).
Deng zhen yinjue, de Tao Hongjing, TT 193 (421).
Dianxue mijue, de Lingkong Chanshi, Taipé, 1974.
Dongzhen shangqing Taiwei dijun bu tiangang fei diji jinjian yuzi shang jing, TT 1027 (1316).
Fanghu waishi, de Lu Qianxu; publicado na era Jiajing (1552-1567). Reedição. Taipé, 1970.
Guoshu lunlue, de Song Gengxin, Taipé, 1969.
Guoshu mingren lu, de Jin Enzhong, Taiwan, 1969.
Hanshu, de Ban Gu.
Huangji jing shi xu-yan, de Shao Yong. Comentário dos Ming. Ed. Taipé, 1968.
Huang Lizhou Jenji, de Huang Zongxi (1610-1691). Ed. Pequim, 1959.
Huangting nei wai jing yu jing, TT 167 (68).
Ji xiao xinshu, de Qi Jiguang, dos Ming.
Jianhua Taiji quan tujie, de Zhong Yunwu, Hong Kong, 1970.
Jinxiao liuzhu yan, de Li Tingfeng. TT 631-636 (1015).
Jutang rilu, de Lai Zhide, em 30 *juan*; obra perdida?
Lian gong baijue, de Ruo Pusa, Taipé, 1966.
Liezi, século II d.C.

Mingshi gao, de Wang Hongxu.
Mingshi jishi, de Chen Tian.
Neigong tushuo. Obra dos Ming republicada em Taipé in *Daozang jinghua* 2-10, 1962.
Nianjun, zhongguo jindai shi ziliao.
Ningbo fuzhi, de Cao Pinren, ed. Pequim, 4 vols.
Qingbai leichao, de Xu Ke, 1917.
Quan jing, de Zhang Kongzhao, século XVIII.
Renmin da cidian. Ed. Taipé, 1966.
Sanguo zhi.
Sanji zhiming quandi, TT 133 (275).
Shangfang dadong zhenyuan miaojing tu, TT 196 (437).
Shangqing tianxin zhengfa, TT 318-319 (566).
Shangyangzi jindan da yao tu, TT 738 (1068).
Shuowen jiezi, de Xu Shen, dos Han.
Songshi jiachuan Taiji gong yanliu ji zhipai kao.
Sunzi bingfa, de Sunzi, século IV a.C.
Taiji quan (Wu jinguan shi), de Xu Zhiyi, Pequim, 1958.
Taiji quan changshi, de Zhou Nianfeng, Pequim, 1978.
Taiji quan duilian, de Sha Guozheng, Pequim, 1979.
Taiji quan dao jian gun sanshou hebian de Chen Yanlin, Xangai, 1943; reedição em Taipé, 1969.
Taiji quan fa jingyi, de Wang Xinwu, Taipé, 1964.
Taiji quan genyuan, de Tang Hao, Hong Kong, 1963.
Taiji quan jiaocai, de Chen Banling, Taipé, 1963.
Taiji quan kaoxin lu, de Xu Zhedong, Hong Kong, 1936; reedição em Taipé, 1965.
Taiji quan pu, de Ma Tongwen.
Taiji quan pu, de Guo Lianyin, Taipé, 1962.
Taiji quan pu li dong bian wei hebian de Xu Zhedong, Taipé, 1963.
Taiji quan quanshu, de Hua Tingshi, Taiwan, 1967.
Taiji quan shi tujie, de Xu Yusheng, Pequim, 1921; reedição de Hong Kong, 1968.
Taiji quan shiyi, de Dong Yingjie, Taipé, 1969.
Taiji quan shiyi, de Xiong Yanghe, Taiwan, 1970.
Taiji quan tiyong jicheng, de Qi Jingzhi, Taipé, 1961.
Taiji quan tushuo, veja *Chenshi*...
Taiji quan xue, de Song Zhijian, Taipé, 1970.
Taiji quan yanjiu, de Fan Zhengzhi, Taiwan, 1968.
Taiji quan yanjiu zhuanji, publicado pela Associação de Taiji quan de Taiwan (*Zhongguo Taiji quan xueshu yanjiu hui*), vols. 1, 2, 3, Taipé, 1966.

Taiji quan yingyong fa, de Dong Huling, Hong Kong, 1965.
Taiji quan zongheng tan, de Chen Guangzhi, Taipé, 1971.
Taiji quan zhi yaojue, de Wu Mengxia, Taipé, 1965.
Taishang laojun yangsheng jue, TT 569 (821).
Taixi jing, TT 59 (130).
Taixi biyao gejue, TT 59 (131).
Tangshi jishi, de Ji Yougong, dos Song.
Tiandi xuanhuang, de Guo Moruo, Xangai, 1946.
Tongshu, de Zhou Dunyi.
Wushi Taiji quan fa dingben, de Ni Qinghe, Taiwan, Gaoxiong, 1972.
Weisheng yi jin jing. Atribuído a Banlami.
Wu zhen pian, TT 65 (145).
Xisui jing. Atribuído a Bodhidharma; obra inexistente.
Xianfo hezong yulu. Edição de Taipé, 1962.
Xianxue cidian, de Dae Yuanchang, Taipé, 1962.
Xinzai huabei mimi zongjiao, de Li Shiyu, Shengdu, 1948.
Xingming fajue mingzhi, de Zhao Bichen, Pequim, 1933; reedição de Taipé, 1963.
Xingming guizhi, de Yin Zhenren, edição de Baoren Tang, 1670.
Xingyi quan quanshu, de Sun Lutang, edição de Taipé, 1968.
Xiuzhen shishu, TT 125 (263).
Xue dao liaofa tushuo, de Tang Hao, Taipé, 1969.
Yangjia Taiji quan tiyong quanshu, de Yang Chengfu, Hong Kong, 1969.
Yangshi Taiji quan, de Gu Liuxin, Hong Kong, 1971.
Yangshi Taiji quan, de Ju Hao, Taipé, 1957.
Yihe tuan, vol. 9 de *Zhongguo jindaishi ziliao*, de Jian Bozan.
Yi jin jing. Atribuído a Bodhidharma.
Yijing Lai zhu tujie, de Lai Zhide; prefácio de 1958. Edição de Taipé, 1976.
Yulei, de Zhou Dunyi.
Yuqing jinsi quinghua miwen jinbao neilian dan jue, TT 114 (240).
Yunji qiqian, de Zhang Junfang, século XI.
Zenyang lianxi Taiji quan, de Gu Liuxin, Xangai, 1974.
Zhang Sanfeng Taiji liandan mijue, Daozang jinghua, 2-9, Taipé, 1954.
Zhang Sanfeng he tade Taiji quan, de Li Ying-ang, Taipé, 1954.
Zhuzi quanshu, de Zhu Xi.
Zhuangzi.

TEXTOS CHINESES DOS TRATADOS SOBRE O TAIJI QUAN

太極拳論　　　張三丰

一舉動周身俱要輕靈尤須貫串氣宜鼓盪神宜內斂無使有缺陷處無使有凸凹處無使有斷續處其根在腳發於腿主宰於腰形於手指由腳而腿而腰總須完整一氣向前退後乃能得機得勢有不得機得勢處身便散亂其病必於腰腿求之上下前後左右皆然凡此皆是意不在外面如意要向上即寓下意若將物掀起而加以挫之之意斯其根自斷乃壞之速而無疑虛實宜分清楚一處有一處虛實處處總此一虛實周身節節貫串無令絲毫間斷耳

太極拳經　　王宗岳

太極者，無極而生，動靜之機，陰陽之母也。動之則分，靜之則合，無過不及，隨曲就伸。人剛我柔謂之走，我順人背謂之粘。動急則急應，動緩則緩隨。雖變化萬端，而理唯（惟）一貫。由招（粘）熟而漸悟懂勁，由懂勁而階及神明。然非用力之久，不能豁然貫通焉。

虛靈頂勁，氣沉丹田，不偏不倚，忽隱忽現。左重則左虛，右重則右杳。仰之則彌高，俯之則彌深。進之則愈長，退之則愈促。一羽不能加，蠅蟲不能落。人不知我，我獨知人。英雄所向無敵，蓋皆由此而及也。

斯技旁門甚多，雖勢有區別，概不外壯欺弱，慢讓快耳。有力打無力，手慢讓手快，是皆先天自然之能，非關學力而有為也。察「四兩撥千斤」之句，顯非力勝；觀耄耋能禦衆之形，快何能為？

立如平準，活似車輪。偏沉則隨，雙重則滯。每見數年純功，不能運化者，率皆自為人制，雙重之病未悟耳。欲避此病，須知陰陽。粘即是走，走即是粘。陰不離陽，陽不離陰。陰陽相濟，方為懂勁。懂勁後，愈練愈精，默識揣摩，漸至從心所欲。

本是「捨己從人」，

太極拳說十要

楊澄甫口述
陳微明筆錄

(一) 虛靈頂勁

頂勁者,頭容正直,神貫於頂也。不可用力,用力則項強,氣血不能流通,須有虛靈自然之意。非有虛靈頂勁,則精神不能提起也。

(二) 含胸拔背

含胸者,胸略內涵,使氣沉於丹田也。胸忌挺出,挺出則氣擁胸際,上重下輕,腳跟易於浮起。拔背者,氣貼於背也,能含胸則自能拔背,能拔背則能力由脊發,所向無敵也。

(三) 鬆腰

腰為一身之主宰,能鬆腰然後兩足有力,下盤穩固,虛實變化皆由腰轉動,故曰:「命意源頭在腰隙」,有不得力必於腰腿求之也。

(四) 分虛實

太極拳術,以分虛實為第一義,如全身皆坐在右腿,則右腿為實,左腿為虛;全身坐在左腿,則左腿為實,右腿為虛。虛

275

太以後何有氣動而流久所夫練
練勁然刃之則轉力血久中功沉
費而
力易
如為
而得懸之
垂不若家
毫不穩
不穩
靈立
輕自
動滯
轉重
後遇步
而遇動
分則動
能分所牽
實能所
虛不人

(五)
沉肩
沉肩力起斷
肩者起墜矣則勁矣
墜肩則肘鬆
肘鬆氣者能
開亦肘沉
下隨往
垂之下人
也而鬆不
若上墜遠
不全之近
能身意
用之縛不
力拙束用地開滯用氣滯論拳極
不毫自疑不如不停拳極太
不盡絡血若如時極太分
意分以戒經氣矣無太也
用有行絡動至身即剛鐵
是使之水經身即全勁堅綿
全不脈轉身而滿全氣流內極如
此開血圓人塞勁而至周正後膊
用云鬆骨化蓋不僵變所輪真然臂
力

(六)
太極拳留能以溝通不用注練云純
極拳滯輕能漁如靈意日習極熱
意拳全於靈長溝渾牽意日則柔之
用論身筋變力渾之貫得軟人
不云筋變力變一之貫得

則不時也。其由腰之根腳動上力之勁也云：指動謂所手手方可為舉者合內勁力意始治故未不循不有生用環絕起此刃無又

力勁也不用之用面不足力浮足不有勁動顯乃引力則其最易見力者可用用其隨於腰總亦有即主須隨一太寧完整之動極於整拳腰一如形氣是論中於也方也所手指動可謂云：師輕但不主動者合內為之舉外外合

（七）上下相隨上下相隨下相發而眼隨即主須隨一腿總亦有隨者腿

合相合相練能所神精外意亦渾然故起所謂合故目謂所神然開謂能云

（八）太極驅子開足氣內極使不心合則外拳精神虛亦意心渾相練能所神精外意亦渾在提開之與問矣得合俱之與問

斷不術續為終其有人綿謂勁斷所歸如乃萬乘不長後力太斷江天已極周大之盡拳而海拙新用復治勁力意始治故未不循不

（九）外家有時自窮連拳止最始原家輕浮而意拳淺而意者可用用

曰：運勁如抽絲，皆言其貫串一氣也。

(十)外家之動深學

練勁守擎力，故御則之靜，靜憤張焉。
氣以好憤脈焉。
盡拳念血脈意。
用極慢無其意。
能太念無得。
為者子自可。
踴氣架丹田庶。
跳鳴練丹會。
以不故沉體。
術無靜氣心。
求後猶長細。
靜中拳。
勁家之動深。
外習雖吸學。

太極拳五大要領

(一) 虛領頂勁

頂勁即頂頭懸，頂勁要輕輕往上頂，使神精挾之，然頂不可用意，要不可倚，頭頂於遺意，精神挾之，謂神貫頂不偏不倚，直正而氣自然領頂不倚，正中頭頸輕能虛不勢則意降氣周與姿力忌下身能用除氣始能用即揚濁而即可者上提起定。頂勁能不領氣可定。

(二) 拔背含胸

拔背使肩胛各長於拔骨而部式尚倚骨即壁意拔胸非内而胸部上便肘沁不出肺胸氣其之故含挺下背則舌務以胸鬆肺氣其之也須則輕放部貼其有氣腳似受於發勢也内可按不由壓背勁含扣胸從上有而持

含胸即程而不胸起生入背脊胸即隨肩運須同理脊而拔使肩胛各長於拔骨而(二)含含之繫際含拔碍欲由

(三) 墜肘

肘墜太極肘應扣拳應繫肩尚沉而意能墜臂不鬆能尚肩開用墜伸力肘而故兩肘應始肩身與

鬆練習開更能鬆能

279

發勁何而更合則意手起之而端治於肩固腹而英車鬆若太鬆鬆曰若腹靈非腰放論氣腰輕發鬆節回曰要可由即節穩又重皆無實可整腰之動勁回始於部舉滑丹身力筆腰進於全有主見全作沉腹足腿可活氣鬆而於軸靈則田之腰適發車動結也

尾何最中尾與方過尚求如得拳同皆之通勁要爲獲極不點勁須爲太勢極發須乃能姿而效猶義始乃及用外要寶式同位之要時勢而置作舒之勁正各同作安勢發中國不之正正閒正各正之勁不中蓋中尾也亦等總此除也問故要條此中式何尾領件頭此架正能效要正脚發一正之重中腿便如尾中勁要中手閒發問一之重有人

發靈何更合意起之治肩固
而而更意之治肩固
腹而英車鬆若太
鬆曰若腹靈非
腰論氣腰輕發
鬆節回要可由
即節穩又重皆無
可整腰之動勁
回始於部舉滑
丹身力筆腰進
於全有主見全作
沉腹足腿可活動
氣鬆而於軸靈則
田之腰適發車動結也

(四)將也氣根輪淨腰極
氣先能迎在腰則腹之
沉天鬆暢腳如轉繁門
丹之腰適發車動結也

(五)每閒發大最閒身向本
尾一中勁之重中手有人
閒架正能效要正腿關之
中式何尾領件頭此
正除也問故要條此
中盖中尾也亦等總此
安勢發中國不之
舒之勁正各同位之僅
外要寶式而置作
猶義始乃及用有
須乃能姿太勢要發線效
要爲獲極不點勁須發
求如得拳同皆之通勁
尾何最中尾與方過尚

中中家膝蓋蹺與腳身坐縮於一指內頂左眼身海不美持學名樓設右手方至兩示由壓發於食面倒於正保理肇左翅屈左上腿方所腿一腳皆手平線使丹集山立中可物前以亮轉腿經右前圖右似在夫右直直按沉可排山闊且手正茲鵑右左後扣向如時恰根功使垂一下氣則如泰尾合中事白即出其等務一成力肘此勢如之
（衡）目重腳四方接謂指之在腿同壁如其穩謂勁全問憾由吾勢自指之在腿同壁如其穩謂量完尾禽下來伛手雙左（約前方所手成同右以肩尖之則可動因於殊如踢以右轉角拳正前出逹完問與腕鬆指發身庶之穩問述明腿足時腰十一至正彈而而尾俯左背食而本是身勢理闊說右右同隨三為轉向外臂會及前勁扼食手電如本姿原加例以於腿身成距左手向脊融尖略蹬胸右右閃司用勢學詳為方寄右稍方横續右簧經問鼻身腳合視於如地利不力未步前心之繼直彈腿那與時而衡前力疾之可正之均挒由重敵至正跟腰而之腰剎尖此勁平神之而敗

施便到心腰合陽從兩開陰至於之知漸布謂便曰骨也合一發上開精於而得技形由懂曰腰由於一下笑意由氣是用此即如合工下此即位固之指開地謂手收也於是此所

五字訣　　李亦畬

無要不在刻不載久，全己丟力要向半欹，右由不我先須年用，左能伸力在處一是矣，後未就有仍何去不制。前動座亦意在做意人，舉初動力刀要從是不，手舉隨我我用此用為。

一起所有無心息全我，專靜人彼方息消此制，不心隨我何討身我。心靜故體自無心頂拖人，日不向心勿彼留不能則。

一心定惹頂先刻丟便之。

手之左左相腿能則大差精，舉我卑而不腰身人之無獨，靈毛貫虛有於後勁發技。身皮氣右隨病邑滯彼而，要我一則其從則秤短久，故礙撐重要力不己寸長彌。如方支右俱得人由分之工，自力手去身不從人有來合。能之兩己周便身從便彼恰，不彼裏右輪亂便是上權處，退像骨而車散心仍手錯處。身則有入左氣身先由從履後，靈進杂彼虛如便以己人不退。

日滯可己則去處之心能分進，二身不意重已隨求從活小前矣。

歛為力人氣合起得氣合人使為得放也務吸提亦氣亂問吸下得力散周目得力易身則沉以蓋周吸熟以含蓄盖目氣無適發則運便吸為呼意氣漫呼開起以日勢脊呼得此三氣入蓄勁出

整勁勁之源於出不毫牽練起背發如亂此成於又後謂一脚要際然分家根提我火求力清於金已泉蓄人虛腰付接鴻而四實間精入後兩發形神勁前發撥

鼓合左非胸由肯下氣間則實在氣兩而一注虛挪全借由上則貫右騰要人沉由聚神貫從下之神精要注力向氣聚挪則勢貫面氣此神騰虛氣貴外發間歸勢左力要在脊腰才氣楚無神不由於備神清然精化氣注俱歸寶全然運能骨聚者氣虛非占問胡脊神致虛然腰發於

勁之源於出不毫牽日身根發將先絲手四一有指勁不退隨也五上鑄有寶全中脊收

走架打手行工要言　李亦畬

昔人云：能引進落空，能四兩撥千斤；不能引進落空，不能四兩撥千斤。語甚概括，初學未能領會，余加數語以解之，俾有志斯技者，得所從入，庶日進有功矣。

欲要引進落空，四兩撥千斤，先要知己知彼；欲要知己知彼，先要捨己從人；欲要捨己從人，先要得機得勢；欲要得機得勢，先要周身一家；欲要周身一家，先要周身無有缺陷；欲要周身無有缺陷，先要神氣鼓盪；欲要神氣鼓盪，先要提起精神，神不外散；欲要神不外散，先要神氣收斂入骨；欲要神氣收斂入骨，先要兩股前節有力，兩肩鬆開，氣向下沉，勁起於腳跟，變換在腿，含蓄在胸，運動在兩肩，主宰於腰，上於兩膊相繫，下於兩腿相隨，勁由內換，收便是合，放即是開，靜則俱靜，靜是合，合中寓開；動則俱動，動是開，開中寓合，觸之則旋轉自如，無不得力，才能引進落空，四兩撥千斤。

平日走架，是知己工夫，一動勢先問自己周身合上數項不合，少有不合，即速改換，走架所以要慢不要快。打手是知人工夫，動靜固是知人，仍是問己，自己安排得好，人一挨我，我不動彼絲毫，趁勢而入，接定彼勁，彼自跌出。如自己有不得力處，便是雙重未化，要於陰陽開合中求之，所謂知己知彼，百戰百勝也。

自跌出。如自己有不得力處，便是雙重未化，要於陰陽開合中求之。所謂知己知彼，百戰百勝也。

長拳十三勢　　　　武禹襄

三進坤艮土
十七乾兌火
也八卦即巽震水
絕此掤擠即金木
不靠擠靠即定
海肘掤肘掤
海採挒採挒
大採五方進退
長江撐此也
如掤定正也
者掤捋四角也
長拳者傾離坎斜也
長勢退坎四也

四字密訣　　　　武禹襄

使勁之上，彼勁布敷於己身
運氣也。
敷者動也
敷不盖。
盖者，以氣盖彼來處也。
對者，以氣對彼來處，認定準頭而去
對也。
吞者，以氣全吞而入於化。
此四字無形無聲，非懂勁以極練
吞地氣喻矣。
此四位而無容，始能於勁氣體。
敷者四字無音，能全花四體不直
不能言。

稀知硬疑夸機者離 寧寧寧輔輔輔
界不堅無出心隨支 主主主賓賓賓
世十並俱更費黏不 之之之之之之
按人靈隨靠用連中 第第第第第第
歌擠藝輕黏肘不黏裏 一二三一二三
字擴個能連捌之得其 第第第第第第
八掤十若黏採行果得 論為為為為為
心腰猴地丹掌足 會脊頭心田指指

真義歌

無聲無象空然馨鳴靜海命　）
全身透自懸猿河倒立（　）一欲空精活動是
應物自懸猿河倒立（　）其為所天陰神流氣
西山懸猿河倒立　（　）忘外心潤煉神定
虎孔清江性　　　（　）內隨海嫩死氣
泉清江性　　　　（　）心元神
翻江倒立　　　　（　）
盡性命　　　　　（　）

289

DENOMINAÇÕES CHINESAS DOS MOVIMENTOS DA ESCOLA YANG

Os caracteres chineses foram grafados por Yeh Yao-hwang, da Academia Qingcheng.

An : 按
Bai-e liang chi : 白鶴涼翅
Baishe tu xin : 白蛇吐信
Bao hu gui shan : 抱虎歸山
Danbian : 單鞭
Dao nian hou : 倒攆猴
Gao tan ma : 高探馬
Haidi zhen : 海底針
He Taiji : 合太極
Ji : 擠
Jin bu ban lan chui : 進步搬攔捶
Jin bu cai chui : 進步栽捶
Jinji du li : 金鷄獨立
Lou xi ao bu : 摟膝拗步
Lü : 擺
Peng : 掤
Pie shen chui : 撇身捶
Qishi : 起式
Ru feng si bi : 如封似閉
Shan tong bei : 扇通背
Shangbu qixing : 上步七星
Sheshen xia shi : 蛇身下勢
Shizi shou : 十字手
Shou hui pipa : 手揮琵琶
Shuangfeng guan er : 雙風貫耳
Ti shou shangshi : 提手上勢
Tui bu kua hu : 退步跨虎

291

Wan gong she hu : 彎弓射虎
Xie danbian : 斜單鞭
Xie fei shi : 斜飛勢
Yema fen zong : 野馬分鬃
You da hu : 右打虎
You fen jiao : 右分腳
You lan quewei : 右攬雀尾
You ti jiao : 右踢腳
Yunü chuan suo : 玉女穿梭
Yun shou : 雲手
Zhoudi chui : 肘底捶
Zhuan shen bai lian : 轉身擺蓮
Zhuan shen deng jiao : 轉身蹬腳
Zhuan shen pie shen chui : 轉身撇身捶
Zhuan shen shizi tui : 轉身十字腿
Zuo da hu : 左打虎
Zuo fen jiao : 左分腳
Zuo lan quewei : 左攬雀尾
Zuo ti jiao : 左踢腳

DENOMINAÇÕES CHINESAS DOS MOVIMENTOS DA ESCOLA CHEN

Bai-e liang chi : 白鵝亮翅
Bai jiao : 擺腳
Bao tou tui shan : 抱頭推山
Bi shen chui : 庇身捶
Chu shou : 初收
Danbian : 單鞭
Dang tou pao : 當頭砲
Dao juan hong : 倒捲紅
Deng yi gen : 蹬一跟
Die cha : 跌岔
Er qi : 二起
Gao tan ma : 高探馬
Hou zhao : 后昭
Ji di chui : 擊地捶
Jingang daocui : 金剛搗碓
Jinji du li : 金鷄獨立
Lan tuo yi : 攬擦衣
Lou xi ao bu : 摟膝拗步
Pu di jin : 鋪地錦
Qian tang ao bu : 前堂拗步
Qian zhao : 前昭
Qinglong chu shui : 青龍出水
Shan tong bei : 閃通背
Shizi jiao : 十字腳
Shoutou shi : 獸頭勢
Ti yi jiao : 踢一腳
Xia bu kua hu : 下步跨虎
Xiao qinna : 小擒拿
Xie xing ao bu : 斜行拗步
Yan shou chui : 演手捶
Yan shou hong chui : 演手肱捶

Yema fen zong : 野馬分鬃
You cha jiao : 右插腳
You yun shou : 右運手
Yunü chuan suo : 玉女穿梭
Zai shou : 再收
Zhao tiandeng : 朝天鐙
Zhi dang chui : 指膽捶
Zhong danbian : 中單鞭
Zhong yun shou : 中運手
Zhoudi kan quan : 肘底看拳
Zhuan shen bai jiao : 轉身擺蓮

DENOMINAÇÕES CHINESAS DOS MOVIMENTOS DA DISPERSÃO DAS MÃOS

Bai-e liang chi : 白鵝亮翅
Ban chui : 搬捶
Bao hu gui shan : 抱虎歸山
Cai lie : 採挒
Ce shen pie shen chui : 側身撇身捶
Che bu jue bi : 撤步撅臂
Che bu zuo da hu : 撤步左打虎
Da you zhou : 打右肘
Da zuo zhou : 打左肘
Dantui you bi : 單推右臂
Dao nian hou : 倒攆猴
Deng jiao : 蹬腳
Haidi zhen : 海底針
Heng lie shou : 橫列手
Hua da you zhang : 化打右掌
Hua da you zhou : 化打右肘
Hua tui : 化推
Huan bu jue : 摁步撅
Huan bu you chuan suo : 換步右穿梭
Huan shou you kao : 摁手左靠
Hui ji : 回擠
Jinjï du li : 金雞獨立
Shan tong bei : 扇通背
Shang bu cai lie : 上步採挒
Shang bu chui : 上步捶
Shang bu gao tan ma : 上步高探馬
Shang bu lan chui : 上步攔捶
Shang bu qixing : 上步七星
Shang bu you lan quewei : 上步攬雀尾
Shangbu zuo kao : 上步左靠
Shang bu zuo lan quewei : 上步左攬雀尾

295

Sheshen xia shi : 蛇身下勢右劈身捶左劈身捶
Shizi shou : 十字手
Shou hui pipa : 手揮琵琶
Shuang an : 雙按
Shuang fen deng jiao : 雙分蹬腳
Shuang fen kao : 雙分靠
Shuangfeng guan er : 雙風貫耳
Shuang fen you lou xi : 雙分右摟膝
Shuang fen zuo lou xi : 雙分左摟膝
Shunshi an : 順勢按
Ti shou shangshi : 提手上勢
Tui bu hua : 退步化
Wan gong she hu : 彎弓射虎
Xi shou she shen : 習手蛇身
Xiashi ban chui : 下勢搬捶
You cuo bi : 右搓臂
You da hu : 右打虎
You kai : 右開
You kao : 右靠
You pi shen chui : 右劈身捶
You shan : 右閃
You tui : 右推
You xie fei shi : 右斜飛勢
Yun shou : 雲手
Zhi dang chui : 指襠捶
Zhoudi chui : 肘底捶
Zhuan shen an : 轉身按
Zhuan shen bai lian : 轉身擺蓮
Zhuan shen che bu lü : 轉身撤步攦
Zhuan shen danbian : 轉身單鞭
Zhuan shen huan bu you fen jiao : 轉身換步右分腳
Zhuan shen huan bu zuo fen jiao : 轉身換步左分腳
Zhuan shen jinji du li : 轉身金鷄獨立
Zhuan shen pie shen chui : 轉身撇身捶
Zhuan shen shang bu kao : 轉身上步靠
Zhuan shen zuo kao : 轉身左靠
Zhuo bi : 左臂
Zuo da hu : 左打虎
Zuo kao : 左靠
Zuo pi shen chui : 左劈身捶
Zuo shan : 左閃
Zuo xie fei shi : 左斜飛勢
Zuo yema fen zong : 左野馬分鬃

ÍNDICE ONOMÁSTICO

Bato : 跋陀 11
Banlami : 般刺密 12
Bodhidharma : 菩提達摩 12, 13, 17
Caoshan Benji : 曹山本寂 40
Chen Boxing : 陳伯甡 34
Chen Changxing : 陳長興 21, 23, 24, 34, 211
Chen Fake : 陳發科 35, 75, 76, 77, 211
Chen Fengzhang : 陳奉章 34
Chen Gengyun : 陳耕耘 34
Chen Gongzhao : 陳公兆 34
Chen Pinqi : 陳秉奇 34
Chen Pinren : 陳秉壬 34
Chen Pinsan : 陳品三 20, 34, 45, 51, 52, 56, 66, 70, 72, 77, 80,
    89, 91, 92, 94, 95, 101, 123, 211, 212, 214
Chen Pinwang : 陳秉旺 34
Chen Qingping : 陳青洋 34, 211
Chen Sande : 陳三德 34
Chen Tingnian : 陳廷年 34
Chen Tingxi : 陳廷禧 34
Chen Wangting : 陳王庭 20, 21, 23, 34, 211
Chen Weiming : 陳微明 26, 27, 34, 35, 37, 107
Chen Xiyi : 陳希夷 43
Chen Xiufeng : 陳秀峰 35
Chen Xiuxing : 陳秀甡 34
Chen Yanlin : 陳炎林 72, 83, 85, 86, 87, 88, 137
Chen Youben : 陳有本 34, 211
Chen Youheng : 陳有恒 34
Chen Youlun : 陳有綸 34
Chen Zhaokui : 陳昭奎 35
Chen Zhaopi : 陳昭丕 35

297

Chen Zhaoxu：陳昭旭 35
Chen Zhongxing：陳仲甡 22, 23, 34
Chen Ziming：陳子明 104
Cheng Bi：程珌 19
Cheng Lingxi：程靈洗 19
Cheng Yuandi：程元滌 19
Ci Xi：慈禧 18
Dongshan Liangjie：洞山良階 40
Dong Yingjie：董英傑 37, 51
Foto：佛佗 11, 12
Fuxi：伏羲 45, 56, 63, 212
Gao Tancheng：高曇晟 13
Guo Moruo：郭沫洺 58
Guo Weizhen：郭為真 29, 35
Guo Yueru：郭月如 35
Han Gongyue：韓拱月 19
Han Zhensheng：韓震聲 32
Heshang gong：河上公 38, 43
Huato：華佗 13
Huang Lizhou：黃黎洲 17
Huang Zongyan：黃宗炎 43
Ji De：紀德 20
Jiang Fa：蔣發 23
Jutang：瞿塘 45
Lai Zhide：來知德 44, 45
Li Bokui：李伯奎 34
Li Daozi：李道子 19
Li Jiyu：李際遇 21
Li Jing：李靖 12
Li Kaifang：李開方 22
Li Yixu：李亦畬 29, 35, 87, 104, 114, 116, 121
Li Ying-ang：李英昂 18, 96, 98
Lin Fengxiang：林鳳祥 22
Liu Peizhong：劉培中 32, 49, 62, 64, 68, 69, 70
Ma Tongwen：馬同文 35
Qi Jiguang：戚繼光 21, 211
Shao Yong：邵雍 38, 40, 43, 44, 47, 123
Shou Ya：壽厓 40
Song Shuming：宋書銘 19, 20, 104, 119
Song Yuanqiao：宋袁橋 19, 20
Song Zhijian：宋志堅 94
Sun Lutang：孫祿堂 27, 30, 35, 51

298

Tang Hao：唐豪 23, 95
Wang Shichong：王世充 13
Wang Zhengnan：王征南 17, 96
Wang Zong：王宗 23
Wang Zongyue：王宗岳 23, 104, 105
Wei Boyang：魏伯陽 38, 43
Wu Chengqing：武澄清 23, 104
Wu Jianquan：吳鑑泉 20, 29, 30, 35
Wu Quanyou：吳全佑 29, 35
Wu Yuxiang：武禹襄 23, 24, 29, 34, 54, 56, 57, 104, 118
Wu Zizhen：吳子鎮 35
Xiao Zuming：蕭祖明 32
Xu Xuanping：許宣平 19
Xu Yusheng：許禹生 20, 35
Xu Zhedong：徐哲東 13, 35, 103, 104
Xu Zhiyi：徐致一 35
Xuandi：玄帝 14
Yang Banhou：楊班侯 26, 29, 34, 137
Yang Chengfu：楊澄甫 26, 27, 35, 107, 137
Yang Fenghou：楊鳳侯 26, 34
Yang Jianhou：楊健侯 25, 26, 34
Yang Luchan：楊露禪 22, 24, 26, 34, 86
Yang Shaohou：楊少侯 25, 27, 35
Yang Zhaolin：楊兆林 35
Yu Lianzhou：俞蓮舟 19
Yuan Shikai：袁世凱 19
Zeng Zhaoran：曾照然 23
Zhang Kai：張開 34
Zhang Sanfeng：張三丰 14, 15, 16, 17, 18, 19, 26, 93, 104
Zhang Shiyong：張世榮 35
Zhang Songxi：張松溪 16, 19, 96
Zhenwu：真武 14, 17
Zheng Huaixian：鄭懷賢 35
Zheng Manqing：鄭曼青 32, 135
Zhong Li：鍾離 38, 43
Zhou Dunyi：周敦頤 38, 40, 41, 42, 43, 47

ÍNDICE DOS TERMOS CHINESES

An jing : 按勁 83
An zhang : 按掌 127
Bagua quan : 八卦拳 11, 27, 30, 133
Bagua huxi : 八卦呼吸 62
Bai : 攏 129
Baihui : 百會 67, 76
Baihui xue : 百匯穴 97, 96
Beiliang xue : 背樑穴 97, 96
Bi : 閉 99
Binao xue : 臂臑穴 97, 98
Bu diu ding : 不丟頂 80, 82
Cai jing : 採勁 83
Cao Dong zong : 曹洞宗 42
Chansi jing : 纏絲勁 77
Chan tie jing : 沾貼勁 83, 84
Chang jing : 長勁 83
Chou quan : 抽拳 126
Chuan zhang : 穿掌 127
Chui : 吹 54, 62
Cunsi : 存思 68
Da jiazi : 大架子 26
Da lü : 大攦 75, 121, 179
Da shou : 打手 11, 177
Da zhou tian : 大週天 65
Dangmen xue : 當門穴 96, 97
Daoyin : 導引 36, 57, 133
Deng bu : 蹬步 129
Dian xue : 點穴 93

301

Ding bu：丁步 128
Dong jing：懂劲 83.84
Dumai：督脉 61.65.67
Ergen xue：耳根穴 96
Fa jing：发劲 83.86
Feihai xue：肺海穴 96
Fengwei xue：凤尾穴 97.98
Fengyan xue：凤眼穴 97.98
Gong bu：弓步 127
Gongfu：工夫　功夫 12.36
Gongsun xue：公孙穴 97.98
Gou shou：钩手 126.127
Gu fu：鼓腹 104
Gu qi：鼓气 63.64
He：呵 53.62.64.87
He jing：合劲 83
Hu：呼 53
Hu kou：虎口 126
Hukou xue：虎口穴 97.98
Hua jing：化劲 83.85
Hua quan：化拳 24
Huanjie xue：环结穴 96
Huan jing bu nao：还精补脑 68
Huangting：黄庭 65
Huiyin：会阴 66.67.68
Hun xue：晕穴 96
Ji：季 99
Ji jing：挤劲 83
Jimen xue：箕门穴 96.97
Jixin xue：脊心穴 96.97
Jianjin xue：肩井穴 97.98
Jiangtai xue：将台穴 97.98
Jie：节 99
Jie jing：借劲 83
Jinji bu：金鸡步 127.128
Jing：精 61.76.77
Jing：劲 76.77.108
Jingcu xue：精促穴 97.98
Jing qiao：精窍 60
Jingshen：精神 107
Jiugong bu：九宫步 135
Jugou xue：巨骨穴 97.98

302

Kai jing : 開勁 83
Kao jing : 靠勁 83
Li : 理 77
Lian : 連 80, 82
Lie jing : 挒勁 83
Ling kong jing : 凌空勁 83, 87
Lingtai : 靈台 66, 67, 68
Lü jing : 攦勁 80, 83
Ma bu : 馬步 128
Ma xue : 麻穴 96
Mai lun : 脈輪 49
Mei : 媒 71
Meng : 孟 99
Mingmen : 命門 96
Na : 拿 99
Na fa zhu shu : 拿發諸術 24
Na jing : 拿勁 83, 86
Naohai xue : 腦海穴 96, 97
Neidan : 內丹 57, 61
Neigong : 內功 18, 36
Neijia : 內家 11, 18
Ni chansi jing : 逆纏絲勁 80
Nie gui quan : 捏鬼拳 27
Pao quan : 砲拳 21
Peng jing : 掤勁 80, 82, 83
Pie quan : 撇拳 126
Ping quan : 平拳 126
Pu bu : 朴步 127, 128
Qi : 氣 61, 77
Qi chen dantian : 氣沉丹田 59
Qigong : 氣功 58, 134, 261
Qimen xue : 期門穴 97, 198
Qie zhang : 切掌 127
Qing gong : 輕功 68, 134
Quchi xue : 曲池穴 97, 98
Quan : 拳 100, 126
Renmai : 任脈 61, 65, 67
Renzhong : 人中 66, 67
Rudong xue : 入洞穴 97, 98
Saijiao xue : 腮角穴 97, 98
Sanding : 三頂 133

Sanguan : 三關 66
San shou : 散手 75, 121
Shaolin quan : 少林拳 12, 13, 18
Shen : 神 61, 71
Shi : 實 54
Shuai zhang : 摔掌 127
Shuang zhong : 雙重 55
Shun chansi jing : 順纏絲勁 80
Si : 四 53
Si xue : 死穴 96
Sui : 隨 80, 82
Taichong xue : 太冲穴 97, 98
Taiji : 太極 14, 19, 37-49, 52-56, 64, 77, 85, 88, 89, 101, 105, 214, 215
Taiji dao : 太極刀 7, 133
Taiji gun : 太極棍 133
Taiji jian : 太極劍 7, 133
Taiping : 太平 7
Taiyang xue : 太陽穴 96, 97
Ti : 踢 129
Ti jing : 提勁 83
Tianling xue : 天靈穴 96, 97
Tianxi xue : 天隙穴 96, 97
Tianzhu xue : 天柱穴 97, 98
Tie : 貼 80, 82
Ting jing : 聽勁 83, 84
Tugu naxin : 吐古納新 58
Tuna : 吐納 58
Tui shou : 推手 30, 75, 84, 121, 177
Waigong : 外功 18, 36
Waijia : 外家 11, 18
Wanmai xue : 腕脉穴 97, 98
Weilong xue : 尾龍穴 97, 98
Weizhong xue : 委中穴 97, 98
Wenting xue : 聞聽穴 97, 98
Wugu : 握固 99
Wuji : 無極 45, 77, 105
Wuqin xi : 五禽戲 13
Wushu : 武術 7
Wuwei tu : 五位圖 40
Xi : 嘻 54

Xi chuang：膝撞 129
Xiantian quan：先天拳 19
Xiao jiazi：小架子 26
Xiaoyao xue：笑腰穴 97, 98
Xiao jiu tian：小九天 19
Xiao zhou tian：小週天 65
Xindi：心地 119
Xinsheng：心聲 71
Xingyi quan：形意拳 11, 27, 30, 133
Xu：噓 53, 62
Xu：虛 54
Xuling dingjing：虛靈頂勁　靈領頂勁 103
Xuanji xue：玄機穴 97, 98
Xue xue：血穴 96
Ya xue：啞穴 運手 96
Yamen xue：啞門穴 97, 98
Yangwei：陽維 68, 69
Yi：意 52, 62, 71, 72, 86
Yiqi：一氣 105
Yiguan dao：一貫道 32
Yin jin luo kong：引進落空 89, 90
Yin jing：引勁 83, 86
Yin qiao：陰蹻 66, 69
Yinwei：陰維 68, 69
Yongquan xue：湧泉穴 97
Yuzhen：玉枕 66, 67, 68, 69
Zhan gong：站功 132, 134
Zhan mian quan：沾綿拳 24
Zhang：掌 126
Zhangmen xue：章門穴 97, 98
Zhenqi xue：真氣穴 66, 69
Zhi：志 52
Zhirou quanshe：致柔拳社 27
Zhong：仲 99
Zhong jiazi：中架子 26
Zhongqi：中氣 65
Zhou jing：肘勁 83
Zhubin xue：築賓穴 97, 98
Zhuo：抓 99
Zou jia：走架 116, 121

305

Zou jing : 走劲 83, 85
Zuan jing : 钻劲 83, 87

SUMÁRIO

Introdução	7
I. HISTÓRICO	11
1) A escola exotérica	12
2) A escola esotérica, origem lendária do Taiji quan	14
3) A distinção entre escola exotérica e escola esotérica	17
4) Outra origem do Taiji quan	19
5) A primeira escola de Taiji quan: a escola Chen	20
6) A escola Yang	24
7) A escola Wu	29
8) A escola de Guo Weidhen	29
9) A escola de Sun Lutang	30
10) A situação recente	30
II. TAIJI E TAIJI QUAN	
1) O Taiji	37
2) As representações do Taiji	38
3) Taiji e corpo humano	47
4) Taiji e Taiji quan	52
III. TAIJI QUAN, A ARTE DA LONGA VIDA	57
1) A respiração	58
2) Técnicas psicofisiológicas	61
IV. O TAIJI QUAN ENQUANTO ARTE MARCIAL	75
1) A força interior	76
2) Princípios estratégicos	88
3) Técnica dos pontos vulneráveis	93
V. OS TRATADOS SOBRE O TAIJI QUAN	103

VI. PRINCÍPIOS BÁSICOS DA PRÁTICA DO TAIJI QUAN — 121

1) Onde e quando praticar — 121
2) Método chinês de ensino do Taiji quan — 124
3) Movimentos básicos no Taiji quan — 126
4) Princípios a serem observados na execução dos movimentos — 129
5) Exercícios complementares do Taiji quan — 133

VII. A PRÁTICA DA ESCOLA YANG — 137

1) Encadeamento dos movimentos — 137
2) A pressão das mãos (Tui Shou) — 177
3) O grande deslocamento — 179
4) Dispersão das mãos — 181

VIII. A PRÁTICA DA ESCOLA CHEN — 211

CONCLUSÃO — 261

BIBLIOGRAFIA — 267

TEXTOS CHINESES DOS TRATADOS SOBRE O TAIJI QUAN — 273

DENOMINAÇÕES CHINESAS DOS MOVIMENTOS DA ESCOLA YANG — 291

DENOMINAÇÕES CHINESAS DOS MOVIMENTOS DA ESCOLA CHEN — 293

DENOMINAÇÕES CHINESAS DOS MOVIMENTOS DA DISPERSÃO DAS MÃOS — 295

ÍNDICE ONOMÁSTICO — 297

ÍNDICE DOS TERMOS CHINESES — 301

Leia também:

CHUANG TZU — Escritos Básicos

Chuang Tzu foi um pensador de vanguarda, representante da corrente taoísta do pensamento chinês. Usando parábolas e anedotas, alegorias e paradoxos, ele divulgou as idéias primitivas do que se transformaria, posteriormente, na Escola Taoísta. O ponto central dessa crença é que o homem só pode obter a verdadeira felicidade e ser realmente livre se for capaz de compreender o Tao – o Caminho da Natureza – e de permanecer em sua unidade.

A obra de Chuang Tzu não é considerada apenas pela sua profundidade filosófica; ela figura entre os mais preciosos textos da literatura chinesa. Para Chuang Tzu, os maiores bens da humanidade são a harmonia e a liberdade, que podem ser encontradas seguindo-se espontaneamente o fluxo da natureza.

Espirituoso e criativo, enriquecido com fantasias brilhantes, usando de modo brincalhão tanto os personagens mitológicos como os históricos – sem excetuar Confúcio – o livro que traz o nome de Chuang Tzu figura há séculos entre os livros preferidos pelos chineses.

Esta tradução, baseada na versão inglesa dos escritos básicos de Chuang Tzu, feita por Burton Watson, foi preparada originalmente para o programa de traduções dos clássicos orientais do "Columbia College".

EDITORA CULTRIX

OS MESTRES DO TAO
LAO-TZU, LIE-TZU e CHUANG-TZU

Henry Normand

Há dois mil e quatrocentos anos, os grandes mestres taoístas lançaram na China as bases de um pensamento que se tornou eminentemente moderno, a ponto de inspirar diretamente as definições que os físicos da atualidade formulam acerca das propriedades do mundo real ou cósmico, tal como o concebemos. "O caminho supremo está no imperceptível" – diziam os mestres taoístas – e esse "imperceptível" constitui o ponto-chave do reencontro entre a tradição e a sociedade contemporânea.

Com *Os mestres do Tao*, Henry Normand escreveu uma obra clara, bem-elaborada, com vasta documentação, ilustrada pelo conhecimento profundo das tradições, para explicar uma realidade atuante, cujos campos de energia – ou Tao – nos envolvem como camadas cada vez mais finas, análogas às energias do próprio pensamento.

Obra de base, rica em informações e em conteúdo, este livro permite que se compreenda por que esse pensamento milenar, fruto de uma sabedoria antiga, tornou-se, ao mesmo tempo, extremamente atual.

EDITORA PENSAMENTO

I CHING – O LIVRO DAS MUTAÇÕES

Richard Wilhelm
Prólogo de C. G. Jung

Depois de amplamente divulgada em alemão, inglês, francês, italiano e espanhol, aparece pela primeira vez em português a mais abalizada tradução deste clássico da sabedoria oriental – o *I Ching*, ou *Livro das Mutações* –, segundo a versão realizada e comentada pelo sinólogo alemão Richard Wilhelm.

Tendo como mestre e mentor o venerável sábio Lao Nai Haüan, que lhe possibilitou o acesso aos textos escritos em chinês arcaico, Richard Wilhelm pôde captar o significado vivo do texto original, outorgando à sua versão uma profundidade de perspectiva que nunca poderia provir de um conhecimento puramente acadêmico da filosofia chinesa.

Utilizado como oráculo desde a mais remota antiguidade, o *I Ching*, considerado o mais antigo livro chinês, é também o mais moderno, pela notável influência que vem exercendo, de uns anos para cá, na ciência, na psicologia e na literatura do Ocidente, devido não só ao fato de sua filosofia coincidir, de maneira mais assombrosa, com as concepções mais atuais do mundo, como também por sua função como instrumento na exploração do inconsciente individual e coletivo.

C. G. Jung, o grande psicólogo e psiquiatra suíço, autor do prefácio da edição inglesa, incluído nesta versão, e um dos principais responsáveis pelo ressurgimento do interesse do mundo ocidental pelo *I Ching*, resume da seguinte forma a atitude com a qual o leitor ocidental deve se aproximar deste *Livro dos Oráculos*:

"O I Ching não oferece provas nem resultados; não faz alarde de si nem é de fácil abordagem. Como se fora uma parte da natureza, espera até que o descubramos. Não oferece nem fatos nem poder, mas, para os amantes do autoconhecimento e da sabedoria – se é que existem –, parece ser o livro indicado. Para alguns, seu espírito parecerá claro como o dia; para outros, sombrio como o crepúsculo; para outros ainda, escuro como a noite. Aqueles a quem ele não agradar não têm por que usá-lo, e quem se opuser a ele não é obrigado a achá-lo verdadeiro. Deixem-no ir pelo mundo para benefício dos que forem capazes de discernir sua significaçao."

EDITORA PENSAMENTO